新潮文庫

開口閉口

開高健著

新潮社版

2569

目次

開口閉口

ロートレックがイナゴを食べた

まずは。
新年の御慶《ぎょけい》申上げます。

連載第一回が正月号なので、何はとまれとそう書きつけてみたけれど、さて、あとがつづかない。にこやかに微笑して挨拶《あいさつ》はしたものの、そのあとフッとだまってしまうのがこの時代の特長であるのかもしれない。〝どうもどうも〟という言葉は何の挨拶もしたことにならない挨拶だけれど、面と向って眼を見て、そういいかわすと何やらヒトとヒトが出会った感触だけはつたわる。それすらもなかなか入手しにくい時代なのだから、これはこれで立派に機能を果しているといえる。朝、昼、晩、おかまいなしだし、季節もおかまいなしだし、長幼師弟の秩序もおかまいなし。混沌《こんとん》時代の泡かもしれないけれど、まことに寛容おおらか。曖昧《あいまい》表現はわが国得意の生活芸術だけれど、切実の知恵でもあるのだろう。

　昔の中国人もしたたかに現世で苦しめられたせいだろうか。〝マーマーフーフー〟という挨拶を編みだした。漢字で書くと〝馬々虎々〟である。ある状況をさして、見かたによってはウマのようにも見えるしトラのようにも見えますというところだが、なかなか小憎い芸術である。わが国の〝どうもどうも〟や〝まずまず〟や〝ボチボチでんナ〟あたりに相当するのだが、発音がやさしいのと、その発音のユーモラスなおとぼけ気分が愛されて、西欧に移植され、辞書にも編入されるようになった。西欧人でもいささか素養のある人物ならときどきくちびるのうえでマーマーフーフーところがすのをたのしみにしているのと出会うことがある。曖昧の領域のなかで息づくしかないことは多いのだし、その領域は拡大されるいっぽうなのだから、こういう知恵は尊重したいものである。

　誠実だけれど質に貧寒なところがある。謙虚だけれど核の部分がみすぼらしい。昂《こう》揚《よう》しているようだけれど足が地についていない。そういう挿話はたくさんあるけれど、書く気が起らない。人口爆発、食糧不足、政治貧困、住宅困難、物価暴騰《ぼうとう》、ことごとく四字ずくめでしかも〝馬々虎々〟のような加工ぬきの言葉に吹きまくられる。そこで、やむなく、室内旅行である。文字からは蜜《みつ》といっしょに毒も放射されると私は感じこんでいるので、本棚という本棚にカーテンをかけて本の背表紙が見えないように工夫しているのだが、そのはしはしをちょっとめくって、何かよいものは、とさがす。あった。

画家のロートレックの料理書である。原題は『料理の芸術』、邦訳は『美味三昧《ざんまい》』。画家の没後に親友がその生前愛好の料理のメニュや処方をまとめてやったもので、九割までが、料理法の羅列である。ほとんど毎頁《ページ》にロートレックのデッサンが色刷りで入っているので、ずいぶん眼をたのしませてもらえる。けれど、フランス料理を食べたことのない人には処方箋《しょほうせん》が並べられてあるだけだから、とっつきようがないかもしれない。巻末にインデクスがついているので、寝ころがってそこをひろげ、何か変ったものはないかと眼でさがす。スープ類、ソース類、薬味・薬草類、魚貝類、畜肉類と目白おしにならんでいて、この不具の画家がどれだけ生に歓喜して熱中していたか、横顔が見えてきそうである。彼は画を描くかたわら、自分でせっせと料理をつくって、自分も食べ人にも食べさせてたのしんでいたようである。

『イナゴの網焼き、洗礼者ヨハネ風』というのはどうだろう。たいへんだよ。舌がもつれる。〝ソーテレル・グリエ・ア・ラ・モード・ド・サン・ジャン・バティスト・

ル・プレキュルスール〃というのだ。

たくさんのイナゴから茶色や黄色のではなくてピンク色の美しいのをさがしだす。金網にそれをのせ、粗塩二、三つまみをふりかけ、炭火で軽く焼く。頭をむしり、内臓もぬきとる。皿に並べてレモンの輪切りを添え、塩、コショウ、トウガラシなどをふりかける。

料理法はざっとそういうところである。〃洗礼者ヨハネ風〃というだけあって、剛健、簡古。野原の路傍のものである。焼いて、塩をふりかけ、内臓をおしだし、手もとにたまたまレモンがあればふりかける、というだけのことである。料理の精髄は単純と誠実にある。物そのものの味を生かすこと。物そのものに語らせることにある。

こういうのを読んでいると、ロートレックの食いしん坊ぶりがまざまざとあらわれてくる。その探究心の不屈ぶりと無邪気さが読みとれて、彼の作品までが親しい、ほのぼのとした熱や香りをたてつつ身近に迫ってくるようである。あの小人の貴族の辛《しん》辣《らつ》な諷刺《ふうし》家、享楽《きょうらく》の歓びと不気味をむきだしの正確さで提出した男が、ヨチヨチぴょんぴょんとイナゴを追って野原をころげまわる姿が明るい日光のなかにかいま見られる。

私も小学生や中学生のときにはよくイナゴを食べたものだった。木綿針に長い糸をつけておき、田ンぼや野原をいくときにはピョンピョン飛び交うのを片手でつかまえては刺しとおしていくのである。どっさりとれると、それは重い房のようになる。それを持って帰って、七輪で焼いたり、ホーロクで煎《い》ったり、醬油《しょうゆ》をつけて照り焼きにしたりしたものだった。バッタはねとねとあぶらっぽくてイヤな味がするけれど、イナゴは軽快で、香ばしく、肉にムッチリしたところもあって、いいオヤツになるのだった。近頃ときたま田舎料理を看板にした店でだされる佃煮《つくだに》はあまりに佃煮になりすぎていてイナゴそのものの野の香りがなくなっている。『洗礼者ヨハネ風』という命名は痛烈に正確である。このものはやっぱりそうでないといけない。

この広野のイナゴを、英仏海峡のイナゴ、すなわち小エビよろしく皮をむいて、おなじようにして食べる。似た味がするものである。

そういう注釈もついている。

野のイナゴを海のエビにたとえる比喩《ひゆ》はなかなかのものである。なるほどね。イナゴは野原の小エビか。鋭いな。そこまでは私も思いいたらなかった。一歩先んじられたようだ。ボン・モ（いい言葉）である。

新年の御馳走《ごちそう》話にイナゴ。ふさわしいところじゃないか。

モルモット食いとネズミ食い

そのまま散歩をつづける。

イナゴを食べていたと知ってにわかにロートレックが親しく感じられたので、本を読みつづける。フランスは食いだおれの国だから作家、詩人、画家、音楽家など、たいていは食いしん坊で、むしろそうでないのを見つけるほうがむずかしいくらいのものである。食味についての本とくると眼がくらむぐらいの数になるだろう。ロートレックもこの本で見るとずいぶん励んでいる。彼は飲むほうもいそがしくて、カクテルを作るのが趣味であったが、ポケットにいつもナツメグの実とおろし金を入れて持歩き、ポルトがでるといそいそとおろし金をとりだし、ナツメグの実をそれですりおろし、酒にふりかけて飲んでいたそうである。ポルトにナツメグをふりかけるというのはいまではあまり聞かないことだが、この実の香りは高くて気品があるから、カクテルにはよく使う。私はカクテルはドライ・マーティニしか飲まないし、それには眼がないから、ずいぶんたくさんの都市の黄昏《たそがれ》をグラスごしに眺めてきたけれど、まだポケットからおろし金とナツメグの実をとりだすドリンカーにはお目にかかったことがない。

羊、鶏、猪《いのしし》、鹿《しか》、舌ビラメ、タラ、サケ、カキ、ムール、無数の料理の処方を見るともなく見ていくうちに、あった。『モルモットのシチュー』というのが、あった。前回のイナゴは巻末に近い『とっておき』というメニュに入っていたのだけれど、これはそういう〝異味〟としては扱われていず、『野鳥と野獣の肉あれこれ』のなかに入れてあるから、〝常味〟と見られているらしい。ゲテではなくて、鹿料理や猪料理とならべてある。

九月の或《あ》る日の出の頃、鼻を風にさらし腹を上にして太陽を浴びているモルモットを数匹とってくる。その皮を剝《は》ぎ、脂肪の塊りは丁寧にとって、保存しておく。これは妊婦の腹、挫《くじ》いた膝《ひざ》、踝《くるぶし》、その他の関節や靴の革などにすりこむと卓効がある。モルモットは数個に切りわけ、兎《うさぎ》の煮込みとおなじようにする。

最初の一行か二行の描写がいい。料理法は概略して書きぬいたが、この分だけは訳文のままにしておいた。たったこれだけの描写だけれど、まるまると太ったこの小動物がのんきそうに日向《ひなた》ぼっこしている姿態が肉眼に見えてくる。

兎の煮込みとおなじだというから、さまざまな香料や、香草や、ひょっとしたらぶどう酒なども入れて、長時間、とろとろと煮込んだものにするのだろう。兎には独特のきつい匂《にお》いがあるから、香辛料と、文火《とろび》と、酒で中和する。武火《つよび》で鋭くイライラと煮ると、妙な、悪臭いものになってしまう。悪文だけれど妙味のある作家の作品は忍耐して読まなければいけない。そういうものである。似たところがある。ひょっとしたらこの人はネズミも食べたのではあるまいか。その期待と興味で頁を繰っていったところ、ネズミはでてこなかった。そのかわりに親類のモルモットがでてきたので、眼が光ったのである。ネズミとモルモットは似ているから、これはよろしかった。まずまずわが眼力は本質にとどいていた。さすがはロートレックだと思った。脱帽する。

ネズミはバイ菌の巣だと見られている。事実そのとおりであろう。ネズミは人の食べるものだというイメージは飢餓や天災としか連結せず、絶糧状態に陥ちこんで木の皮を剝いで食べるしかないという極限へきてからやっとしぶしぶ食べるものだと見られている。つまり、救荒食物である。細菌学が培養した衛生観念はいまではほとんど私たちの皮膚そのものにまでなっていて、誰もあまり疑うことをしなくなっている。ある年までは私もまったくそうであった。〝ネズミ〟を〝食物〟と連結して感じたり、考えたりなど、そんなことはどんなひどい宿酔《ふつかよい》の朝の悪夢にもでてこないことだった。たった一つ、例外があるとすれば、広東《カントン》料理であろう。広東人が蜜で養ったネズミを生のままで食べるとか、油で揚げて食べるとか、煮込みにするんだそうだ、などという噂《うわ》さはちょっとした食いしん坊なら誰でも知っている。このネズミは家にいるのや、ドブに棲《す》むのではない、清潔でかわいいハツカネズミであって、しかもその仔《こ》である。この異味譚《いみたん》を聞かされるときはたいてい例の広東人の宣言がついてくる。《われわれは空を飛ぶ翼のあるものは飛行機のほか何でも食べる。地にある四本足のものは机のほか何でも食べる。二本足は両親のほか何でも食べる》。

事実、広東人は、天災とは関係なしに、探究心や趣味心や、実際おいしいのだという英知から、トカゲ、コウモリ、ゲンゴロウ、何でも骨まで愛しちゃうらしいので、そのうえ文字の民だから、蛇は〝竜〟、猫は〝虎〟と菜譜《メニュ》に書いて遊んでいる。私の記憶に誤りがなかったらハツカネズミの仔の蜜育ては、たしか、『蜜唧《みつしつ》』というのではなかったか。〝蜜〟は和字とおなじで蜜だが〝唧〟にちょっと遊びがある。ハツカネズミの仔のまだ眼もあいてないようなのに蜜をすすらせ、それをそのまま人がモグッとやると、歯のあいだで、チュウッと鳴く。その音を字にしたのが〝唧〟だと。甘くてチュッ。だから、『蜜唧』という。そうおぼえているのだが。

ネズミは家に棲むのもいるし、ドブに棲むのもいるし、ハツカネズミのように家もドブも知らないでブリキの小さな羽根車をまわすのに夢中になっているのもいる。

私は広東にもいったし、香港にもいったし、東南アジア各地は何度もいってるけれど、まだ『蜜唧』は噂さを聞かされるだけで、やったことがない。何度も試みの努力はしたのだけれど、たいていそのたび、何日もさきから予約しておかなければいけないのだとか、近頃はいい店がなくなったなどといわれて、それきりになる。けれど、ネズミの親類はなかなかたくさんいるし、ネズミそのものも種類が多くて、なかには田ンぼに棲んで米ばかり食べるというネズミもいる。これはバイ菌の巣ではなく、食べてみるとなかなかおいしくて、私の異味記憶のなかでは上位も筆頭クラスに入っているのである。プノンペンの市場でもサイゴンの市場でも、これの生きたのが箱につめこまれて〝唧ッ！〟〝唧ッ！〟と心細げにもいらだたしく鳴いているのを見かけた。ときにはそれはむくむくと太って、ネズミというよりは何かまったくべつの小動物に見えることもあるほどである。〝牛食い《ビーフイーター》〟のイギリス人は野原で牧草を食べてよだれをたらしている牛を見てヨークシャー・プディングつきのロースト・ビーフを連想して眼を細くするという説があるが、それなら私は牛をみてもネズミを見ても眼が細くなるということになりそうである。

ネズミの仔《こ》は野原のイワシである

田ンぼのネズミをはじめて食べたのは一九六四年のことである。はじめてヴェトナムへいった年である。はじめてそこへいき、はじめて前哨《ぜんしょう》陣地へいって暮し、某日はじめてパトロール作戦に従軍し、その日の昼飯どきになって兵隊といっしょに洗面器をかこんで飯を食べているうちに、はじめて野ネズミを食べたのだった。

金子光晴が戦前に書いた有名な詩に『洗面器の唄《うた》』がある。彼がマレーや、インドネシアを一文なしで心のくずれるまま、風の吹くままに放浪していたときの記憶を詩にしたもので、投げ節のリズムで即興風に書いたものだが、そのためかえって貴重な〃かるみ〃が生きかえった名作である。東南アジアでは洗面器は顔を洗うためだけに使うのではなく、他のあらゆる目的のために使うのだという注がついていて、娼婦があそこを洗面器の水で洗うのだという光景が描かれている。その、しゃぼり、しゃぼりという音が、深く頽《くず》れつつたくみにたわむれて描いてある。ここで引用してもいいけれど、あまりに有名な作品だから、あえてするまでもないと、おさえる。

洗面器はこの地帯ではいまでもおなじように使われている。それは顔を洗うためという本来の目的がとっくに思いだせないくらい他のあらゆる目的のためにはたらいているのである。バナナの天ぷらを揚げるのも洗面器、女があそこを洗うのも洗面器、兵隊が砂を張ってコオロギを喧嘩《けんか》させて一文バクチをやるのも洗面器、さまざまな煮物、焼物を盛って売るのも洗面器、水を入れて熱帯魚を売るのも洗面器である。兵隊は作戦に駆りだされると、ペットの犬や、九官鳥をつれていくが、なかには鶏を生きたまま足をベルトにはさんででかけていくのもいるし、よく見かけるのは洗面器に炊《た》いた御飯をつめこみ、それをバナナの葉でくるみ、しっかりと縛ったのを小さな背にかついで、ヨチヨチとはこんでいく光景である。

将校には当番兵がついていて、昼飯どきになると、どこからか皿やドンブリ鉢をだしてきて、御飯のほかに二品くらいのものをつける。豆腐と野菜の煮たの、それに何やら川魚を焼いたものなどである。農民の掘立小屋でちょっとそれを食べたあと、戸外へでてみると、枯れたバナナの木かげに何人かの兵隊が一つの洗面器をかこんで声高にしゃべったり笑ったりして食べていた。のぞきこむとキャベツの葉に何やら肉をまぜて煮たのが御飯にかけてあり、めいめいスプーンですくって食べている。手真似《てまね》でしきりに誘ってくれるので私もそのなかに入り、七徳ナイフのスプーンをたてて、口にはこんだ。キャベツはキャベツの味がするけれど、肉は兎《うさぎ》のようでもあり、鶏のようでもありつつ、もうちょっと上品で、しねくねと柔らかく、嚙《か》みしめると何やら潤味めいたものも分泌されてきて、なかなかいいのだった。そのうち、ふと、一人の兵隊のうしろに、半切りになった大きなネズミが白い前歯を二本だしてころがっているのが眼に入り、ふいに体内が冷めたく暗くなるのをおぼえた。

弾丸《たま》にやられる恐怖については、明けても暮れても、何の効果もないけれど、少くともこころを練るということだけはしていた。そればかりの毎日だったといってもいいくらいである。けれど、まさかネズミを食べてペスト菌にやられようなどとは準備していなかったので、この恐怖はとらえようがなく、いつまでも新鮮で、たえまなく明滅しつづけ、ひそかに苦しめられることがおびただしかった。けれど、作戦が終って前哨陣地へもどってからアメリカ人の軍医にこっそり打明けて何かの薬をもらったり、何日もたつのにいっこう発熱もしなければ下痢もしないということがわかっていくうちに、次第に恐怖は遠のいていった。サイゴンへもどってからヴェトナム人の新聞記者に打明けると、記者はぴくりともせず、あれは米ばかり食べているので、ペストにはならない。われわれのなかにはむしろ野ネズミを御馳走《ごちそう》だと考えるのがたくさんいる、という答えであった。

四年後の一九六八年に二度めとして私はあの国へいったが、ネズミについての記憶をたどるなら、晴朗な好奇心であった。今度は野戦料理、兵隊料理としてではなく探究してみようと思いたったのである。いろいろと手をまわして情報を集めてみると、戦争が猛烈すぎてなかなかサイゴン市場には野ネズミが集らず、田舎からはこびこまれてもすぐ売切れてしまうので、料理店に予約したって無理なことがしばしばだという。いくら野ネズミが大きくなるといっても、やっぱりネズミはネズミなのだから、一匹からとれる肉の分量はわずかである。何匹も集めなければ一食の皿には不十分である。その頭数をそろえるのがいまはむずかしいのだというのだった。けれど、それでも根気よくさがしていると、ハツカネズミなら何日かまえから予約したら何とかなりそうだということになってきたので、さっそくその店に予約を申込んだ。

例によってごたごたと混雑し、店じゅうがべたべたと汚れ、タイル張りの床《ゆか》にゴミやら骨やらがいちめんに散乱している中華街のショロンの一軒である。冷菜からはじまるおきまりのコースを追ううちに三品めぐらいでそれがでてきた。これはハツカネズミの仔《こ》を蜜《みつ》で育てた『蜜唧《みつしつ》』ではないようだった。仔というよりは、もうかなり成育したハツカネズミであった。野菜や、春雨や、ナマコなどが浮沈しているあたたかいスープのなかで、おなかの臓物をぬかれたあとへ燕窩《えんか》（ツバメの巣）をつめこまれるという凝ったいでたちでチュウチュウちゃんが泳いでいる。小さな足をちぢめ、眼を閉じ、白い、小さな前歯二本をやっぱりだしている。丸のままでドンブリ鉢のなかに浮いている。つまり、日本料理で申す〝姿〟だ。ハツカネズミの姿料理である。嚙んでみると、しねくねと柔らかく、微妙な潤味があり、鶏のササ身に似ているけれどもうちょっと上位にあるかと思われた。兎なんか、とてもとても。『田鶏』と呼ばれるカエルなんか、とてもとても。

ロートレックがイナゴを野原の小エビだと比喩《ひゆ》したので、私としてはネズミは――とくにネズミの仔は――野原のイワシだと呼ぼうか。イワシはあらゆる肉食魚に狙《ねら》われるので魚扁《へん》に弱いと書く。鰯である。おなじように野ネズミの仔はヘビ、ネコ、イヌ、フクロウ、モズ、イタチ、あらゆる肉食獣、肉食鳥に狙われる。小さくて、柔らかくて、おいしくて、おつゆたっぷりの御馳走である。そして多産という点でも、イワシにそっくりである。ネズミは野原の、田ンぼのイワシである。いまさら私が力むまでもない。東南アジアで海を持つ国の人びとはとっくの昔から、おそらく、そうなぞらえて、いいかわしてきたのではないかしら。

面白い物語はまだまだある

安出来の読物のことを〃パルプ小説〃と呼んだり、〃ボン・マルシェ文学〃と呼んだりする。集めて溶かして再生紙の原料にでもするしかないというので〃パルプ小説〃である。ボン・マルシェはいまでもパリにある大きなデパートだけれど、昔は特価見切品の大安売りをするので有名な店だったから、その程度の読物は〃ボン・マルシェ文学〃と呼ぶのである。

パルプ小説、ボン・マルシエ文学、両方ともどこの国でも大繁昌《はんじょう》である。わが国だけの特産ではない。しかし、わが国はとくにひどいように思われる。そこに住むしかなくて、毎日、毎週、毎月、広告を見せつけられ、うんざりするしかないので、どうしてもそういいたくなる。あるとき、よほどしらちゃけていたのだろうと思うが、任意無差別にぬきだして中間小説雑誌を読んでみた。読んでいるうちに別種の興味をおぼえたので、その月に発行されたものを全部読んでみた。

A先生はあの雑誌にもこの雑誌にも書いている。B先生もおなじくあの雑誌、この雑誌。大家のC先生も、中堅のD先生も、新人のE先生、また同様である。主題、文体、みなそれぞれにおなじだから、あの雑誌もこの雑誌もけじめがつかない。先生方のけじめもつかない。雑誌は目次も本文もみなおなじようなものだから、どうけじめのつけようもない。こんなにお面《めん》みたいなものばかり並べるのなら、いったいこの雑誌では編集会議というものをやったのだろうか。やったとしたらそれは十分間で終ったのだろうか。それとも十二分間で終ったのだろうか。作者の署名のついたものがことごとくそういうありさまだから、どうやら雑誌のけじめは匿名《とくめい》の頁《ページ》でつけるしかないとわかってくる。えらい先生方にむかってお面だの、パルプだのといって書きなおしを命ずることはできないけれど、匿名頁の執筆者にならば何とか物申すことができるはずだから、雑誌の個性はそこで競うしかないのである。イエロー頁。ピンク頁。コラム。このあたりにそれぞれの雑誌は生きるしかない。逆説でも、イヤ味でも、皮肉でもない。事実としてそうなのである。そして本読み、雑誌読みにちょっと経験を積んだ人ならこういう欄でこそ編集者と読者の水準がわかるのだということを知覚しているはずである。『ニューヨーカー』のコラム、『ニューヨーク・タイムズ』の投書欄などはそれで売ってきたといってもいいすぎではないくらいである。

外国を知りたかったらその国のタクシーの運ちゃんの話を聞いてみることだ。市場へいってみることだ。娼婦《しょうふ》と寝てみることだ。こういうジャーナリスト必携用の諸原則はいささか大袈裟《おおげさ》だけれど、それでもやっぱり、今日でも生きているし、確実な何かを含んでいるように思われる。外国語ができても外国はわからない。外国に住んだからといってわかるわけのものでもない。外国を知りたかったら文学作品によるしかない。それも一流の作品ではなく、二流の作品を読むことだ。外国語がよくでき、外国に永く住み、しじゅう旅行していた一人のイギリス人の作家がそういったことがある。

こういう示唆《しさ》にしたがうと、パルプ小説、ボン・マルシェ文学、中間小説、砂利読物も何かの判断材料になってくる。読む娯《たの》しみからではなく、〝外国を知りたいため〟という別種の、独立した目的からである。けれど、さきに申上げたように、どれもこれもがアクビもだせないようなしろものばかりで、どんな目的からでもとうていおつきあいしかねるのだから、手がつけられない。上質の娯楽読物、二流のなかの一流作品というものもまためったにお目にかかれない。午後はしらちゃけたきりだし、眠れない夜は空白のままである。小さなガス・ストーブでお湯のシュンシュンという音を聞きつつ、古なじみのよぼよぼパイプをじわじわふかして読みふける本というものがひどく見つからなくなった。

昨年読んだもののなかではJ・M・ジンメルというドイツの作家の『白い国籍のスパイ』がよかった。上・下二巻にわかれているが一気に徹夜して読んだ。これはフォーサイスの『ジャッカルの日』以来で、パイプを何本もとりかえとりかえして読んでいき、トイレにいくのもちょっと惜しかったくらいである。このあと、G・ミケシュというハンガリアの作家の『スパイになりたかったスパイ』に出会い、これまた一気に読んだ。二作とも一気に読ませて頂いたのだから文句のいいようはないのだけれど、邦訳題がいけない。二作とも原題のままでいけばよかったのだ。作家は誰でも題に自身を托《たく》し、または賭《か》けるのだから、素直にそのまま頂くのがよろしいのである。ジンメルのは『いつもキャヴィアがあるとはかぎらない』。ミケシュのは『退屈で死んだスパイ』というのである。そう聞いただけで、ホラ、耳がぴくッとしたでしょうが……。

ジンメルのスパイ小説は実在の人物をモデルとして脚色、加工したものである。女と美食とパイプとクラブでのおしゃべりが大好きで、イデオロギーの左右を問わず流血とスパイが大嫌いという一人の青年が第二次大戦に巻きこまれ、あらゆる国の情報機関に狙われて手先として働くよう強制されるが、自分の気質のままにつぎつぎとかたっぱしから裏切ったり、手玉にとったりする。しかし、自分もまた女に裏切られ、失敗し、投獄され、辛《から》き目に会わされる。これまでのスパイ小説とちがう最大の特長と魅力は、《ポパイのホーレン草》法で書かれていること。ポパイが危機に陥《お》ちるたびホーレン草の罐詰《かんづめ》を食べるようにこの主人公はその場その場、自分ですばらしい料理を作って魔手をすりぬけていくのである。これには虚をつかれた。《００７》シリーズのボンド君は御馳走《ごちそう》の解釈と鑑賞をするだけだが、これは主人公が自分でいちいち作ってみせる。そこにたいへんな違いがある。しかも、一つ一つの料理の作り方までが丹念に書いてある。食いしん坊にとってはまるでポルノみたいなスパイ小説である。（最大の讃辞だよ）。

ナチスのゲシュタポ、イギリスのＭＩ５、フランスの第二局《ドウジエーム・ビユロー》、アメリカのＣＩＡとＦＢＩ、ついでにソヴィエトもまじえ、ことごとく、手作りの御馳走でコケにされる物語。悪漢《ピカレスク》小説を御馳走で書くというのは非凡な着想である。ヤラレタと思ったな。ロビン・フッドの冒険談にカザノヴァの色話を織りこみ、やたら数字を並べてハワード・ヒューズの成功物語で裏打ちしたうえ、ブリア・サヴァランを豊満に匂《にお》わせるというところ。ニクイっちゃない。主人公とマルセーユ・ギャングが一羽ずつの鴨《かも》をそれぞれ中国風、フランス風に料理して腕を競ったところ、ギャングは主人公の中国風に脱帽して仁義を切り、お前にもっと早くめぐり会っていたらなァと嘆息するあたり。

小説家にしてはよく知ってる。

泣くがいやさに笑い候《そうろう》

『白い国籍のスパイ』は実在の人物を脚色したものだから、純然たるスパイ小説というよりは、セミ・ドキュメンタリーというか、ノンフィクティヴ・フィクションというか、そういう性質のものである。殺し屋や、スパイや、闇屋《やみや》などが主人公の手作りの料理でトロンとさせられる面白さのほかに、カナリス提督とか、ジョセフィン・ベーカーとか、クーストーとか、フーヴァー長官などが実名で登場していろいろと活躍する。そういう部分を読むのびのびとした愉《たの》しみもある。この作品の主人公は『赤いオーケストラ』という別のノン・フィクションにその名のままでちょっと登場するから、著者が違うと一人の人物のイメージがこうも違ってくるかという教訓が得られるので一読をおすすめする。

訳者の紹介するところではバートランド・ラッセルがこの作品を読んで、作者をイギリス人だろうと思い、《こんなにユーモアに富むドイツ人がいるとは考えられなかった》と評したそうであるが、まったく同感である。ドイツの作家にはときどきコスモポリタンということでまったく非ドイツ的な、非伝統的な作家のでてくる傾向がある。『西部戦線異状なし』のレマルクもそうである。この糸をたどっていくと、ハイネはどうだ、ゲーテはどうだという大議論に発展しそうなので、いまは切っておくのである。むしろラッセル卿《きょう》が午後か深夜にベッドによこたわって一心にスパイ小説を読みふけっている姿態を想像することにする。その白髪の乱れているところや、荘厳《そうごん》な顔じゅうの皺《しわ》が開いたり閉じたりしているところを想像すると愉快になってくる。そこでわが国のことを考え、ラッセル卿でも読みたくなるようなゼロ時間向きの娯楽読物がいったいどこにあるだろうかとパルプ屋たちを罵《ののし》るようなことは、しないのである。そんなことは、しない。いわない。

もう一つおすすめできるのはG・ミケシュの『スパイになりたかったスパイ』。原題が『退屈で死んだスパイ』というのだから人を食ってる。ブレジネフや、コスイギンや、ポドゴルヌイが実名で登場するが、純然たるフィクションである。スパイ小説には相違ないがスウィフトやゴーゴリの正嫡の末裔《まつえい》と呼びたくなる諷刺《ふうし》小説でもある。諷刺文学はもう二〇世紀後半では生まれようがないのではないかと思わせられているのだけれど、こんな形で脈々と息づいているとは知らなかった。そして、奇妙な暗合ではあるが、この作品でもまた料理が重要な役を負わされている。時代の狂気を諷するには徹底的な常識家にならなければならないから料理が何がしか不可欠の役を負って登場するのは当然といえば当然だが、ホッと一息つかせてもらえるのはありがたい。ボルシチにモスコー風、白ロシア風、ウクライナ風、辛口、冷製、肉ぬき、グルジア風、何でもない風、日本の味噌汁《みそしる》とそっくりに無数の種類があると教えられた。

００７をこっそり地下出版で愛読しているモスコーの無邪気なプレイボーイが女と英語に達者なところを買われてスパイに仕立てられてロンドンに送りこまれるが、情報氾濫《はんらん》時代、コンピューター時代のためにすることが何もない。イギリス人が敵であるよりはむしろ寝てもさめても忘れられないのはロシア人であるとたたきこまれる。ソヴィエト国家保安委員会ＫＧＢと軍機密情報局ＧＲＵのあいだに激烈な派閥闘争があり、ＫＧＢにとってはＧＲＵ、ＧＲＵにとってはＫＧＢがそれぞれのっぴきならぬ大敵で、そこに主人公の青年が巻きこまれてテンヤワンヤがはじまる。スパイ小説の筋を明かすのは読者にたいして何より失礼だから、これ以上紹介するのはさしひかえ、とにかくお読みくださいとだけ申上げておきます。何でもいいから面白い物語を読みたがっている、退屈で死にそうになっている人におすすめします。けれど、退屈で死にそうではあるけれど社会主義国の悪口をいうことは断固として許せないという気質の人はお避けになるがよろしい。

この作品はどうにでも読める。読者の素養や洞察力の深浅によっていくつもの顔に変貌《へんぼう》する。明朗で、突飛で、新鮮な、そしてヒリヒリするスパイ小説と読むこともできるし、なかには軽薄で悪質な反共パンフレットと読む人もあるだろうと思う。ヴォルテールの『ミクロメガス』を想像する人、スウィフトの『ガリヴァー旅行記』の第三部を思いだす人、その他、その他、さまざまであろう。著者のミケシュはハンガリアの知識人でイギリスに亡命したという経歴の持主であるが、『山椒魚《さんしょううお》戦争』を書いたチェコのチャペックに典型を見るように、ヨーロッパの小国の作家たちはしばしばみごとな、痛烈な、皮裏の陽秋をたたえた笑いの文学を生みだす伝統がある。博識だけれどそのために行方を失うということがなく、常識を死守して〝人間〟を擁護しつつ、諸性格を徹底的に単純化しながら細部の心憎いリアリティーで物語をいきいきと展開し、高めていくその手腕はあっぱれなものである。

この作品のなかでミケシュはときどき一行か二行、何からヒントを得たかを暗示しているが、ソヴィエト史に通じている人、または革命の精神生理そのものに通じている人なら、物語の背後、頁《ページ》の背後にかくされたものの尨大《ぼうだい》さや悽惨《せいさん》さを思いやって、右の眼で笑いつつ左の眼で茫然《ぼうぜん》となるかもしれない。ふとんのなかで首をすくめて読みすすむうちに微笑、失笑がやがて苦笑にかわり、沈黙に陥《お》ちこんでいくこととなるかもしれない。メンシェヴィキ（少数派）とボルシェヴィキ（多数派）のとめどない論争、ウクライナの凄絶《せいぜつ》な飢饉《ききん》、ルイセンコ学説の茶番というにはあまりにもひどい実践の結果、キーロフ暗殺、トロツキー暗殺、バルト三国の人民の強制移住、ハンガリア動乱、チェコ事件、これら無数の革命というパンドラの箱からとびだしてきた人間の諸条件を思いだして、胸をつかれることであろうと思う。そして、この、突飛で明晰《めいせき》なゴーゴリの末裔がどうやら骨髄に達する痛苦の末にその奔放と明晰を手に入れたのであるらしいと察しをつけることにもなるであろう。オーウェルが『一九八四年』で喀血《かっけつ》しつつ探究し、ソルジェニツィンが国外亡命と命そのものを賭《か》けて書きつづったことをミケシュはまったく別種の文体で描きだしたようである。

　昔、ある人物が、こういった。

「泣くがいやさに笑い候」

悪夢で甘く眠る

ドゴールは何度も暗殺されかけたが、いつもきわどいところですりぬけることができ、ベッドで死んだ将軍の一人として悠々と彼岸へ去っていった。何人もの小説家が彼をめぐる暗殺計画をテーマにして作品を書いたが、やっぱり『ジャッカルの日』が抜群の出来だろうと思う。

これは発端から終末がわかっているストーリーである。ドゴールが実名ででてくるけれど、彼が暗殺されなかったのは周知の事実なのだから、主人公の若い金髪の殺し屋が失敗するのだろうということは、はじめから見当がついているわけである。だのに読みにかかると一気にひきずられ、トイレへいくのも惜しくて、徹夜で読んでしまったのだから、作者の才腕、お見事であった。訳文が流暢《りゅうちょう》でよくこなれていて、作品がすっかりわかったうえで仕事をしているという厚い安心感をあたえられたのも気持がよかった。

作者のフォーサイスという人物は、たしか『タイムズ』の海外特派員をしていたという経歴の持主で、その本業のオマケとしてこの作品を書いたらしい。これが世界的ベストセラーとして大ヒットしたあと、もう二冊書き、第一作とくらべると見劣りのする出来だが、とにかく合計して相当な大金をつかんだ。そして、「私の作品は文学ではありません」と、どこかで堂々と断言し、スペインに牧場を買ってさっさと引退してしまったという。たいていこんな場合には、エンタテインメントと純文学にけじめはないのだとか、暗殺者の孤独がどうのとか、政治における暴力とヒューマニズムの関係はメルロォ・ポンティによればとか、何か一発、ブチたくなるものだが、そんなことはひとこともいわず、三冊きりでハイ、ソレマデと打止めにして退場したあたり、なかなかの心得のある人物と思われた。こういうのをこそ〝プロ〟と呼ぶのであろうか。夜明けにトイレへ入り、朝まずめの清純だけれど微弱な日光に御叱呼《おしっこ》が光るのを眺めて、一生にせめて一度はおれもそんなことをやってみたいものだと思った。けれど、TOTO印の便器の穴がウガイをするような野太い咽喉声《のどごえ》で、ゴーッ、グルグル、ゴボッゴボッ、バップ、バップといったら、それきりであった。

スパイ小説と推理小説はゼロ時間をうっちゃるのにこの上ない友人で、いったい子供のときから何冊読んできたことだろうか。近頃はどちらもネタ切れ、トリック切れで、いいものにはなかなか出会えないけれど、これはイケるかなと思って買った本をかかえて地下鉄のなかでイライラしたり、いざそれを持って寝床のなかに這《は》いこむときの愉《たの》しみというものは、やっぱり一日のうちの貴重な句読点である。予感が的中したときは二重の満足が味わえるし、的中しなかったときは、もっと直感を磨かなければいけないなと反省する。それは映画についてもおなじことで、なにげなくぶらりと入った闇《やみ》のなかで、立見でワンカットを見て、その直感だけで、出てしまうか、シートにすわるかをきめることにしている。それがあたったり、あたらなかったりはちょいちょいあるが、これまた子供のときから、ときには皮膚をちぎられる思いの身銭を切って修業してきた結果か。近頃ではかなりいい確率が得られるようになった。つまり、これは、言葉を変えると、一片の布地見本を見ただけでその生地でどういう服をつくったらいいか。一瞥《いちべつ》で判断がきめられるか。きめられないか。ということに似ている。

大金をせしめるとか、宝石をチョロリとやるとかが映画で扱われると、智《ち》と汗をしぼった大苦労のあげく、労働の果実は水の泡となる。そういうふうに映画は作らなければいけないという鉄則があり、その枠のなかでストーリーを組みたてなければならないということになっている。大金は風に散るか、海に沈むか、棺桶《かんおけ》といっしょに灰になるかという宿命を負わされている。そのドンデンがどうなるかを見とどけるのが観客の愉しみになっているので、シナリオ・ライターもまた必死で頭をしぼらなければならない。〝Crime does not pay〟（犯罪は儲《もうか》らない）というこの鉄則は考えてみると、なかなかに味なものである。これがなければ映画屋は仕事がイージーすぎて面白くないし、観客は羨望《せんぼう》と嫉妬《しっと》でイライラしてくるだろうし、ギャングはギャングでネタの鼻さきを明かされて失業しちゃうだろうし、というわけである。

スパイ小説とポルノは一人の人間の大脳皮質にとってはほぼおなじ役割をする。つまり、大人の童話である。ムラムラするか、ハラハラするかの相違があるだけで、はじめから読者はそれが静かな、さびしい、雨まじりの夜ふけにほんのりと毛布にくるまって読むものだと心得ている。その読者は素養があればあるだけストーリーそのものを右の眼で追いつつ左の眼では細部がどれだけしっかりと定着されているかを追うので、そのうちには、しばしば、偏執狂的なフェティシズムに陥《お》ちこむことがある。書き手が達人なら自分のなかにもその静穏な、気むずかしい完璧《かんぺき》主義者の偏執狂が棲《せい》息《そく》していることをよくわきまえているから、凝って、凝って、凝りぬいたあげくさりげない顔つきで書くという態度をとる。ときにはまったくその逆にでるという手口をやることもいい。

すべてのスパイ小説は悪夢にほかならないはずだけれど、それが眠れない夜のこよなき愉しみとなるのは、エンドで種明しがあるからである。これは犯罪映画のドンデンの水の泡と似ている。目もくらむような札束なり金塊なり宝石はいずれおかしなことになって消えちまうんだろうとわかっているから観客はアタマを空白にしてお話を愉しむことができるわけだが、それとおなじようにスパイ小説もエンドでは、どの国の、どういう機関が、何の意図から、誰を、どうヤッたというネタがすっかり割れるという仕組みになっている。これが鉄則であり、定則である。現代では誰が白で、誰が黒で、誰が加害者で、誰が被害者なのか、容易にけじめがつくものではないのだと主張したがるスパイ小説はおびただしいけれど、エンドにはきっと種明しがあって読者は安堵《あんど》できるというモラルそのものは、めったに犯されることがない。だから悪夢であればあるだけ枕を高くして甘く眠れるわけである。何より作者は牧場で大イビキである。

しかし、ときたま、このルールを破るひねくれものもいないわけではない。チェコ人のエゴン・ホストヴスキーの『秘密諜報部員《ちょうほう》』（角川文庫）がその一例である。これは朦朧《もうろう》と開始され朦朧のままに終る、珍しいスパイ小説である。スパイ小説の仁義を無視した物語である。こうなると安眠をさそう悪夢物語ではなくなる。だから、当然、ベスト・セラーにはなれないはずである。スパイ小説でもなくなってしまうはずである。童話が童話でなくなったら、どうなる?……

名は体をあらわすか

一

ときどき
「あなたの名は本名ですか？」

とたずねられる。

それにはおおむね二種あって、ただ珍しがってたずねるのと、そうでないのとだが、注意しなければならないのは後者の場合である。ことに国文学に素養のある人物か、江戸期の春本に嗜《たしな》みのある人物、またはそうと見られる人物、こういう人の場合には、ちょっと用心してかかることにしている。

私の名は本名であって、ペンネームでもなければ雅号でもなく、屋号でもなければ源氏名でもない。しかし、めったにない名だから子供のときからイヤな思いばかり味わってきた。小学校で学年初めに新しい担任の先生がやってきて出席簿をアイウエオ順に読みだすと、きっと私のところでとまる。とまるゾ、とまるゾと思って待っていると、きっととまる。そのたびにいちいち立上って名乗らなければならないのが内気な私にはイヤでイヤでならなかった。一度でスラスラと読めた先生は一人もいなかった。

　これまでに誤読されたところでは、ヒラキダカ、カイダカなどが一番多いが、ときどき一字だけはなして、ヒラキとか、カイとか読む人もある。大阪にいたときも東京へ移ってからも選挙で投票にでかけると、住民名簿にまずしるしをつけてからということになっているが、私はたいてい〝カ〟の部にはいかないで〝ヒ〟の部にいくことにしている。すると、きっと、ヒラキダカと読まれて、そこに入っている。

　ある年、インドネシアからの帰途、シンガポールに立寄り、ホテルのフロントでサインをしていたら、よこで見ていた中国人のどっしりとした紳士が、にこやかに笑いつつ、流暢《りゅうちょう》なキングス・イングリッシュで、ちょっと漢字でお名前を書いてみて頂けませんでしょうかという。そこで〝開高〟と書いてみせると、満足した顔つきでうなずきながら、私の友人にもおなじ名のがいる、中国人です、いい人ですよ、といって去っていった。

〝李〟とか〝張〟などの一字きりではなくて二字の姓の中国人名はときどき見聞するけれど、南洋華僑《かきょう》に開高氏がいようとは思いもかけなかったので、これはちょっと鮮やかな記憶となった。もともと私はインドネシアでも、香港《ホンコン》でも、サイゴンでも、町歩きをしていて、ほとんど外人扱いのまなざしをうけたことがなく、ひったくり、掻《か》ッぱらい、スリにもやられたことが一度もないので、どうやら御先祖様はこの界隈《かいわい》の出身ではないかしらとおぼろな見当をつけていたのである。バリ島の海岸を眼鏡をはずしてパンツ一枚で歩いていたら、向うからやってきたインドネシア人の漁師が、何の疑いも見せないでインドネシア語で話しかけてきたこともある。だから御先祖様はモンゴロイドの南方組か、そうでなければオーストロ・インドネシア族かと思っていたところ、名前までちゃんとあるというのだから、いよいよ確信を深めた。

ところが、ある年、文学代表団の一人となって中国へいったときのこと。広州で一泊して、翌朝、新聞を見ると、私たちの一行が日本から来たという記事があり、野間宏《ひろし》団長以下全員の名前がでている。なにげなくそれを読んでいくと、私の名は「开高健先生」となっている。ごぞんじの簡略字政策のおかげで私たちの眼には得体が知れないと映る中国文字が氾濫しているが、「開」が「开」となっているとは知らなかったので狼狽《ろうばい》した。これはわが国では塀や路地の壁に貼《は》ってあるマークで、何を意味するかは万人に知られているけれど、ていねいなのには、そのしたへ「立小便スベカラズ」と書いたのがある。

ときどき売文業の余徳で見知らぬ読者の方から手紙をもらうことがある。私の仕事にたいしてお叱《しか》りの手紙だったり、批評の手紙だったり、さまざまであるが、なかには寸鉄肺腑《はいふ》をえぐるような批評眼の鋭さを見せているのもあって、私が文体の背後へかくしておいたものをほぼ等身大の正確さでつかみだしている。こういう人がどこかで眼を光らしているのかと思うと、テロリストのひそむ暗い夜道をいくような気持がしてきて、うかうか文章など書けたものではないと感じられるのである。しかし、みんながみんなそうなのではなく、やっぱり誤読されるのは物書きの宿命かとうなだれたくなるのもたくさんある。なかには、私の名を、「開口」と書いて下さる人もあったりして……

去年、教えてくれた人があったが、どこやらになかなか素養と嗜みのある若者がいて、それがオフィスで退屈まぎれにたまたまそこにあった私の本をとりあげ、鼻歌まじりに

「カイタカケン」

「カイタカケン」

二度ほど繰りかえしてから

「カイタ・カケン」

「書いた？　書けん！」

たちまちそういいかえてしまったそうである。教えてくれた人も、本人の私も、これにはちょっと感心した。ちょうどその頃の私の生活は作品の行きづまりで二進《にっち》も三進《さっち》もならなかったから、その苦渋はつづめてみればその一語でドンピシャリなのだった。ガッデム！……と思うよりさきに、一本とられたと思ってしまい、その若者の名や職業などをあらためてたずねなおした。

西洋人はこれに似た戯《たわむ》れで、もうちょっと手のこんだアナグラム（綴《つづり》かえ）を遊びにする。姓名の綴りをいろいろあちこち入れかえ、さしかえして、奇抜なイメージがとびだしてくるのをたのしみあうわけである。いまだにスパイ小説ではちょくちょく読むことがあるが、諜報戦の初期の暗号はこういう無邪気な遊びからヒントを得ることが多かったのかもしれない。

今年の正月にも何通か見知らぬ人から年賀状を頂いたが、そのうちの一通は二十二歳の税務職員と名のる品川区在住の人である。その若さにしては稀れに毛筆を使って墨書してあり、誤字も脱字もないので眼を洗われた。今年はしっかりやって仕事を仕上げなさいとやさしく励ましの言葉を述べたあと、あなたのファンであるから一度いっしょに酒を飲んでみたいとつくづく思っているんだとある。

末尾に

『邂逅《かいこう》さんよ』

とあった。

『めぐりあいは、いつでも驚きです。税務職員は時として詩人であり、時としてノンベエであり、そしてやっぱり税金とりですヨ』

一滴の光を感じましたね。

二

誤読でもなければ字遊びでもないけれど奇抜さで手がこんでいたのは石黒博士の場合である。この人は大阪に住む外科医だけれど、途方もない釣狂で、あまり釣りに熱中するため急患はおことわり、重患もおことわり、往診もおことわりで、せいぜいヨーチンか何かですませられそうな軽患者しか扱わないという。その道の鬼である。あるとき、〝医者の不養生〟というのでもないが、この人、平衡感覚を司さどる神経があやしくなり、友人の精神病院に入院した。雲古《うんこ》や御叱呼《おしっこ》も自分でできなくなって看護婦にいちいち背後から支えられていたそうだからかなりの重症である。それがどうにかよくなって外出できるようになると、退院後三日めに拙宅へおいでになり、釣話三昧《ざんまい》。それはいいが、入院中気晴しにあなたの姓名のアントニム（反義語）を必死になって考えることで狂おしい時間をうっちゃったのだといい、満州時代に身につけた中国語でそれをやってみたとおっしゃる。

〝開〟の反対は〝閉〟です。〝ピー〟。

〝高〟の反対は〝低〟です。〝ティー〟。

〝健〟の反対は〝患〟。これは〝ファン〟。あわせると、『閉低患』。〝ピーティーファン〟というのです。さあ、ちょっと発音してごらんなさいとおっしゃる。私はタイ国で足の骨を二本折って帰国したところだからソファに寝たままである。いわれるままに二度か三度、ピーティーファン、ピーティーファンと繰りかえすと、博士は小首を傾け、ちょっとうなずいて

「わるくない発音だけれど、ちょっとおかしいところがある。さっと南方訛《なま》りですナ」

といった。

その後これを上回るような非凡には出会わず、まことに鮮やかな記憶となったので、

二度ほど短文に書かせて頂いたのだが、〝開高健〟とか、〝書いた？　書けん！〟などというのがでたので、あらためてレパートリーに編入させて頂く次第である。深夜にどうにもペンがすすまなくなり、茫然《ぼうぜん》と荒涼に犯されるままになっていると、よくこの名がよみがえってきて、博士がなつかしくなる。同時に、いまのおれはまったく字のとおり、閉じて、低くて、病んでいるじゃないかとさとらされてギョッとなることもある。

戦争中、中学生のとき、ときどき手に入る江戸時代の春本を読んで、〝開中しとどにうるおい〟とか、〝開は火照《ほて》って熱湯のよう〟などと、のべつに〝開〟に出会い、とんでもない用法で昔は使われていたのだと知らされた。それまでは不平をいうと、父に叱《しか》られ、開いて、高くて、健《すこ》やかというのにどこがわるい、めでたい字ばかりやないか、それに抽象語ばかりで固めたァる、こんな名前、めったにあるもんやないといわれつけていたのだが、いまやにわかに知恵がついた。冗談やない。開は抽象語どころか、具体も具体、×××そのものズバリやないか。それが高くて、しかも、すこやかなんだという。

その後、東京へでてきて、何やらもがいているうちに小説家となったが、そのうちきっと誰かいいだすにちがいないと覚悟をきめていたところ、島尾敏雄《としお》氏と吉行淳之《よしゆきじゅんの》介《すけ》氏に目をつけられてしまった。

「……島尾がいってたか。いってなかったか。君の名前は、ほんとは、何だってネ。〝ぼぼだかたけし〟というんだって？」

どこやらの酒場の薄暗がりで吉行氏は笑いながら手のこんだつっこみかたをしてきた。もう私は中学生ではなかったから、淡々と聞き流し、むしろ吉行氏の声と話法にひそむウィットを江戸落語のサゲとくらべて考えつつハイボールをすすった。そしてしばらくしてから、三浦朱門という名前も不敵なものではないか。團《だん》伊《い》玖《く》磨《ま》という人もいる。この人が北京へいって名刺をだしたらどうなるでしょうね。などと。いったか。いわなかったか。

荷風作とされている『四畳半襖《ふすま》の下張り』を私はハッキリ、春本だと思っている。ポルノだと思っている。同時に私はポルノは社会に影響をあたえるものではないと思っている。それは大人の童話である。笑って愉《たの》しんで読むか、年とって枯れかかって心細くなりかけた夫婦二人で読むか、ただ文体だけからこの匿名《とくめい》の作者は誰だろうかとその人の素養なり何なりを偲《しの》んで読むか、そういうものだと思っている。〝ワイセツ〟感というものは時代、教養、家庭、生活、習慣などの無数の因子によって左右され、他のおびただしい——あるいは、いっさいの——言語とおなじようにたえまなく揺れ、明滅し、変質していくものであって、おさえようにもおさえようがなく、枠へハメこむにもハメこみようがない。そしてそれは人によってまちまちである。どうにでもなる。定量なく、定質なく、定性もない。

去年、東京地裁へ、たまたま吉行淳之介氏と二人で証人として出頭したとき、おおむね右の原則にたって意見を述べた。殺人や詐欺《さぎ》となると行為の結果が測定できるけれど、〝開中火の如《ごと》くになり〃などとある文章がイカンというのなら、私の名前などはどうなるのだろう。たとえば、また、〝冬の夜は一家こぞってホカホカ、チャンコをどうぞ〃などと広告にあるのはどうしたらいいだろう。たったの八〇年かそこらの昔、東京の下町では、いま××××といってることを声ひそめてチャンコといってたではないか。日本語は世界の言語のなかでもっとも変化のはげしい言語である。いまから八〇年後になれば北海道では×××鍋《なべ》、東京では××××鍋、大阪では×××鍋ということになってるかもしれないではないか。料理屋の表に立看板に大きく、〝冬の夜は一家こぞってホカホカ、××××をどうぞ〃などと書いても、誰一人怪しむものもないということになる。いまここで国民の血税を使ってウダウダと争ってるのはそういうことにすぎない。

この××××とか、××××を、〝真実のみを述べます〃と開廷冒頭に読みあげた宣誓文の趣旨にしたがい、それぞれ、ハッキリ、HEPPE、OMANKO、OMEKOと口にだして、奏上申しあげた。裁判官、検事、傍聴人、被告二名、弁護士団、丸谷才一特別弁護人、全員声をたてて笑いくずれたけれど、私はあまり愉しめなかった。先祖伝来の、抽象語ばかりで固めた、めでたい字づくしの、めったにないわが家名に、おかげで、とんでもない意味があると公表した結果、今後私の顔を見知らぬ人がだまってニヤニヤ眺めることとなったら、どこへ訴えてでたらいいのだろう?

名は必ずしも体をあらわしませんゾ。

小さな話で世界は連帯する

一

外国を歩きまわったり、外国人と話をしたりする愉《たの》しみの一つは、諺《ことわざ》や小話や民話を聞かされることである。会話のなかで固有なるものと衝突できる快感があり、手ごたえがある。慣用句や諺や小話は作者不詳のものが大部分であるが、その国の住人が歳月をかけて練りに練り、削りに削った英知が含まれているから、チョイ書きの文明批評などが足もとにも及べないリアリティーがある。微細さのために文学は行方を失いつつあるし、そうなれば作家はいよいよ微細さに身を投じなければならないということがあるが、そのいっぽう、ときどきこういう簡潔にして深く、また広い英知に出会ってシャワーを浴びるということもしなければなるまい。後口《あとくち》なおしにそれらは絶好である。これらは、いわば、署名のない名作の短篇なのであって、磨きぬかれた短篇の含む質と量はとめどない長大篇のそれと匹敵する。

わが国の小話、ことに江戸期のそれを外国のものとくらべてみると、観察眼のなみなみならぬ鋭利さにかけてはまったくヒケをとらないし、しばしば抜群でもあると思えるのだが、いっぽう読みが繊細でありすぎ、特殊でありすぎて、なかなか外国人には通じないという点もある。（外国人もときどき眉《まゆ》をしかめておなじことをいって、しかけた噺《はなし》を途中で口内に呑《の》みこんでしまうが……）

レオーノフというロシア人の作家が日本へきたとき、私はこの人の『ブルイガ』という民話風の短篇が好きだったので、パーティーに出席した。私はロシア語はカラキシだけれど、たまたま流暢《りゅうちょう》で晴朗な通訳氏がいたので、例の『熊《くま》の毛皮』を訳してもらった。江戸小噺で八っつあんが大家さんのところへいっていろいろ雑談をするが、熊の毛皮の目玉に指をいれてグルグルかきまわすうちに何やら思いあたり、ときに家内がよろしくと申しておりました、という噺である。

熊の国からきた人だからこの噺はピッタリなんじゃないかと思ったのだが、いっこうに通じない。レ氏はしきりに、この噺の落ちは何なんだ、何をいいたいのだ、何がおかしいのだとつっこんでくる。いろいろ説明したが、わかってもらえないので、よし、それならと肚《はら》をきめた。指を二本そろえてつきだし、そろりそろりと掻《か》きまわすふりをしてみせ、熊の眼のまわりには毛がいっぱい生えているじゃないか、毛の生えた穴に指を入れてこうやってたら、何か思いだしませんか、あなた。そこまでいうと、やっとわかってもらえたらしく、一メートル五〇センチほどもある胴がワッハッハッと揺れだした。

この種の噺はモスコーでもなかなかに盛大であって、俗に〝アルメニア放送〟と呼ばれているのだがといって、レ氏は開きなおり、つぎのようなのを一つ、教えてくれた。

酔っぱらいが二人、首までウォツカに浸って、めいめいの女房の貞節を自慢しあった。一人の酔っぱらいは、ある夜家へもどったらベッドに女房が寝ていて、そのよこにニワトリの羽根が一枚、落ちているのを発見したという。感心なもんじゃないか。おれがいないと女房はニワトリと寝てるらしいゼ。それを聞いたもう一人の酔っぱらいは鼻を鳴らして、こういった。おれが酔っぱらって家へもどったらベッドに女房が寝ていて、そのよこで運転手が寝ていた。どうやらおれがいないと女房はトラックと寝てるらしいゼ。

否定話法の使いかたが精妙である。私は笑うのといっしょに感心したので、巨大なレ氏と二、三杯、ウォツカの乾杯をしあった。ロシアのこの種の小話は他にいくつも読んだり、聞かされたりしたが、フランスやイギリスのとはちがった風格と妙味があって、辛辣《しんらつ》とおおらかさの均衡が愉しめる。モスコー大学の学生に、ある日、キュウリを強姦《ごうかん》するにはどうしますかと聞かれて立往生したら、キュウリより大きな一物がまず必要です、というのがその答えであった。それから市場へつれていかれて現物を見せられ、ロシアのキュウリはヘチマくらいもあると知ってから、やっとそのギャグがのみこめた。

中×ソ関係は他人憎悪《ぞうお》より近親憎悪のほうが、ときによっては、はるかに深く、しぶとく、激しいのだという永遠の人間の条件の最近の一例かと思われるが、外交関係はそうであるとしても、中国の男にいったい悩みはないのかというと、どうやら、まったくそうではないらしい。赤い、小さな毛語録を合唱するだけではすまないことが、さだかにはわからないけれどおびただしくあるらしいことが、つぎの小話から察することができないだろうか。

猛勇で聞えた中国人民軍の、ある隊の兵士たちが、あるとき、いっせいに、隊長にむかって、女房がこわいと訴えた。女房がこわいようではアメ帝と戦争ができるかと隊長がキメつけたけれど、いっこうにききめがない。そこで、隊長は、女房のこわい兵隊は右へでろ、こわくないのは左へでろと命令を下した。すると、一〇〇人のうち、九十九人がそろって右へでた。左へでたのは、たった一人だけであった。そこで隊長が感動してその男の肩をたたき、同志《トンジー》、君だけが真の人民英雄だといった。するとその男は、うろたえて頭をかき、低い低い声で、ナニ、私はかねがね女房にみんなのあとへついていってはいけないといわれつけてるもんですから、と答えた。

これは六〇年代初期に北京へいったときに郭沫若《かくまつじやく》氏から宴席でじきじきに聞かされた噺なのだが、あとで日本へ帰って、中国古代の民話集を読んだら、ちゃんとでていた。殷《いん》代か周代か。民話だから年代不詳だけれど、日本史のはじまるよりはるかに以前であるらしい印象ではあった。その古代民話によると、地獄のエンマ様が、ある日たいくつまぎれに地獄を埋める億万万人と数知れぬ男の亡者たちに、聞けばおまえたちのいたあの世には、女房がこわいという奇怪な病気があるらしいが、それにかかった奴《やつ》は右へでろ、かからなかった奴は左へでろ……という命令をだしたというのである。郭氏はこれを若干、モダナイズして、提出したわけである。殷代だの、周代だのと考えるよりさきに、どうやらこの病いは周口店《しゅうこうてん》の北京原人以来の男だけがかかる業病だと考えたほうが、諦《あき》らめがつけやすいようである。ヤマタイ国の起源が何であれ、この大陸の業病を漢字や仏教を輸入するのといっしょに知らず知らずわが国は輸入してしまったのではあるまいか。

今夜、また。

あなたも。

二

女房のこわくない兵隊は左へでろと隊長が命令したら一〇〇人のうちたった一人が左へでて、頭をかきかき、低声で、イエ、ナニ、私かねがねみんなのあとについていってはいけないと女房にいわれつけてるもんですから、と答えたという前項で紹介した話は、私の経験したところでは、社会主義国でも、自由主義国でも、失笑、苦笑、ときにはヒステリックな哄笑《こうしょう》をひきおこした。

ある夜、ルーマニアの首都のブカレストで、偉い国会議員がたまたま夕食の席に出席したが、ためしにこの人にこの話をしてみた。そして、あなたが兵隊だとしておなじ命令を隊長にだされたら、右へでるのか、左へでるのか、それともまんなかでステップを踏むのか、どうなさるおつもりかと、たずねた。初老のその議員はひとしきりひきつれるような、腹からの哄笑をしたあと、じっと考えこんだあげく、つぎのように答えた。

「ごぞんじのようにわが国は社会主義国です。私はその国の国会議員です。してみれば私としては、当然、大衆のいくあとにつきしたがうよりほかないでしょうな」

なるほど。

うまく逃げたネ。

つぎにブカレストからチェコのプラハへいったところ、通訳と案内を兼ねて、美女が一人、あらわれた。ノーマン・メイラーやヘンリー・ミラーなどという作家を研究していると名乗ったからには、かなり奔放な心性の持主かと見たいところだけれど、つきあってみると、なかなかつつましやかで温厚な女性だった。けれど、なにげなく、指を見ると、エンゲージ・リングが光っているので、人妻なのだとはっきりわかる。

この女性にこの話を英語でやってみたところ、顎《あご》をそらして笑いながらも、中欧のひめやかさでそれをおさえているところがある。そこで、一歩つっこみ、あなたの夫がおなじ質問を隊長からだされたら、右へいくでしょうか、左へいくでしょうかとたずねてみたところ、彼女はいきいきとしながらも謙虚な口ぶりで、答えた。

「夫のことは夫でないとわかりませんから、私にはどう答えようもありません。しかし、もし私が夫だったとしたら、一も二もなく右へでるでしょうね」

あっけなく彼女はそういって笑った。この笑いには二度ほど裏を返したところがあって、瞬間のうちにオトボケと率直を同時に表明するという技であるように私には感じられ、技巧を感じさせずにそれをやすやすとやってのけたあたりに彼女の知性の鋭さと感性の柔らかさを一致しておぼえさせられた。〝ソフィスティケーション〟と呼ばれる心の反射はただ洒脱《しゃだつ》だけに神経の切尖《きっさき》を磨いておくのではなく、同時に本然の謙虚さや素朴さもそっとどこかに匂《にお》わせて相手を微笑のうちに信頼させる技でもあるらしいなと、痛感させられたことである。

パリでもこの小話は一座の哄笑を呼んだけれど、灯と酒瓶のなかで輝やく眼や頰を眺めていると、ほのぼのしてくる。恐妻病というこの業病には〝東〟も〝西〟も、昔も今もあったものではないらしい。笑いのうしろにはみなさま日頃のしたたかな苦渋がひそんでいるらしき気配が感じられ、ありありとつたわってくる。

もう一つの業病に税金がある。これまた太古以来の業病で、手も足もだせないことはここでクドクド書くまでもない。楔形《くさびがた》文字は麦の地帯で発生した文字だが、その起源をよくよく研究してみたら、太古の徴税人の符牒《ふちょう》がそもそもの起りだったと推定される。という学者のエッセイを読んだことがあり、またしても長嘆息をつかせられた。こう骨がらみでは、あとは茶にして笑うしかない。いつか河盛好蔵氏の紹介しておられたつぎのコントはどうだろう。

ある男がキャフェで飲んでいたら、たくましい若者が入ってくる。若者は力自慢にレモンを一コ、握ってみせる。青筋たてて力をこめたら、タラタラと果汁がこぼれ、レモンはすっかりからっぽになる。その怪力ぶりに感心して、職業はとたずねたら、市場の労働者だがときどきジムへいって鍛えてるのさと若者が答える。そこへ咳《せき》はゴンゴン、咽喉《のど》はゼイゼイの貧相な老人が一人入ってきて、いまつぶしたばかりのレモンをとりあげ、指さきで軽くひねったら、たったそれだけなのに汁という汁がふきだし、一滴のこらずのカラカラになってしまう。おどろきのあまり、職業はとたずねると、件《くだん》の老人、恥しそうに頭をかきながら、いえ、ナニ、ちょっと税務署に関係してますもんでねと答えたという。

この話も諸国で歓迎された。笑う人もあり、軽く拍手の真似《まね》をする人もあった。しかし、おなじ笑いにしても、さきの中国の民話のようにひきつれるような哄笑は起らなかった。おそらく主題があまりに切実すぎて、話の出来のよさに感心させられはするものの、顔を全開して笑うことができにくいのではあるまいかと思う。つまりそれはいいたいことをいってもらえた愉しさではあるとしても、にじんでくるのは苦笑なのである。笑いは偉大な感情だけれど、至難のものでもあるようだ。税金や税務署を主題にした小話はあまり数がないようで、これなどは稀《ま》れな傑作と思える。苦しめられれば苦しめられるほどそのあげくに蒸溜《じょうりゅう》液としてでてくる小話は光ってくるという一つの原則があるのだから、これだけ苦い思いをさせられている税金ならもっと小話がたくさんできていいはずと思うのだが、どういうものか出会わない。

笑いの共和国は裏をかえせば、つまり苦悩の共和国ということになり、それは弱者の最後の武器ならぬ武器だと考えたいのだが、たとえば、ロシア製とも日本製ともわからないけれど、つぎの小話なんかは、如何《いかが》なものだろう。

個人崇拝時代のこと。モスコーから通商代表団が東京へやってきた。日本の通産省の役人はいろいろともてなしたり、案内したりしたあと、国産のコンドームをロシア人に贈った。一夜明けてロシア人は昂奮《こうふん》で顔をまッ赤にしてあらわれ、すばらしい、みごとだ、まさに芸術品だと叫んだ。それから声をひそめ、ある条件さえみたしてくれたらこれを無限に輸入したいという。日本人がその条件とは、とたずねると、ロシア人はさらに声をひそめて、一箇一箇のコンドームに残らず、《特大、ただしスターリン用》と銘を入れてくれといった。

三

朝鮮戦争のとき。38度線をこえて北鮮軍がなだれこんできたので国連軍で迎え撃つことになり、アメリカみたいな金持国もギリシャみたいな貧乏国もそれぞれ軍隊を派遣した。ブラジルは出兵すべきかすべきでないかについて国論が二つに割れて大論争となり、収拾がつかなくなった。そこで現場の意見を聞こうということになり、ニューヨークの国連本部に派遣してある大使に訓電を仰いだ。ニューヨークからはただちに電報がきて、ひらいてみると、たったひとこと『キンタマ』とあるきり。出兵しろともするなとも、何も書いてない。そこで乱数表を繰ったり、暗号表をめくったりして判読にかかったが、何のことやら、さっぱりわからない。一同頭をかかえていると廊下掃除の老人が通りかかり、何だ、こんなこともわからないのかといって、その場で解いてみせた。『協力ハスレドモ介入ハセズ』ということであった。

これは中野好夫《よしお》氏がブラジルで聞いてきた小話だそうで、私は氏自身の口から新幹線の車中で聞かされた。私は笑いながらもその痛烈さと飛躍のあっぱれさに感心し、ブラジルでは当時よほど悩むことがあったのだなと匂いを嗅《か》いだ。前項でちょっと書いたように、この種の小話はたいてい苦悩の蒸溜液なのである。

中野氏は帰国してから、この種の小話を集めて某中間小説雑誌に原稿を書いたところ、奥さんに読まれて、こっぴどく吊《つる》しあげられ、こんなことを書くのなら東大教授をおやめ遊ばせと批判されたそうである。中野氏はごぞんじのように見たところブリンナー風の魔羅頭をしていて、鼻隆《たか》く、眼光鋭く、ちょっと叡山《えいざん》の悪僧といいたくなる逞《たくま》しい風貌《ふうぼう》と姿勢をしていらっしゃる。言説に虚無からの痛罵《つうば》と呼びたい冷眼が光っていること、天下周知の事実である。

そこで、恐る恐る

「中野さんほどの人物でも奥さんがこわいですか？」

とたずねたら

「アホなこと聞くもんやないデ」

というお答えであった。

かつて《ヨーロッパ回廊》と呼ばれた東欧の社会主義諸国を歩きまわっていると、政治にひっかけた小話をずいぶん聞かされた。私が会うのは作家、詩人、出版人、新聞人、大学生などが多かった。昼のうちはたいてい、きまじめな顔つきをしていて、会話もそれらしいきまり文句しかでてこないのだが、夜と酒を迎えるとみな一変するのだった。この人たちもやっぱり夜を王国としているらしくて、黄昏《たそがれ》以後に会うと同一人物がこうも違うかと思うくらい眼と身ごなしが一変し、会話も〝人間の顔〟のそれになるのだった。

つぎの話はチェコで聞いた。

二匹の犬が国境で出会った。チェコへいこうとしている犬にポーランドへいこうとしている犬が、なぜ君はチェコへいくんだとたずねたら、その犬は、バーチャの靴を買いにいくのさと答えた。そしてその犬が、相手にむかって、ところで君はなぜポーランドへいくのだとたずねたところ、相手は肩をすくめ、ナニ、おれは吠《ほ》えにいくのさと答えた。

チェコには自由がなくてポーランドにはそれがあるということを諷《ふう》しているのである。これは悪名高きノボトニー時代のことなのだが、その後何年もたってからプラハで蜂起《ほうき》があり、たちまちソヴィエトの戦車に粉砕されてしまうのである。無数の現象と言葉と叫びが発生したけれど、〝春〟は短すぎて、濡《ぬ》れたり、膿《う》んだりするすきもなく消えてしまったのである。叫びのうしろにあるものの一つはこの小話にまざまざと語られている。

しかし、つぎの話はポーランドで聞いたものである。これをよくよく注意して眺めると、チェコの犬が吠えたいばかりに同国へいったとしても、その吠え声は中途で消えてしまったのではあるまいかと思われてくる。

ワニを捕えるにはどうしますか。

ナイル河へいくことです。そのとき『共産党小史』を持っていくことを忘れてはいけません。ナイル河へいって、河岸に寝ころび、『共産党小史』を読みにかかると、すぐ眠くなって、本は落ちます。ナイル河からワニがあがってきてあなたを食べようとしますが、『共産党小史』が落ちているのを見つけ、何が何でもこれは義務だからと思って読みにかかります。するとワニはたちまちあなたを食べることを忘れてウトウト居眠りをはじめます。そこであなたは起きあがり、ゆうゆうとワニを縛ればいいのです。

笑いは人間が機械化するかされるかして硬直したときに〝人間〟を奪いかえそうとしておこなわれる試みであることをベルグソンは説いた。チャップリンはそれを徹底的に単純化して演じてみせ、身ぶりのちょっとした細部に瞬間的だが比類のないオマケをそえることでいきいきとした痛烈と共感を呼び起し、定義づけようのない、まぎれもない〝人間〟を提出したわけだが、政治は論理の秩序のなかで人を救済しようなどという白昼夢の野望を抱くから、左翼国も右翼国も、北の国も南の国も、電気のつく国もつかない国も、たちまち地獄となる。そしてこの硬直の地獄は長い目で見れば当事者たちの善意や理想や志が何であれ、ついにその場しのぎでしかない。ついにそうだし、いつも、そのようである。

しかし、ヒトは短い目で生きることを何者かにしいられ、そこから逃げることができないので、長い目は過去を検討するときにしか使用されない。根源的にヒトは情熱的存在なのだということが人間の条件の一つであるが、情熱は自身の不定形におびえ、ひるんで、観念に救いを求めようと狂奔する。観念は清潔で、定形化しやすいので、

〝人間〟のとめどなさ、むつかしさにさほど探究の疲労をおぼえるよりさきに人びとは護符にとびつくようにとびついていき、ひるがえって強制を開始するのだが、いずれ、遅かれ早かれ、匿名《とくめい》の、定義づけようのない、定形化しようのない〝人間〟が、某日よみがえって、叫びをあげることになる。夜ふけの裏町でのひそひそした呻吟《しんぎん》の笑いが、やがて、白昼の町角で絶叫となる。〝人間〟を叫ぶ人間がやがて〝人間〟を忘れ、しばらくするとべつの人間がでてきて〝人間〟を叫び、かつて〝人間〟を叫んだ人間を〝人間〟の名で倒し、ちょっとのあいだうまくいくように見えるが、やがて〝人間〟が忘れられる。そこでまたべつの人間がでてきて〝人間〟を叫び……。

十年ののち影もなく

毎年、二月十四日は命日なので、この日がやってくると、夕刻から盛大に飲むことにしている。今年はかぞえてみると、ちょうど十回忌になるので、例年よりズンと盛大にやってやろうと思っていたのだが、折悪しく風邪をこじらせ、クスリで胃を荒されたので、シェリーとヴェルモットの白、数本を選んだ。いずれも柔和な酒だから、たとえ朝まで飲んでもたいしたことにはなるまいと踏んだのである。こんなことを考えなければならないとは、私も弱くなったものだ。

一九六四年と六五年は秋元君、六八年は石川君、七三年は梅津君とそれぞれサイゴンで濃厚に暮したので、三君に夕刻から集ってもらう。三人とも報道カメラマンとしての腕は冴《さ》え、大胆、不敵、かつ図々《ずうずう》しく、かつ優しいところがあり、みんないい仕事をやったが、動物電気の蓄電量もしたたかなものだから、この人たちのすわったあとの座ブトンにすわると、女は年齢の高低にかかわらずおなかがふくれてくる。よくよく気をつけて下さいとヘルパーさんに御注意しておいた。

この三人のほかにも私はこれまでに何人ものカメラマンと接触したが、その経験によると、まるで職業病ではないかと思うくらい、例外なしにといっていいくらい、一人のこらず帯電しているようである。帯電していないカメラマンというものを想像することが私にはできない。時代と国がちがってたらみんなカザノヴァやラスプーチンの直弟子になっていたのではないかと思いたくなることがある。それはソノ道のエキスパートになると、一瞥《いちべつ》しただけでピリピリと感知できるらしく、たとえば秋元君といっしょに歩いていると、どこでも、どこからともなくポン引があらわれて、そわそわと寄ってくるのである。アテネでもそうだったし、タイのひどい田舎の河岸町のナコンサワンでもそうであった。

このときはまッ昼間であった。ギラギラする亜熱帯の白昼光が氾濫《はんらん》する河岸町の雑踏のなかを、メッカチで、はだしのおばはんが、ナンバー・ワン・ガール、ナンバー・ワン・ガールと連呼して放埒旺盛《ほうらつおうせい》に笑いつつ、どこまでも彼のあとをつけてきた。ためしに私が微笑をかえして会釈《えしやく》してみるが、おばはんは見向きもしない。メッカチだけれど見るだけのことはちゃんと鋭く見ているのである。道によって賢しとはこのことかと、感心させられた。

帯電者は幸福そうに

「サムシングってものがおれにはあるんだ」

といったり

「おれのエクボには魔力があるのサ」

といったりした。

夕刻に三人がやってきて、シェリー酒からはじめる。ブリストル・クリームのドライである。おっとりとして、気品高く、豊麗で柔和な酒である。しかし、めいめいが、思い思いにヴェトナムの回顧談をはじめると、『デカメロン』の著者も『エプタメロン』の作者もいっせいに顔を赤らめて不明を恥じそうな気配となってくる。私はみんなに酒をついだり、氷を配ったりしながら、そのかたわら部屋を出入りするヘルパーさんに、座ブトンに気をつけなさい。しずくに気をつけなさいと注意をするのにいそがしかった。まるで種馬の品評会にでて酒を飲むようであった。そういうところでシェリーを飲むとしてだが……。

十年前の今夜の今頃のことはよくおぼえている。それ以前の時刻のことも、それ以後の時刻のことも、よくおぼえている。三年後にはアフリカの戦争とシナイ砂漠の戦争を観察しにいき、さまざまの光景が膚《はだ》にきざみこまれたけれど、この日のジャングルと人びとの瞬間々々のまなざしは忘れようがない。毎年この日がやってくると乱酔することにしてあるが、酒瓶のかなたの薄明のなかには光景がおびただしい漂流物のように浮きつ沈みつして明滅し、出没する。迫撃砲、ロケット弾、一五五ミリ榴弾《りゅうだん》、重機関銃、軽機関銃、ライフルのそれぞれの吠《ほ》え声が思いだせる。こういう記憶は花の香りをかぎわける蜂《はち》の正確さでよみがえるものである。八年後の一昨年、ベン・キャットへいったとき、陣地ではしきりに砲撃をやっていたが、一〇五ミリと一五五ミリは一発聞いただけでいいあてることができた。〝こちら側〟だけではない。〝あちら側〟のもカービン銃、AK47、一二二ミリRPG（ロケット榴弾）なら、一発で、その場で、いいあてられそうである。

さまざまな国でいくらかずつさまざまなことを教えられてきたけれど、ヴェトナムでは徹底的に教えこまれることがおびただしくあった。三度訪れて、三度とも、それぞれ異なる場所と異なる様相で、とことん注入されることがたくさんあった。何であれ当事者と非当事者のあいだにはこえようのない深淵《しんえん》が口をひらいていることを教えられたし、その深淵に気がつくのは意外に容易でないことも教えられた。深淵をとびこえて論じたり、書いたり、考えたりはやすやすと陥《お》ちこみやすい罠《わな》だが、その罠に陥ちこんだことを感知するのも同時に容易ではないことを教えられた。この深淵に気がつくと異国で見聞する人事に同化しようとするよりは異化しようとするところがうごきはじめるが、いかにその国の人びとと自分がへだたっているかをかぞえようとするのは非情のように見えてじつは正確を求める多感にほかならないことも暗示された。プラトンは同情はつねに何がしかの軽視が含まれていることを賢く指摘したが、おなじように苦悩にも甘美な偽善が含まれやすいものであるということを痛感させられた。Dゾーンのジャングルから奇蹟《きせき》的に生還することができて、サイゴンのマジェスティック・ホテルの部屋に入ったとき、泥まみれの野戦服のままベッドにころがりこみ、キラキラ輝やきわたる無垢《むく》の歓喜に全心身を奪われたのだが、一眠りしたあとで洗面所へいって鏡で眼を眺めてみると、もう褪《あ》せていた。暗いけれどただの凝視があるだけだった。二時間ほどウトウトしただけで無上のものは消えてしまったのである。この脆《もろ》さ、この虚《うつ》ろさは寡黙《かもく》だったけれど、したたか肚《はら》にこたえるところがあった。

昨年もそうだったし、今年もそうだったが、三人の英雄と酒を飲むと、きまって、どこかで、誰かが、あれ以後の人生はオマケみたいなものだからこれからはやりたいことをやったるゾと思って帰ってきたはずだが、といいだすのである。酒にまみれてはいるけれど、たしかにそれが痛感だったし、実感であったし、啓示のようにこころをすみずみまでみたしてくれたことがあったと思いだされるのである。しかし、宴果てて部屋をよろめきよろめきでていくその後姿の、何という、孤影悄然《しょうぜん》。まるで影を売った男たちといいたくなる、その痛ましさ。

また一年、待つのさ。

連発式自動小銃とバナナ畑の昼寝

はじめてヴェトナムへいったときには見ること聞くことすべてにふりまわされて毎日が混迷と困惑に終始した。とりわけ最前線へでかけて寝起きするようになってからは軍用英語にひとかたならず苦しめられた。英会話そのものがヨタヨタなのに、〝分隊〟、〝小隊〟、〝中隊〟から、武器の名、それぞれの性能、作戦用語、いっさいがっさいをおぼえこみ、口にしなければならないのである。そのうえヴェトナム兵の隠語とアメリカ兵の隠語もいっぱし知っておかなければならないので、容易ではなかった。

たとえば、アメリカ兵のことを〝チャーリー〟と呼ぶのはすぐ耳に入ったが、ちょいちょい話のなかに〝ヴィクター・チャーリー〟というのが入ってきて、それが〝ヴエトコン〟を縮めた〝ＶＣ〟から派生したらしい隠語だとわかるのにはちょっと時間がかかった。アメリカ兵は不屈の敵のことをいくらかの皮肉をこめて〝勝利者のチャーリー〟と呼んでいたのである。ほかにもう一つ、〝チープ・チャーリー〟というのがあったが、これはケチか文無しかで女に一杯オゴッてやれないアメリカ兵のことだった。

女はしなやかに猫のようにすりよってきて、〝メイク・ミー・ハピー〟といったあと、すばやく、〝バイ・ミー・ドリンク〟とささやく。一杯買って、というところ。そこで、〝ノー！〟とことわると、猫がふいに虎《とら》に変り、〝ユー・チープ・チャーリー・ナンバー・テン！〟と毒づかれるのである。

軍用英語と政治英語を毎日、耳で勉強するかたわら、ヴェトナム人の英語とヴェトナム語も嚙《か》じらなければならなかったが、これまた楽ではない。世界には無数の英語があり、日本人には日本独特のジャピングリッシュがあるが、ヴェトナム英語もまた、なかなかのクセ者である。彼らは彼らなりの発想でドロップをかけた玉を投げてよこすのである。たとえば酒場へでかけて女に何か相談をもちかけたあと、いいね、いけますね、やれますね、OKだねと聞くには〝Can do?〟とやるのだし、もうそれが、あかん、ダメです、いけませんということなら、相手は〝No can do!〟と答えるのである。こういう英語はどんなもんだろうかと、あるときAP通信の支局でアメリカ人の記者に聞いてみると、まじめな眼つきで、〝フィーリングがあって悪くない〟という答えであった。いまでも私は、何かに追いつめられ、せっぱつまってくると、ふと、

〝ノー・キャン・ドゥー！〟と口をついてでることがある。ヴェトナム語には〝チョーイヨーイ！〟という嘆声があるが、これまた、ふとしたはずみに唇にこぼれることがある。

何が何でも軍用英語を聞きとり、武器のことを耳学問で知っていかなければならないので、人知れず狼狽《ろうばい》また狼狽の毎日だった。しかし、おかげで、銃身の背後にある思考の質をよく知ることができた。たとえば連発式の自動小銃である。これには何種類もあるが、連発式というのは浪費の思考である。一発射《う》って、つぎの一発をボルトをひねって弾倉に送りこみ、ふたたびそこで狙《ねら》いをつけて、引金をひいて……ということをやっていると遅れをとって、こちらがやられてしまう。射たれた人間は狙われてるとさとると反射的に頭をひっこめるか、体をかくすか、よこへころがって逃げるものである。

だから、逃げられないようにするためには狙いの正確さは二のつぎで、何が何でも間断なく連発することである。多少目標が狂ってもかまわない。息もつかせず射ちまくることだ。目標が狂っているように見えても、目標それ自身が瞬間瞬間に移動するのだから、それにあわせることとなって、かえって〝正確〟になるのである。軽い武器は狂いやすいという鉄則があるが、多少狂って弾丸《たま》を浪費したほうが、かえって命中しやすくなるのだから、それでこちらがやられないということになれば、結果としてはそのほうが〝安上り〟なのだという思考である。浪費したほうが経済だという思考である。これは〝西側〟でも〝東側〟でもまったくおなじである。アメリカ製のM16もソヴィエト製のAK47も、思考はまったくおなじなのである。どちらの銃で狙われても、狙われた人間は戦争をかさねるごとにいよいよ逃げにくくなる。だから、大砲や、爆弾などを使わないで、かりに双方が携帯用小火器だけで戦争をしたとしても、被害のすさまじさと洩《も》れのなさは前時代にくらべるとお話にならない発達ぶりである。チョーイヨーイと嘆息を漏らすすきもないのである。

そうなると弾丸の浪費の度合いも前時代にくらべてお話にならない旺盛《おうせい》さだから、それはとりもなおさず、予備のカートリッジをいくつも持っていかなければならないということなのであり、歩兵の肩や腰はいよいよ重くなるのである。歩兵のつらさはいよいよ増すばかりだから、《戦争を知りたかったら歩兵に聞け》という金言はいよいよ金言となるのである。しかし、浪費ばかりが〝美徳〟ではないから、それはそれでチャッカリ考えてあり、連発式の銃身の引金のそばにはスイッチがついていて、〝全自動〟、〝半自動〟、〝単発〟と三段階に切りわけられる仕組みになっている。乱射で浪費のトップをいきつつ同時に古典時代の〝一発必中〟の妙味も味わっていただきましょうという念の入れかたである。見れば見るだけ、まことに小憎い注意が払われていて、油光りのする銃身やそのスイッチを眺めていると、〝Can do!〟といいたくなったり、〝No can do!〟といいたくなったり、とど、どちらともつかなくなってくる。

こういう凄味《すごみ》のある銃を持たされ、めいめい逆にかついだり何かして、のろのろトボトボとヴェトナム兵たちは朝早くから作戦にでかけていく。田ンぼの畦道《あぜみち》をわたっていきつつ野ネズミを見つけると電光石火の早業でやにわに靴でその鼻さきを踏んづけ、穴からひっぱりだして地べたにたたきつけて殺し、昼飯のオカズにする。昼飯が終ると隊長以下全員が一人のこらず昼寝《シエスタ》である。一人のこらずそこらあたりに銃をほうりだして、バナナの葉かげや、村の掘立小屋に這《は》いこんで、昼寝をするのである。ここへ一発迫撃砲を射ちこまれたら、とか、機関銃を一連射やられたらと思うと、日本人の小説家はいてもたってもいられなくなり、何やらソワソワと歩きまわってみたりした。しかし、〝あちら側〟は〝あちら側〟でやっぱりおなじことをしているらしく、村も、バナナ畑も、かなたのジャングルも森閑としていて、平穏そのものであり、ニワトリの声もしないのである。そのうちに小説家も慣れてきて、昼飯がすむとさっさとバナナの葉かげへ這いこんで母なる大地へ吸われるままに眠りこけられるようになったけれど、愉快とも不可思議ともつかぬ感覚は、やっぱり、いつまでも、どこかにのこった。

たそがれの啓示は地雷を探知する

サイゴンを歩いていると、ちょっとした目抜きの通りではきっと歩道に商品を並べて売っていて、ときには足の踏み場もないくらいである。政府は〃清掃〃をお念仏にしているからときどき発作的に手入れをやることがあるが、QC（憲兵）のジープが巡回してきてニューズがつたわると、娘、おばさん、おっさんたちは、たちまち荷物をひとくるめにしてサンタクロースみたいな恰好《かっこう》になって路地へ逃げこむ。そしてジープがいっちまうと、ゆうゆうとハエのようにもとの路傍《みちばた》へもどって品をひろげにかかる。コンドーム、乾電池、ボール・ペン、シャツ、何でもかまわず、並べている。なかには〃たそがれ医者〃の大好きな品も並んでいる。象のしっぽの毛だとか、虎《とら》の肝と称するものだとか、コウモリをどうかしたのだとか、蛇を干したとかいうような性質のものである。そういう怪力乱神を売る男はたいてい口達者にわが国の〃ガマの油売り〃とおなじ表情と口調で群集に講釈をしたり、ひそひそささやいたりしている。

大道の吟遊詩人である。香具師《やし》である。

〝たそがれ医者〟というのはアメリカ人がつけたアダ名だが、科学と神秘の境界をさまよう、昼ともつかず夜ともつかない存在なので、そう呼ばれるようになったのである。この国ではちょっと以前までのわが国とおなじように精霊信仰の習慣が旺盛《おうせい》にはびこり、かつ貧しくて医者が少いものだから、どうしても民間療法にたよることとなる。この薄明の世界にも正統と異端とがあり、主流と分派があり、効果はそれぞれの主張するところである。たとえばあなたがパーキンソン病という病気にかかって手や足がふるえだしてとまらないという事態に陥《お》ちこんだとする。

あなたは正直な善人だから、当然のことながらお金がないので〝科学派のお医者にかかることができない。この派のお医者は数が少いうえに、ひどく金がかかるのである。そこでやむなくたそがれの怪力詩人の家へでかけることとなる。老詩人はブルブルふるえているあなたを経験深いまなざしで一瞥《いちべつ》したあと、優しく、おすわりなさい、あなたと声をかける。そしてあなたに口を大きくあけさせといたうえで、壁を這《は》っているヤモリをつかまえ、首と胴をちぎる。ヤモリの首をあなたの口にほりこんでから、呑《の》みこむんです、グッと、と命令する。そこであなたがそれを呑みこむと、もう一度口をあけさせ、ピンピンふるえている胴をほりこみ、もう一度、とおっしゃる。そしてあなたがそれを呑みこんでしまうと、三日たったらまたおいでなさい、とおっしゃって、何がしかのお金を請求し、やせこけて筋張った手をヌッとおだしになるのである。

ふるえる男をふるえるヤモリで治そうというのは類似療法の一種かしらと、ちらとあなたは考えるかもしれないけれど、それからさきは朦朧《もうろう》としてわからない。何しろ相手はたそがれなのであるから、黒も白もけじめがつかないのである。昔、わが国で、〝大凶時《おおまがどき》〟といみじくも呼んだとおりである。

『民の声は、神の声』の金言に従って私は行動と判断の指針をたてることにしたけれど、この国の民の声は聞けば聞くだけ、怪力、乱神、異説、妄譚《もうたん》、たそがれの啓示がおびただしくて、それに親しんでいくと、もともとこちらも水母《くらげ》なす漂える朦朧派だものだから、いよいよ怪しくなってくるのだった。ある年の暮れには年が明けると早々にヴェトコンが赤いトライアンフにのってサイゴンへやってくるという説が流行していると聞かされたし、ある年の春にはバンメトットの近くで墜落したエア・ヴェトナムのスチュワデスが蝶々《ちょうちょう》になってサイゴンの親の家へ翌日もどってきたという新聞記事を読まされた。これはかなりしっかりしているという評判の新聞なのだけれど、一面トップに事実の報道として、〝スチュワデス、蝶々となる!!!〟と見出しをだしたのであった。

　ある大学でジャーナリズムを講義しているN・V・カン氏は細い、骨張った指でその新聞をつつきつつ、読者の気に入るように記事を書いて売りたいばかりにこんな阿《あ》呆《ほう》を書くのですと、顔を蒼《あお》くして怒るのだった。けれど私は少年時代の戦争中に毎日読まされたわが国の新聞の凄《すご》い乱神ぶりを思いだしたり、部数を売りたいばかりに新聞が読者の気に入るように書くという態度そのものはどこでも五十歩百歩なのじゃないかと考えたりして、氏の蒼白《そうはく》な怒りにはかばかしい返答ができなかった。この国の人は迷信や占いや怪力のハナシが大好きなので記者はそれにアッピールするようスチュワデスを蝶々に仕立てたのである。しかし、センチメンタリズムの大好きな日本人にアッピールするため、毎日、センチメンタルな見出しと記事を書いているわが国の諸新聞だって、態度の本質ではそっくりではないかと思うのである。あまり大きな口をあけて笑えないのではあるまいか。それとも、よほどニョク・マムぼけしたから、私はこんなことを考えちまうのだろうか。

　スチュワデスが蝶々になったと新聞で読んでいるうちはいいけれど、似たような感性を最前線で見せつけられると、これはしたたか肚にこたえる。あるとき国道13号線を輸送大隊が通過することになり、その国道の両側の安全を確保するための、偵察と掃蕩《そうとう》を兼ねた作戦が展開されることとなって、私は従軍することにした。地雷探知器を持った兵が何人も国道の両側をそろそろと歩いていくうしろについていくのだが、それを見て、一人のヴェトナム人の下士官はヴェトナム英語でアメリカ兵に話をしていた。聞くともなくそれを聞いていると、何でもその下士官の部下の一人は異能の持主で、棒のさきにレモンをつけて歩くだけで地雷がいいあてられるというのである。その男がレモンを棒のさきにつけて歩いていくと、地雷の埋められているところへくるたび、レモンが吸いつくので、それとわかる。百発百中、誤ったことがない。誰にもわからないことだけれど、これは事実なんだ。みんな知ってることなんだという。下士官は熱心に、まじめに、本気そのものの口調でアメリカ兵に説明し、納得させようとして、何度も何度もおなじ話を繰りかえす。アメリカ兵はおとなしくその話に耳を傾け、うんうんとうなずいたあと、話が一段落したあと、ではその兵隊をいまつれておいでよ、といった。すると下士官はふいに肩を落してうなだれ、低い声で

「その兵隊、今日いない。今日、その兵隊、どこかへいった。残念だ。見せられない」

といって、去っていった。

B52超重爆撃機とフクロウの関係

《コックリさん》は漢字にすると《狐狗狸さん》だという説を聞かされたような気がするが、いまや朦朧《もうろう》となっている。この乱神がはびこったのはもう三〇年以上も昔のことだし、何ともさまざまなことにひきずられっぱなしだったので、よくおぼえていないのである。

この乱神遊びにはいくつもの方法があって地方地方によって異っていたのだということを戦争が終ってずっとたってから教えられたが、大阪の南部で母と叔母が薄暗い座敷のなかでやっていたのは、こうである。新聞紙をひろげてアイウエオ五十音を書き、筆なり鉛筆なりを軽く持ってかがみこむ。そして無念無想になってコックリさん、コックリさん、あしたB29がくるかどうか教えて下さい、きても爆弾は一町向うへ落ちるのでしょうかそれとも二町向うでしょうか……などと、心のうちでお伺いをたてるのである。

一心不乱になって問いつづけるうち、不思議なことに筆がひとりでにうごきだし、あの字この字とさして移っていく。その字を順番どおりに書きとめると、それが御託宣なのである。意味が通じるように勝手に改変したりしてはいけないのである。たとえそれが《コナルカイロハ》となろうと、《アチクシオチツコ》となろうと、ひたすら恐懼《きょうく》して頂戴《ちょうだい》しておかなければならないのである。

中学校二年生の私も、三年生の私も、それを見て蒼白《そうはく》になって怒った。そのため母と叔母は私のいないときを見すまして新聞紙をひろげにかかるらしかったが、その気配がわかっただけで私は蒼白になった。しかし、いつか問いに問いつめ、追いに追いつめると、さいごになって母が猛反撃にでた。食べるものもない。着るものもない。お金はどこからも入ってこない。たとえ入ってきても何の役にもたたない。B29は毎晩やってくる。お父ちゃんはとっくに死んでしまいはった。コックリさんに聞いてもどうにもならない。コックリさんが答えてくれてもどうにもならない。ほんならコックリさんにお伺いをたてたってかめへんやないか。あんた迷信やというてそんなに怒るねんやったら、米持ってきてくれるか。イモ持ってきてくれるか。焼夷弾《しょういだん》消してくれるか。

小さな眼を針のように光らせて母はそう叫び、叫んでいるうちにやりきれない女の迫力をこめてワァーッと哭《な》きだすのである。その頃の私はまだ微少年だったから《女の涙》などという業物《わざもの》がこの世にあるとは知らず、一瞥《いちべつ》しただけで圧倒されてしまい、たちまち砕けてしまった。母の持ちだした理屈にはどうまぎらしようもない、惻々《そくそく》と迫ってくる凄味《すごみ》がこめられ、いてもたってもいられないような冷めたい淵《ふち》が覗《のぞ》いているのだった。母の眼の異様な輝やきは、極限に追いつめられた人の眼にはちがいなかったが、それでもコックリさんを擁護して一歩もしりぞかない気迫が等質、かつ、等量にこめられていた。そんな状況に陥《お》ちこんでもどこかに人は遊びを求めずにはいられないところがあり、遊びというにはあまりにも悲惨だが、遊びではないとしてもやっぱり遊びを求めずにはいられないらしかった。

だから、それから三十年たってサイゴンへいき、人びとが占い、おまじない、異説、妄譚《もうたん》、淫祠《いんし》、邪教、迷信、伝説、御託宣、南国の暑熱と湿気で培養されたそれら八百《やお》万《よろず》の神々にひとかたならずうちこんでいると知らされても、私には、ことごとく、当然すぎるほど当然のことと思われ、軽蔑《けいべつ》や嘲笑《ちょうしょう》よりはいつも底部に共感と予感を抱かせられた。しかし、そういう態度がかえって非難を浴びることもあった。この国でもやっぱりコックリさん遊びが真摯に流行し、ことにタイニン周辺では旺盛《おうせい》で、乱神は昼となく夜となく出張旅行でへとへとになっていると教えられても、私には緩慢な、けだるい微笑がうかぶばかりであった。草の葉ピープルだけでなく、元国家元首のファン・カク・スー氏もこの占いに余念がないのだと、N・V・カン氏は非難と嘲《あざけ》りをこめて教えてくれたことがあったが、いっこうに私が同調して尖鋭《せんえい》にならないので、もどかしがり、超近代国日本からきたものだからわれわれをバカにしているのではないかと、とんでもない誤解をした。この誤解はしばらくしてとけたけれど、共感というものも理解に到達するまでにはなかなか容易でない道を選ぶものである。

N・V・カン氏が嘲りをこめて熱心に教えてくれたところによると、この国でもコックリさんの招待のしかたは地方によってさまざまだが、多くあるのはこうである。新聞紙をひろげて五十音（ここではアルファベットだが）を書いておき、筆のかわりにそこへ小皿を伏せておくのが、わが国とは異っている。また、新聞紙の両側に、〝イエス〟と〝ノー〟を書いておくのも、異っている。小皿が不思議な力で移動してまわるという点ではわが国のとまったくおなじだが、ここの乱神様はすべての問いに対する答えとして、まず〝イエス〟か〝ノー〟かを示し、それからやおら分析と暗示にとりかかられるらしいのである。その結果が《コナルカイロハ》だろうと《アチクシオチツコ》だろうと、当惑しながらもうやうやしく頂戴しておかなければならないこと、これはわが国と異ならない。いつでも、どこでも、神様は腕白小僧に似ておいでである。

一九六四年の秋晩《おそ》くにビエンホア空港が迫撃砲で連射され、B52が何機か、大破したことがあった。ビエンホアはサイゴンのはずれにある一画で、町と呼んでいいか、村と呼んでいいか、いずれで呼ぼうと、じめじめ湿った、貧しいオデヤのような一画である。襲撃のあった直後にアメリカとヴェトナムの憲兵がジープでかけつけてみると、一画のある家から砲座をつくって迫撃砲を連射し、その直後、その何者かは家もろとも爆薬で吹きとばして撤退したという事実だけは判明した。しかし、村長を連行して訊問《じんもん》してみると、村長はブルブルふるえながら、あの晩は九時頃にフクロウの鳴く声がしたのでみんな気味悪がって早寝してしまったものですから何も知りませんと、繰りかえすだけであった。と伝えられている、と聞いた。何度訊問しても、どう責めても、ただフクロウが鳴いたので早寝したと、答えるだけだったそうである。

太平洋を自分のものにする方法

穢《けが》れて、ひからびて、凄《さび》しい都も何やら春である。野良《のら》猫の鳴声が変り、雲の形が変り、埃《ほこ》りまみれの植木の葉さきにたわむれる日光は淡く、うららかで、お茶目にはしゃぎたっている。昼はしらちゃけきった廃人として寝てすごし、夜もかなりふけてからやっと仕事にとりかかるこのすりきれかかった中年男も、隙洩る陽射《ひざ》しを見て、体内のどこかにしきりにぞめくものがあるのをおぼえ、そこはかとなくそわそわしてくる。

雪しろの水は乳いろに濁ってつめたいが、もう深山ではイワナやヤマメが岩のしたでもぞもぞしはじめている頃だろうと思うと、じッとしていられなくなる。ブナの原生林が河原の雪に緑の影を投げ、その影は無数の小さな閃光《せんこう》にみたされて陽炎《かげろう》のようにゆらめいて見えることだろう。兎《うさぎ》と鳥の足跡が林からでて川岸までつづいているほかは空罐《あきかん》もなく、紙屑《かみくず》もなく、ビニールも落ちていないのである。いつかミネソタの釣師が創案した〝スカルピン〟（カジカ）を模した毛鉤《けばり》を湖でためしてみてニジマスが狂ったようにとびついてきたことがあったが、この季節なら羽虫はまだでていないのだから、渓流でも毛鉤はフライよりもフェザー・ミノーがいいかもしれない。あの岩のかげからどう投げて、流れのどのあたりでひきはじめて……うつらうつらそんなことを考えていると、つぎつぎと何匹でも釣れる。こんな愉快なことはほかにめったにあるものではない。

私の釣りはスポーツである。釣りのための釣りである。釣った魚は大小かまわずみな逃してやるのだ。だから、魚籠《びく》は持っていかないし、手網も持っていかないのである。魚を逃してやるときにはいきなりポチャンと投げてはいけない。釣られた魚はクタクタに疲れているから、いきなり投げると死んでしまうことがある。エラをおさえないようにして胴を両手で支えてやり、川なら上流に向けて、しばらく水に浸してやると、そのうち魚は力を回復してきて、よろよろと手からはなれ、岸沿いに上流へ去っていく。そのゆらゆらと揺れる尾を見ると、〝ありがとう！〟とつぶやいているようだが、辞書がないから、ひょっとすると、〝クソッ！〟の聞きまちがいであるのかもしれない。

乾いた手で魚にふれてはいけない。というのが逃してやるときの心得の第一条である。乾いた手で魚にふれるとヌラがとれ、それが魚には全身火傷《やけど》を負わされたようなことになるのではないかと想像されるのである。だから逃してやるときには、まず手を水で濡《ぬ》らすことである。面倒だけれど、これを忘れてはいけない。ヘミングウェイもマス釣りが好きで、初期の短篇によく書いていて、餌《えさ》のバッタはどうしてつかまえるか、魚はそれをどう呑《の》みこむか、いろいろと描写したうえで、やっぱり逃してやることも書きとめている。手を濡らしてからやらねばならないということもちゃんと書いてあって、サスガと思わせられる。こうして気をつかって逃してやるのだけれど、はたして魚はどれくらい生きのびられるのだろうかと思った、ということも、ちゃんと書いている。これまた川岸でしばしば、そのたびごとに思わせられることである。

釣った魚は逃してやるのだというと、たいていの人が妙な顔をする。なかにはキザな奴《やつ》ととる人もいる。逃してやるくらいならはじめから釣らなければいいじゃないかとおっしゃるのである。そこで私は登山の話を例にひく。山がそこにあるから山に登るのであって、これは名言だが、裏をかえせば、山登りをしたことのない人、または興味のない人が、なぜ山に登るのかとたずねたところで、所詮《しょせん》しようのないことだ、ということを暗示しているのである。釣りもおなじことで、どう答えたところで、どうしようもあるまい。そこで、もう一度低い声で、山に登って美しい花を見たとき手にとって眺めることは許されるけれど、それを折ったり、ちぎったり、根こそぎ掘ったりすることは許されない。花はもとへもどしてやるものです。魚を逃してやるのもそれに似ていはしますまいか。そこまでいうと、いくらか納得した顔になってもらえる。

それにだ。

あの湖に何匹、あの谷川に何匹、おれの魚が棲《す》んでいるのだと考えると、まるでその湖や川が自分のものになったような気がしてくるのである。これは奇妙な誇張の心理だが、避けられない心理でもある。たいそう愉快になってくる。気宇壮大なもんである。これはすりきれかかった、たそがれかかった中年男をちょっと刺激して、しばらくのあいだほのぼのとさせてくれる。私はトルストイ伯爵《はくしゃく》が白樺林《しらかばばやし》の領地を検分にでかけるように回想にとりかかり、純然と私のものであるアラスカの川、アイスランドの川、スウェーデンの湖と川、バイエルンの高地の湖と川……ひとつひとつ岸にたって水を覗《のぞ》き、岩の姿を眺め、森の栄養度を観察するんである。電話をかけても私がなかなかでないときには、どこか遠くの広大な領地の検分にでかけているのだと察していただきたい。ふつうなら執事が電話口にでて丁重にそうお答え申すところ、近頃、チト痛風気味で、何かと御迷惑をおかけするです。あの老人も永年シェリー酒とロースト・ビーフをとりすぎて、そろそろ祟《たた》りがでてきたようですナ。

なに？

先日、新潮社の社員食堂で一五〇エンのサンドイッチを社員の眼をはばかりはばかり小さくなって食べていたのは誰だと。見られましたか。あははは。あれは私の影ですよ。存在じゃありません。存在はあのときノイシュヴァンシュタインの城の白い影が射すバーンヴァルト湖《ゼー》のほとりをさまよい歩いていたですよ。

だからだ。

山に海に魚がそろそろうごきはじめる季節だが、みなさまも今季からは志を一段エスカレートされ、釣った魚をどんどん逃してやって頂きたい。手をよく濡らして、魚のヌラが剝《は》げないように気をつけ、エラをおさえないようにして、魚の体力が回復するまで待ってやり、ゆらゆらと閃《ひら》めきつつ蒼暗《そうあん》の深遠へ去っていくその尾を見送ってやって頂きたい。その見返りに日本海や太平洋があなたのものとなるのである。

わかりましたか？

わかりましたね？

男と女は山でもこうちがう

山菜の季節は短いけれど、この頃の深山の釣りには宿へ帰ってからのチクと一杯という期待がひとしおである。渓谷を歩きまわってくたくたになった体をひきずりひきずり宿へ帰ってきて、コゴメ、ミズナ、ヤマウド、アケビの芽などを肴《さかな》に辛口をすする愉《たの》しみは爽快《そうかい》である。

酸、苦、甘、辛、鹹《かん》の五味がふつう〝味〟の大きな分類としてかぞえられるところだが、中国人が料理の表現に使う語はどれくらいあるだろうかと思って、モノの本を繰ったり、自分の記憶をさぐってみたりしたところ、鮮、美、淡、清、爽、滑、甘、香、脆《ぜい》、肥、濃、軟、嫩《どん》とあった。これはザッとかぞえただけだから、まだまだ鬱蒼《うっそう》とした語の森のなかにかくされていることだろう。

とれたての山菜にあるホロ苦さはまことに気品高いもので、だらけたり、ほころびたりした舌を一滴の清流のようにひきしめて洗ってくれる。はしゃぐ童女の眼にあるような青く澄んだものと、辛酸をかいくぐってきた男の横顔にきざみこまれているもの、それが二つながらあるように思われる。料理らしい料理を何もせず、手も味も加えずに、そのままパリパリとやるのがよろしいのであるが、そのとき舌にさざ波のようにひろがるものを中国風に表現するなら、『鮮淡清苦』とでもなるだろうか。

雨の降る日は釣竿《つりざお》を土間にたてかけておき、台所よこのルンペン・ストーブのよこに寝そべって焼酎《しょうちゅう》をすすりすすり人の話に耳をかたむける。山の人の話は一回こっきりというのがめったになくて、おなじ話を何度も何度も繰りかえしやるのが特徴だが、聞いていていっこうに飽きがこないというのも山の特徴なのである。いっさいの外界から遮断されて小さな小屋のなかにたてこもっているとヒトは話をせずにはいられない動物だから、顔は倦《う》みつつも、心は作話にふけるのである。ふけらずにはいられないのである。

そういうときの焼酎の肴にしばしばマーガリンをぺろぺろ舐《な》めたのだが、これはちょっと変っている。村杉小屋の佐藤進夫妻は昔はゼンマイとりや造材や炭焼やで山猿のように山や谷をかけまわっていたのだが、いまは山がダム湖になり、そのときもらった補償金で小さな、つつましい旅館をはじめたのである。ゼンマイとりはいまでこそ〝山の宝石〟などと呼ばれるが、すごい重労働である。沢水のほどよく湧《わ》くところを選んで小屋がけをし、急峻《きゅうしゅん》な山肌を這いのぼり、よじのぼってゼンマイをとると背負い籠《かご》に入れる。

とってきたゼンマイは大鍋《おおなべ》にわかした湯をくぐらせたあと、ムシロにひろげて天日に干す。ゼンマイは芽をだして何日もたたないうちにトウがたってしまうから夜討ち朝駈《あさが》けで採集し、勝負をつけてしまわなければならない。カアチャンもトウチャンもけじめがつかなくなるくらい顔が汗と垢《あか》でまッ黒になる。超重労働をするのに山には脂肪らしい脂肪が何もないから、塩漬けのクジラの脂身《あぶらみ》を町で買ってきて山入りをする。そのかたまりを縄でしばって小屋の天井からぶらさげ、飯だとなると、それをひっぱって味噌汁《みそしる》の鍋にドブンとつける。ギラギラと脂がでたところで手をはなすとクジラはするすると天井へあがる。つぎの飯どきになるとまたそれをひっぱってドブンである。繰りかえすうちにそれは脂をしぼりつくされて、石鹼《せっけん》のかけらのようになっちまうそうである。

この名残りもあって、村杉のカアチャンは私が、〝気違い水をおくれ〟というと、〝アイヨ〟といって焼酎の一升瓶とマーガリンの小皿を持ってくるのである。山では偏食になり、栄養がとぼしくなって、何よりまず眼が弱りだす。肉をウンと食えばいいけれど、高いうえにカサばってならないし、永持ちしないから、マーガリンが一番だというのである。そこで小生はお箸《はし》にマーガリンをつけて、ペロペロと舐めながら焼酎をすするのである。ずいぶんいろいろなものを肴にして酒を飲んできたけれど、マーガリンはこれがはじめてのことで、学ばせられるところがあった。ちょっぴり塩味もついているからわるくないのである。胃の防壁にもなって酒が悪モタレしないという功徳もある。

繰りかえし繰りかえし聞かされる話のなかで、いつ聞いてもおかしいのはマイタケとりの話であろうか。クマ射ちやヤマドリ射ちの話となるとトウチャンの出番だが、マイタケとりとなると完全にカアチャンの独壇場となる。このキノコはナラの木のまわりにでるが、はなはだ好みがうるさくて、ナラならどれでもいいというようなものではない。そこで、一度マイタケのでたことのあるナラの木はシカと頭にたたきこんでおかねばならないが、それだってつぎにでるのは三年後とも十年後ともわからないのである。そういう珍しい天才肌の気まぐれがマイタケにはあるので、味は二のつぎとしてみんな眼を光らすこととなり、その眼をかすめること自体がスリルとなりかねない。

トウチャンはいいカンをしてるけれど、お目あてのナラの木めがけてせっかちに、まっすぐに山を登っていくからダメだ。山といったって、きっとどこかで人の眼が見ていると思わなければいけない。ヒバリは巣からずっとはなれたところへおりてからチョコチョコと地べたを走って巣にかけつけ、そうやって人の眼をくらますというではないか。おらのはそれだと、カアチャンはこすっからく愛ある眼を光らすのである。あの木がくさいと思うと、まっすぐそこへはいかずに、右へ右へと山をよこぎっていく。ずいぶんきてから、つぎに左へ左へともどっていく。それからまた右、それからまた左というぐあいに、ジグザグに山を歩く。これがカアチャンの陽動作戦である。そうやって三時間も四時間も、ときには半日もかけてぐずぐずと執念深く佯動《ようどう》をつづけ、もう安心と思ったところで、めざす木にしのびよるというのである。これをがまんづよくやらないことにはきっと見破られてしまうといって、カアチャンは、自信満々、ウフウフと笑うのである。お宝の木を何本となく知ってるらしい気配であるが、それは何度カマをかけて聞いても、ウフウフである。亭主にも息子にもいえないというのだから、ひどいもんだ。

去年の秋に佐藤進から突然、電話があり、ちょっといいマイタケがとれたから、いまから里におりて上越線に乗る、これこれの時間に上野駅へこいというので、いってみたら、しばらくしてトウチャンが、自分より背の高い、ハンサムな息子をつれて改札口からでてきた。ダンボール箱を大事にかかえこんでいるので覗《のぞ》いてみたら、マイタケのすごい団塊が生温く息づいているではないか。荒涼とした駅の蛍光灯のしたでその匂《にお》いを吸いとり、声を低くして、誰がとったとたずねると、トウチャンは破顔一笑、おなじく声を低めて、カカですと、答えた。

グェン・アイ・クォックはホー・チ・ミンか？

一

ある研究書によると、かつてフランス植民地時代、ヴェトナムの民衆と独立運動家のあいだではグェン・アイ・クォック（阮愛国）の名が祖国解放の孤独な英雄として神話的なまでに語りつたえられていたが、この英雄はヨーロッパとアジアを放浪しつづけ、結核を病み、たえまなく変名、変装、投獄、流亡していた。何度となく中国でも香港《ホンコン》でも逮捕されて投獄され、そのたびに死亡したというニュースが流れるのだが、しばらくたって何かべつの事件が起ると、きっとそこにグェン・アイ・クォックの名があらわれてくる。一九三〇年来、フランスの諜報《ちようほう》機関は年平均二回ぐらいの割合で彼が死亡したものと断定していたという。だから、第二局《ドウジエーム・ビユロー》（フランスの情報部）によればグェン・アイ・クォックとホー・チ・ミンは同一人物ではないということになっていたという。

ホー・チ・ミン自身は、その名も、その人も、突然、第二次大戦後になってヴェトナム民衆のまえに登場するのだが、その名がたちまち国父として全土にとどろき、浸透できたのは、過去の不死鳥としてのグェン・アイ・クォックの積年の名声をそのまま継承したからだということが大いに手伝っている。以後、グェン・アイ・クォック＝ホー・チ・ミンということになり、グェンの名は伝記のうちに残るだけとなる。しかし、その後の永い後半生の全期間を通じてホーはけっして自身の生涯の全期間にわたる伝記を書いたこともなければ、口述したこともなく、ときどきちらちらと短い思い出を洩《も》らすにすぎず、とうとう謎《なぞ》のまま永垂不朽となって去っていった。

グェンとして知られた人物は亡命革命家として影から影へ流亡して歩いたからたくさんの変名をそのたびごとに使ったが、ホー・チ・ミンとなってからは公的世界の最高指導者だから一度も変名を使っていない。では、なぜ、多年の暗涙と呻吟《しんぎん》のなかで築きあげたグェン・アイ・クォックの名を第二次大戦後もそのまま使わなかったのかというと、これはふつう解釈されるところでは、共産主義者よりは民族主義者としてヴェトナム人および外部世界に印象づけるためであったろう、とされている。すでにグェンはモスコーで周恩来などと肩を並べて教室にすわった、コミンテルン生えぬきの鉄血の共産主義者として知られていたから、そのままの名では共感よりも反撥《はんぱつ》をあちらこちらから、とりわけヴェトナムの民族主義者たちからうけそうだった。そして彼は第一次インドシナ戦争を民族主義的訴求でたたかいつづけるのだが、一九五〇年代に入ってから、〝民族主義だけを鼓吹するのなら右翼も左翼もおなじことだ〟と毛沢東に批判され、ビロードの手袋を遠慮なくぬぎすて、ヴェトミン内部で徹底的な共産主義教育を開始することになる。しかし、グェンがホーと同一人物であるならば、べつに毛の批判がなくてもいずれは、遅かれ早かれ、そうなっていたことと私は思う。このスイッチの切りかえのために幻滅、絶望したナショナリストたちが、ずいぶんたくさんジャングルからぬけだしていったらしいが、その悲劇は起るべくして起ったのだとしかいえない。

ホーの多年の同志たちも生えぬきの民族共産主義者で、この人たちも投獄、流島、流亡の生涯であったからグェン・アイ・クォックと一時的に身辺近く暮したことはあってもその名の全期間を通じていっしょだったという人物は一人もいないかのように見える。たとえそういう人物がいたとしても、ホー自身が語ろうとせず、党路線もホーに服従すると決定しているのだから、これまで何一つとして私的回想は洩らされたことがないし、おそらく今後もそういうことは起らないのではないかと思われる。左翼のフランス人やドイツ人、またヴェトミン草創期に彼を援助したアメリカ将校などは、それぞれの時期に瞥見《べっけん》した彼の印象を短く語ってはいるけれど、いずれも不十分で、不確実でありすぎる。やっぱり彼の身辺にたちこめる霧は消えそうにないのである。

けれど、ここに一つの貴重で珍しい資料がある。小松清の『ヴェトナムの血』（昭和二十九年・河出書房刊）である。マルロォの著作の翻訳で知られたこの仏文学者は一九四五年にハノイで臨時政府主席、ヴェトミン指導者、ホー・チ・ミンと官邸で会い、三時間ほどにもわたって会談しているのだが、その動機の一つが興味深い。

当時のホー・チ・ミン政権には現在とおなじボー・グエン・ジャップや、ファン・バン・ドンや、チュオン・チンなどコミュニストたちがすでに閣僚として顔を並べているのだが、ノン・コミュニストで反仏主義者の民族主義者も顔を並べている。その一人のファン・ニョク・タックという副主席で官房長官を兼ねる要人が、小松氏に、われわれの誰一人としてグエン・アイ・クォックとホー・チ・ミンが同一人物であるかどうかを知っているものがない。グエン・アイ・クォックとしてモンマルトルで写真の修正をやっていた人物と毎日親しくいきしていたのはあなただけだから、一度会って、たしかめてくれないか、とひそかに依頼するのである。当時、小松氏は、不偏不党の中立的立場を守りつつヴェトナムのコミュニストとも、それと対立するナショナリストとも、おなじ親しさで交際し、フランスとヴェトミンのあいだに戦争が起ることのないよう、純粋に個人的な憂慮から、双方に依頼されて和平の交渉を一人でやっていたらしい。そのいきさつを半ばフィクションの形式で述べたドキュメントがこの作品である。ヴェトナム史は、複雑怪奇をきわめたものだが、ある重要な時期のユニークな証言として、今後かならずこの道の研究家に読まれつがれていく書物であろう。

B・フォールは『二つのヴェトナム』のなかで、若い亡命革命家のグェン・アイ・クォックがモスコーへいっしょにいこうと〝日本人作家、小松清〟を誘い、それをことわられると、小松氏がパリで芸術をやりたいからというのを聞いて

「この腐った社会で一体どんな芸術ができるんだ。われわれは革命をやる。そうすれば君は階級なき社会の自由な人たちのために作品を書くことができるのだ」

と叫んだと伝えている。

ヴェトナム人以外の専門研究家の文献のなかで日本人の名なり言動なりが引用されるのはこの著書の、この場面の、この小松氏だけではあるまいかという印象を私は持っているが、さびしい思いをさせられる。

二

『御両親の生写しの記念写真を御希望の人はグェン・アイ・クォックの店で写真の修正を。すばらしいポートレートとすばらしい額縁《がくぶち》45フラン。パリ。第17区。アンパス・コンポアン　9番地』

二十八歳ぐらいのグェン・アイ・クォックはロンドンのカールトン・ホテルで《料理人の王様で、王様の料理人》と当時呼ばれたエスコフィエのしたで菓子職人をしたあと、パリにでてきて、右のような広告をフランスの社会党の機関紙にだして、写真のレタッチマンをしつつイデオロギーの研究にうちこんでいたらしい。

サッコ・ヴァンゼッティ事件の抗議集会で小松清氏はたまたまグェンと知りあいになり、それからしじゅういったりきたりするようになる。二人ともひどい貧しさで、アルコール・ランプで自炊をし、グェンの屋根裏部屋には電燈がなく、水道もでず、食事は一日に一回きりというのもしばしばだった。グェンは長身で、骨張っていて、やせこけ、頰は削られて落ちこみ、ひどい結核に犯されていた。屋根裏部屋からパリの後頭部を見おろして、グェンは爛々《らんらん》と眼を輝やかせて小松氏にいうのだった。

「このパリの豪華にせよ、高い文化にせよ、それが維持されるために、フランスの植民地の人間はどのような犠牲を強いられていることか。カマラード。君もおなじ東洋人だ。一度インドシナへきて君の眼でぼくの同胞がどんな条件のしたで生きているか、見てもらいたいな」

グェンはとことん貧しかったが、とことん孤独でもあった。植民地主義打倒、ヴェトナム解放を説くときは病みほうけた全身に憂国の至情が烈々とあふれだしてくるのだが、そのうらには酷烈な非情、冷酷をきわめた強靭《きょうじん》がひそめられ、それを感ずるたびに小松氏は圧倒されつつも〝寒気立つ想《おも》い〟がするのだった。グェンの孤独は宣教師のそれに似ていると氏は感ずる。無人境の孤独である。しかし、宣教師は孤独になればなるだけ神の恩寵《おんちょう》に近づいていくはずだが、グェンは至高の純粋のうちに生きながら、憎悪《ぞうお》と執念の陰火の氷の焔《ほのお》をめらめらとたてている。この男とは同志的な信頼をもっていっしょに闘争することはできるだろうが、死のその瞬間までおそらくこの男は革命家であって、子供に頬ずりすることなどはできないのではないか。

当時の二十歳の小松氏は血気にはやりたって祖国をとびだしてきた朦朧《もうろう》とした社会主義学生で、社会の矛盾を見て怒りの血をたぎらせていたが、グェンにつれられてフランス共産党に出入りするようになるうち、その冷血の官僚主義と統制主義に耐えられなくなり、また、人民の名で革命をとなえる左翼知識人たちが、実態は〝人間〟の苦悩と縁もゆかりもない偽善者にすぎないのだと感ずるようになる。そしていっぽう、ゴッホ、セザンヌ、ルノワールを発見して陶酔をおぼえるようになり、左翼から次第に遠のいていくようになる。グェンとはしじゅういったりきたりしていたが、モスコーへいっしょにいこうと誘われて辞退する。

さて。

三十年近い歳月が流れ、小松氏は一九四五年の秋、ハノイで、ホー・チ・ミンに会う。ヴェトナム人の親友にホー・チ・ミンはグェン・アイ・クォックだよと教えられる。しかし、小松氏はそれまでの三年間にハノイやサイゴンでフランスの情報、イギリスの情報、日本軍憲兵の情報などに親しく接していたのだが、ホー・チ・ミンなどというヴェトナム人革命家がいるなどとはかつて耳にしたことがなく、いっぽうグェン・アイ・クォックはというと、とっくの昔に香港《ホンコン》かどこかで結核で死んだという噂《うわ》さであった。いったいこのホー・チ・ミンという、謎《なぞ》のような人物は、突然どこからふってきたのだろう？……

大臣につれられて主席の部屋に入っていくと、広い窓ぎわに一人の小さな、やせた男がたっていた。カーキ色のお粗末な中山服を着て、フェルトのスリッパーをはき、まばらな口ひげと、顎《あご》にはしょぼしょぼとしたヤギひげ。どこからどう見ても、田園の漢学者である。眼光は炯々《けいけい》とし、体のいたるところになみなみでない意志力はあふれているが、春の光のようにおだやかで静穏な、初老の、アジア紳士である。あの、アジアのメフィストフェレスといいたかったグェンではない。第一、背がちがう。グエンはやせこけて、長身で、小松氏よりずっと高かった。歳月がいくらたったからといって背丈が変るわけではあるまい。それから、何よりも性格の核心というもの。これはなかなか変えられるものではなく、擬装できるというものでもない。ちがう。この男はちがう。グェンではない。

小松氏が紹介されると

「同志、あなたのことは随分前から聞いていました」

ホー・チ・ミンはにこやかにそういって握手する。小さく、柔らかだが、がっちりした手。小松氏はそう感ずる。

もしホーがグェンと同一人物であるなら、モンマルトルでかれこれ二年近くも毎週会っていたのだから旧友に出会った愕《おど》ろきなり、よろこびなりが顔にでてもいいはずだったが、それは見られず、まったく初対面の人物として自分を接見した。また、会談中、ホーはときどきメモをとったが、それは漢字であった。グェンは漢字となるとたくなかったといってよい。〝阮愛国〟と自分の名を書くぐらいで、それもほんのときたまで、漢学の素養はまったくなかったといってよい。しかし、これはその後、中国を流亡して歩いているうちに身につけたものかもしれない。何よりも背丈が違う。何よりも性格の本質が違う。あまりにも風貌《ふうぼう》がグェンにそっくりなので小松氏はたじたじとなって、思わず、君はグェン・アイ・クォックじゃないか、と口走りたくなる。しかし、そのうち、やっぱりこれはグェンではないと感ずるようになり、ついには確信と変っていって、ホー・チ・ミンはグェン・アイ・クォックではないと決定的に信ずるようになる。静謐《せいひつ》で温厚なホーが柔道の話などをしているのを聞きながら、小松氏はかたわらの親友の大臣に、こっそりと首をふってみせ、眼で、これはグェン・アイ・クォックではないと、知らせてやる。大臣はさびしい顔をして、眼を伏せる。

その頃、ホーが閣僚たちと並んでいる写真を見ると、みんなよりずっと背が低い。しかし、それから二十年もたって第二次ヴェトナム戦争となってからホーが解放戦線代表と並んで立った一枚の写真を見ると、不思議なことにすらりと長身なのである。こうなると、グェン・アイ・クォックとホー・チ・ミンが同一人物であるかないかのほかに、いったいホーは一人なのか、どうか。そうつぶやきたくもなってくる。それとも、おどけるのが好きで上手でもあったホーおじさんは写真のたびに箱にのったりおりたりしていたのだろうか。

国亡《ほろ》びてわが園を耕やす

アウシュヴィッツ収容所。アイヒマン裁判。死海最前線。ヨルダン川最前線。ヴェトナム。ビアフラ。スエズ最前線。ヨルダン川最前線。パリの〝五月革命〟。ヴェトナム。ヴェトナム。三十歳のときから十年余、ずいぶん歩きまわったものだと思って、そのうち〝戦争〟や〝革命〟に関係のあるものをひろいだしてみると、これだけある。終ってしまったものもあるが、まだつづいているのもある。アラブ×イスラエル紛争がそれである。これは決着がつくのに〝あと百年かかる〟と長嘆息の声で低く聞かされたことがある。

自分でいったのもあるが、新聞社や出版社の移動特派員としてでかけたのが多い。ジャーナリストというパスを持っていると、またはそれを持たなければ、最前線までいくことが許可されないので、どうしても必要であった。しかし、そのパスはときどきべつの目的に使ってみたこともあった。音楽会や劇場へいくのにこれを見せると満席のはずなのにときとして不意にいい席を微笑まじりでもらえることがあって、卓効があるのだった。

それぞれルポを書いたのだけれど、現場で書いたのもあれば、帰国してから書いたのもある。横文字の国にいて縦文字を書くのは、なかなか楽ではなかった。私はあぐらをかいてすわり、日本机にむかって、しかも夜ふけでなければ一語も書けないという永年の習癖があるので、人知れず苦労した。椅子《いす》に毛布や、ふとんや、ときには枕《まくら》をつみあげ、そのうえにあぐらをかくと、ちょうどテーブルが日本机の感覚になってくれるのだが、尻《しり》のおちつきがわるくてしようがない。一仕事したあとはちょっとイッパイやってから寝ることになるが、そうなると、ベッドに枕や毛布をいちいちはこんでいかなければならず、めんどうでならなかった。

書くのはたいてい現場から首都のホテルに引揚げてきてからなのだが、私はジャーナリストとしての訓練をうけていなくて、あくまでも小説家として書くわけで、その点についての迷いはほとんどないが、鮮烈すぎるものや酷烈すぎるものを目撃したあとでは、とくに死者の眼を目撃したあとでは、とらえようのない激しさにゆさぶられるばかりで、〝言葉〟のうつろさとむなしさに心を占められてしまう。《私は黙っているときに充実をおぼえ、口をひらこうとするとたちまち空虚をおぼえる》ということをあるときの魯迅《ろじん》が書きつけたことがあるが、そのあたりだ。これまでに書いたすべての煙りのような、水のような文章にこの一句を冠せてしまいたくなることがある。視覚は不幸である。この期間の私の経験によると、これも小説家としての嗅覚《きゅうかく》だが、〝事実〟と呼ばれるものにはフィクションで書いたほうが本質が明瞭《めいりょう》にあらわれると感じられるものと、ノン・フィクションのほうがいいと感じられるものと、二種あるような気がする。では、どういう種類の事実がフィクションを求め、どういう種類の事実がノン・フィクションを求めるのか、その判断の基準は、となると、私には答えようがない。それは〝匂《にお》い〟とか、〝直覚〟で判断するしかないのである。いずれ誰かがこのことについて〝理論〟を書くだろうし、私も読むことだろうが、どれほどの名論であっても、究極のところではやっぱり私は迷蒙《めいもう》の明晰《めいせき》ともいうべき〝直覚〟をたよりにするよりほかないだろうと思う。

だから、フィクションで書いたのもあるし、ノン・フィクションで書いたのもある。フィクションでも書いていず、ノン・フィクションでも書いていない不幸な視覚も、まだ、ずいぶんたくさんあって、私は用心深いギャングのようにひたかくしにかくして、その《経験》という果実が薄暗い心の酒庫のなかで熟していくのを待ちつづけてきたし、待ちつづけている。ノン・フィクションとして書いたものはまぎれもなくそれぞれの現場からの報告だったが、いっぽう小説家としての私はそれを創作メモの一種として考えることにもした。グレアム・グリーンのヴェトナムについてのルポと、その成果である『おとなしいアメリカ人』を何度となく私は読みくらべてみて、〝材料〟をどう料理するかをよく教えられたような気がした。材料は材料、料理は料理としてそれぞれに書きわけられていいのだし、そのことに異論をたてる必要は何もないのである。ただし、決定的に、その料理はあくまでも料理でなければならないのだ。酒でなければならないのだ。ジュースであってはならないのである。

〝事実〟が鮮烈でありすぎるために私はそれとその周辺の細部をこまごまと書くことに没頭してきたのだが、あまりの圧力におされるあまり、ついついその〝事実〟を生じさせるに到った背景なるものについて言及せずにはいられなくなる。そこで、〝戦争〟とか、〝革命〟とか、〝戦術〟とか、〝戦略〟とか、〝歴史〟とか、〝伝統〟とかについて思考をめぐらさずにはいられなくなる。単位が巨大で茫漠《ぼうばく》とした、正確でもあり朦朧《もうろう》ともしている、集約的なイデェと言葉をいじらずにはいられなくなってくる。小説家ではなくて中説家や大説家になっていく。この避けようのない誘惑のなかにひそかな罠《わな》がある。この誘惑に体をゆだねてしまうと、小説家が蒸発してしまうのである。〝人間〟が、その眼、その息、その声音、ふとした一瞬にかくされたおびただしい〝生〟の気配が、消えてしまうのである。〝大〟を考えつつも〝小〟を痛く感じつづけていかなければならないのに、そのあいだにあるひどい距離が私を分解してしまう。してしまいそうになる。そこで踏みとどまらなければならないのに、あまりの二極分裂のすさまじさに、自分を忘れて、ついつい跳ねたくなってくる。〝人間〟が霧散してしまう。

旅行から帰ってくるたびに私はこの相剋《そうこく》にもみくちゃにされ、文体を失ってしまった。一定の、特定の文体で切りとるにはあまりにも豊富で多様な人の眼を覗《のぞ》きこんだために、しばらくはただ漂うままに漂よっているしかなかった。胸苦しい空白がつづいた。書きたい光景はすぐそこの戸口まできてひしめいている気配なのに、ペンをとると、つぎの瞬間、おいてしまうしかないのだった。

さて。

ヴェトナム共和国は無重力状態に陥ちこみ、空中分解して、滅亡した。もう二度と私がサイゴンへいくことはあるまいと思われる。通りすがりの花屋にブーゲンヴィリアかハイビスカスの花があったら一輪、一枝、買って帰ろうか。語ることはもうなくて、あとは書くだけである。私は紙と部屋にたてこもるだけである。まず、どこか山の湖へいって澄んだ水で頭を洗うことにする。

驚異はまだ、ある

大正時代に永井荷風は『小説作法』という一文を書き、実作者としての立場からあれこれと新人に忠告をあたえている。半ば戯文めかした文体だけれど真摯《しんし》でもあり痛烈でもあって、現在でも立派に通用するものである。その箇条書の一つに、こういう物価上昇の御時勢であるから作家も作品を書くだけでは能がない、何か一つ余技を持ち、それで銭がとれるくらいに腕を磨いておけ、というのがある。散人は三味線を習って一中節あたりをなかなかでかしたと伝えられているから、その自信からでてきた忠告かもしれないが、これは聞いておいたほうがいいと思う。

そこで自分のことをふりかえってみると、《心はアマチュア、腕はプロ》というのがひそかに私のたてた釣りについてのモットーなのだが、《心はアマチュア》というのはそのとおりだとしても、《腕はプロ》が、じつは、はなはだ心細い。諸国漫遊で修業して歩き、地球をほぼ半周して荒野の風と雨にたたかれたけれど、とても〝銭がとれる〟ところまでには達していないのである。その当時、つまり今から六年前の頃は、わが国でルアーをやる人がホンのわずかだったから、私は御意見拝聴にくる人があると、糸の結び方、ルアーの選び方、竿《さお》のしゃくり方、いっさいがっさい師匠づらして話すことができて、まことに愉快であった。

何かといえば

「アラスカですよ、あなた」

といって

「キングをルアーで、しかも陸《おか》ッ張りで、一対一で釣らなきゃ。あれが釣りというもんですよ。男の遊びはああでなきゃ。孤独を愛し、孤独を憎む。骨身にしみこむ氷雨のなかでその愛憎一途を嚙《か》みしめるんです。アハハハ」

軽くわらって毒気をぬいてやれたもんである。はなはだ私は昂揚《こうよう》をおぼえ、どこにも影が射《さ》さず、終始、超越的であり、おおらかであった。けれど、それは一年と、もたなかった。たちまちルアー・フィッシングは流行し、常識となり、アラスカ、カナダ、ニュージーランドへ釣師がわれもわれもと繰りだすようになり、誰も私の話を聞いてくれなくなったのである。どんなチャンピオンもいつかはマットに沈む日がくるのさ。そう思うことにきめたけれど、丞相病《じょうしょうびょう》い、篤《あつ》かりき。

聞くこと、読むこと、何から何まで憂鬱《ゆううつ》をおぼえるばかりで、部屋にたれこめ、怏々《おうおう》としていたところ、先日、一通の手紙がサン・パウロからやってきた。『オール読物』で新人賞を獲得した醍醐《だいご》麻沙夫《まさお》さんという人で、ブラジルの現地で日本語を教えつつ小説を書いているが、御多分に洩《も》れず、釣りキチだという。たまたま私の『フィッシュ・オン』を読み、釣りキチの日本人仲間全員で回読をしたところ、みんなカッとなって、負ケテイラレルカ！……アラスカにキング・サーモンがいるのならこちらにはドラードがいる、ピラルクがいる。われわれも大いに頑張って魚を釣り、そして書こうじゃないか、ということになりました。七月にパラグアイとの国境、ラプラタの上流へちょいと二〇日ほど、全員で釣行にでかけます。一度、ブラジルへ、ぜひおいで下さいと、ある。

ドラードというのは《エル・ドラード（黄金郷）》からとられたのであって、名のとおり、金色をした魚であるらしい。河の激流に棲《す》み、スプーンにとびついてくるが、かかってからの暴れかたは虎《とら》さながら。体重は十数キロに達し、これならアラスカのキングに匹敵できましょうというのが、醍醐さんの文面である。ロッキー山脈のなかにはゴールデン・トラウトという金色のマスが棲んでいると聞くが、錦《にしき》ゴイやニジマスのアルビノをのぞいて、他に淡水産魚類で金色の魚がいるということは聞いたためしがない。しかもそれが十キロを突破する体重を持っていて、激流での闘いだというのだから、さぞや見事な光景であろう。原始の日光のなかでそれが水しぶきをあげて跳躍する姿はどのようなものだろう。釣りあげたあとは全身が虚無で輝やき、膝《ひざ》がふるえて、口がきけなくなるのでは？……

丁重な文体の手紙に感動していると、べつにピラルクについての資料が添えてある。これも醍醐さんの書いたものである。アフリカのヴィクトリア湖には《ナイル・パーチ》といって淡水産スズキの世界最大のが棲んでいるが、ピラルクはそれよりまだまだ大きく育ち、一〇〇キロから、ときには二〇〇キロにもなる。全世界の淡水産魚類中ではこれが最大の魚だと折紙がついている。肉は白くておいしいが、鱗《うろこ》が大きくて、名刺のかわりになったり、干して爪《つめ》磨きにしたりするとのことである。ギザギザがあってヤスリのかわりになるというのだが、そんな鱗を持った魚は見たことがない。古生代の生きのこりの老武者なのだろうか。写真を見ると雷魚とシーラカンスが混血したようである。

穴場は醍醐さんの文章にちゃんと書いてあるがそれを紹介すると、また日本の釣師がおしかけ、やらずブッタクリで殺してまわるかもしれないから、ここには書かないのである。根拠地から穴場までの距離は本州の端から端までのそれだといい、そこをトラックで走破するというのだから、よほどの忍耐力の持主でないと歯がたたないということになる。釣ったピラルクは塩漬けにして持って帰るのだが、何しろ一匹が一〇〇キロからあるので、一回の釣行にトラックへつみこむ塩が十五俵だというのである。だんだん気が遠くなってくる。鈎《はり》は約二〇センチくらいもある業物《わざもの》で、これに一キロから二キロくらいのイシモチやグチを生きたまま背がけにして泳がせる。怪物がでてきてそれを苦もなく呑みこむ。口の堅い魚だから全身でのけぞって大合わせに合わせる。それからは『老人と海』である。人と魚の綱引きである。ただしサメぬき。魚が人とボートを引いて走る。潜水艦が浮上するようにやがてピラルクがくたびれて浮いてくると、よこにいた男がウィンチェスターを一発、背骨へ射ちこむ。この巨魚は頭が黄金色。背は黒くて、腹に赤みが輝やき、〝妖《あや》しいほどに〟美しいのだそうである。

餌《えさ》にする魚は網でとるが、それが淡水湖なのにイシモチだというのは、アマゾン地方が古生代シルリア紀に海から隆起してできた陸であるために、当時の海の魚であるイシモチがそのまま持ちあげられて陸封され、そして淡水魚になって今日まで生きのびてきたのだそうである。

話がすべて二ケタも三ケタもズレていて言葉をはさむ余地がないのはさすがと思わ

せられる。聞くままに聞いて気遠い思いに漂よっていくしかないようである。憂鬱の乱雲が裂けて一条の日光が射してくる。こんな時代にもまだ大いなる原初ののこされた土地はあるらしいのだ。

見たい。

釣るのか釣られるのか

海にいるときのサケは食欲が旺盛《おうせい》だから、生餌《いきえ》で釣るときにはニシンを使う。ニシンは新鮮なのでもよく、塩漬けのでもいい。一匹を丸づけに鈎《はり》へかけるのもいいが、頭を落した〝プラグ・カット〟という方法でやるのもいいし、切り身でいくこともある。また、筋子を塊りにして鈎へかけ、真綿で落ちないように薄くからめてサケを誘うのもいい方法である。アラスカで長年月暮した大庭《おおば》みな子さんはしばしば海へサケ釣りにでかけたが、シルヴァー・サーモンはいくらでもかかるけれど、キングはなかなかむつかしくて、一シーズンに一匹釣れたらいいほうだとのことである。

サケが生餌に食いつくのは当然である。ほっといてもサケはニシンに食いつくのだからそれに鈎をしのばせて釣りあげてもさほどの自慢にはならない。釣りは芸術である。芸術とは自然にそむきつつ自然に還《かえ》る困難を実践することである。そういう哲学を持っている釣師は——小生もその一人であるが——かならずや、擬餌鈎《ぎじばり》を専攻にしなければならない。ミミズだの、ニシンだので手をべとべと生臭くよごさないで、何やら洒落《しゃれ》た毛鉤や、何やらキンキラ光るルアーを流してサケを誘う工夫にふける。それでも、海でルアーをやるのと、川でやるのとでは、またガックリと変ってくる。海にいるときのサケは闘争心といっしょに食欲にもみちあふれているから、ルアーがキラッと光ると、すかさずガブッと食いつくということになる。——現実にはなかなかうまくいかないけれど。

しかし、川へのぼってくるとサケは一変する。サケは決定的に食欲を失うのである。これはあらゆる人が昔から観察してきたとおりである。夕暮れの水面に落ちた羽虫を追ってジャンプしたり、鼻さきをかすめた若いマスに食いついたりということはよくするけれど、海にいるときのような食欲からでた行動だとは思われないと、いわれている。闘争心が満々とありながら、まざまざとそう見えるのに、決定的に食欲を失ったはずのが、毛鉤やルアーにしばしば精力をこめて食いついてくるのはどういうわけだろうか。

①たいていの魚は光って動くものに興味を示し、近づいて口でためしてみる癖がある。ネコなら手でじゃれつくところだが魚は手がないから、口でやる。

②どんな魚にもはげしいテリトリー（縄張り）争いの心理がある。そこへいきなりとびこんできた異物は何であれ追っ払いたくなり、魚はそれを口でやる。嚙《か》みつくか、頭をすりつけるかである。アユの友釣りはそれを利用した典型の例である。

③べつに食欲がなくても、以前、食欲が旺盛だったときにあれこれと食いあさった記憶があるため、それに誘われて、さほど食べたくもないのに、たわむれでちょいと頬張ってみたくなる。オツマミとして手をだしたくなる。

おおむね右にあげたような分析と臆断《おくだん》が下されているのだが、半生をサケの研究に費したイギリス人の魚類学者の論文を読むと、毎年季節がくるたびに釣道具会社や河岸の釣師に会って、どういう毛鉤、どういうルアーがきいたかという意見を集めてまわりはするものの、決定的な断定はついに下せない、とあった。釣師としてはじれったくなるけれど、その態度にある慎重さと冷静と謙虚は私に美しく映った。

だから、ここから推察をすすめていくと、こうすれば川のサケが釣れるということはわかっても、それが何故《なぜ》なのかは誰も決定的に答えられない。つまり、How（いかに）はわかっているが、Why（なぜなのか）は、誰にもわかっていないということになるのである。ここがわかると、それにしたがって対応策が編みだされ、魚が入れ食いになるということが発生するかもしれないが、そうなるとそうなったで、釣師は酒を飲みつつ、オモチロクナイといいだすことであろう。ヒトが謎《なぞ》を追っかける心理のなかには、何が何でも解読してやるぞという妄執のほかに、いつでも、どこか、それがいつまでも謎であってほしいとねがう心も明滅する。

ルアーをやっていると魚のさまざまな心理が覗《のぞ》けるようで、しばしば愉快であり、ときにはふきだしたくなることもある。あるとき渓流の倒木のしたにかくれているイワナの姿が見えた。ふつうイワナは全身を岩のしたにかくしているものだが、このときは倒木のしたから尾のはみだしているのが見えた。そこで何度も何度もしぶとくルアーを投げちゃ引き、投げちゃ引きを繰りかえしたところ、はじめは知らん顔をしていたのが、そのうち尻込《しりご》みしてひっこむようになった。ということはつまり、関心がでたということだナと思って、なおもしぶとく投げちゃ引きを繰りかえしていると、尾がピリピリふるえだした。倒木のかげで、澄明な水のゆらめきのなかに、それがよく見えるのである。ハハァ、先生、いらいらしてきたナと思ってるうち、とうとう何投めかにガブッと食いついてしまった。

見える魚は釣れないというのがふつうの原則なのだが、このときは釣れてしまったから、例外というべきなのだろうが、釣りにはきびしく精密な原則と同時にしばしば思いがけない例外も発生するものだから、謎がいよいよ深まって誘いこまれるのである。このとき私が川岸でニンマリしつつ思いうかべたのは人とハエの関係である。人が部屋で読書しているときにハエが窓ぎわでブンブンと鳴ると、はじめは無視していても、やがてたちあがって、窓ぎわへいき、新聞か本かでパンとやりたくなる。ちょうどそのようにしてあのイワナはすれっからしのはずなのにとうとういらだってのりだしてしまったのではあるまいかと思うのである。

速度や深さをかえて一カ所でルアーを投げ、ルアーが沈むのを、心のうちで〝一、二、三、四……〟とかぞえてから引きにかかるのを〝カウント・ダウン〟という。たいてい何度かためしたあとで、コツンがないなら、つぎの場所へあきらめよく移っていくというのが、ふつうの方法である。それは時間と労力の節約になるし、たくさんの風景、たくさんの水を読む経験ともなって、いいことである。しかし、ときには一カ所にしがみつき、ねばりぬいて、悪くどく、しぶとく、イヤらしく攻めつづけるというのも、卓効がある。魚の姿が見えなくたって、もしあなたの攻めているのがニジだとかヒメだとかの回遊魚であるなら、いつかはそこを通過するかもしれないのだし、じつにまったくそのとおりなのだから、コケの一点張りも、理にあっているのである。

釣りは、運、勘、根である。
つまり、人生だな。

教えるものが教えられる

　数年前、新潟県の山奥の巨大なダム湖のほとりの林業小屋を借りて寝起きしていた頃、電気もガスもない暮しを珍しがって東京から出版社の人たちがリュック姿で遊びにやってきた。遊びにといっても、そこはそれ、編集者なのだから、仕事を忘れるわけにはいかない。約束より遅れている原稿については眼光鋭く催促し、できているものについてはひったくろうとし、かねてより口約束の連載や書きおろしの仕事についてはどの程度こちらが真剣なのか、熟しているのか、探針《さぐりばり》を入れてまさぐらなければならない。

　うだうだと口さきでゴマかして逃げようとするが、そんなことでダマされるような人物たちではないから、万策尽きたあげく、ちょっと散歩でもしましょうといって釣りにつれだした。とっておきの穴場へ朝のしらじら明けに案内し、糸の結び方からルアーの選び方、引き方、竿《さお》のしゃくり方など、一人一人、手をとって、御伝授申上げた。その頃はルアーがやっとわが国に入ってきたばかりだったから、みんな珍しがって、熱心に耳を傾けてくれた。すると教え甲斐《がい》もあるから、こちらも熱を入れ、高価なルアーを根がかりで失うのは痛いけれど、さあらぬ顔をして、ルアーは消耗品です、失うことを恐れていては上達しないヨ、取材費を惜しんだらいい仕事はできないナ、などと華やかな声をだした。

あるとき、S社のY氏に激流に向って、このあたりへ投げて、このあたりから引きはじめて、こう竿をしゃくって、などと実地指導していると、ほんとにイワナが釣れてしまった。こんなことは奇蹟《きせき》としかいいようがないので、私は感動にうたれ、そそくさと竿をY氏にわたし、声低く、わかりましたネ、といって手近の岩の頂上へ這《は》いあがった。その日は一日中、諸氏にああだ、こうだと岩から声をかけつづけたが、指導は口だけにとどめ、二度と竿をにぎろうとはしなかった。二度とそんな奇蹟が起らないことはわかっているから威信とツキをむざむざ落したくなかったのである。おかげで私の名声を生無垢《きむく》のままで夕方まで維持することができた。

しかし、名声は、はかない。

アラスカへ朝日新聞社の秋元カメラマンと二人ででかけたとき、彼はルアーを見たことも聞いたこともなかったのだが、ダーデヴルのスプーンをキング・サーモンに食わせてからは突如として変貌《へんぼう》した。アンカレッジに引揚げてくると、リァいこう、サァいこうとはしゃいで釣道具店へでかけ、一人でアレだ、コレだとルアーを買いこみ、私が品選びして吟味に迷っているそばへやってきて、それは色がくどいからニジマスにいいだろうとか、そのスプーンは派手だけれど見かけだおしなんじゃないかとか、昨日までの生徒が今日は先生になるのだった。つぎの釣場のスウェーデンへいくと、これがさらに昂進《こうしん》して、川岸の私のうしろへまわって、おまえさん、キャスティングはいいがロッド・マニピュレーション（竿の操作）がいけないんじゃないかなどと指導、指摘して下さるのである。

べつの日にべつの山小屋で夜ふけに人声で眼がさめると、S社の二、三人の生徒がオニギリか何かモグモグと頬張りつつ、話をしている。聞くともなしに聞いていると

「……開高氏は毛鉤《けばり》を選ぶのがむつかしいんだといって何だかゴタゴタいってるけれど、今日のおれの経験では何でもいいという印象だったナ。何を投げてもヒメマスは食った。開高氏の教え方はちょっとズサンなんじゃないかな」

もう少し若い声が

「そんなことといったら叱《しか》られるゼ」

低くつぶやき、二人してヒ、ヒ、ヒと含み笑いする声が聞えた。この二人はその日、

ヒメマスをフライで釣りまくって、飽きるくらい堪能《たんのう》したのだが、そのフライを選んでさしあげたのは小生なのである。暴言、聞き捨てならぬ。ちょうど御叱呼《おしっこ》もしたくなっていたところだ。ワッと大きな声をだしてとび起きたらそのはずみに小屋の天井に頭がぶつかって眼から火花が散り、へたへたと崩れてしまった。

B社のS君も生徒の一人であった。かねがねボートにいっしょに乗って、漕《こ》いだり、漕がれたりしながら御伝授申上げていたのだが、しばらくたつと、たちまち下剋上《げこくじょう》である。造反である。あるとき湖畔へでてボートに乗りこもうとすると、さきにボートに乗った彼が、私の顔を見上げ、妙な薄笑いをうかべながら

「あの、オレ」

と口ごもる。

「孤独が好きなんですけどネ」

そういって、妙に薄笑いしつづけるのだ。とっさに私はヒヨコが成鳥になったことをさとり、にこやかに笑って、どうぞ、どうぞといって、ボートを水へおしだしてあげた。一人でやりたい。もう教えられなくてもいい。厄介だ。ゲッタ・ウェイ。というわけである。

教えるものが教えられるのが教育の理想である。師はいつか弟子に踏みこえられ否

定される宿命にあると忍耐強く私は知覚しているので、つぎからつぎへと湖畔で弟子たちが後姿を見せるままに一人でボートに乗りこんで漕ぎだし、けっしてこちらをふりかえろうとせず、声をかけようとしなくても、それで満足してるんである。それを下剋上とも思わず、造反とも感じないいんである。より大いなる自己滅却の忍耐の歓びのうちに彼らを見送り、夕方になって彼らが氷雨と冷風で唇を青くしてもどってくるのを見とどける。釣れましたかと声をかけて、彼らが何やらうなだれ、口数少くモグモグと呟《つぶや》くのを耳にして、別種の奇妙な歓びをひそかにおぼえたりするんである。どういうわけか、何となくあたたかい気持になれるところがおかしい。この感情に名はついていないが、どことなく品のわるさがまじっているようなのに、けっして気にならない。

「……ピアフは野良犬《のら》みたいなイヴ・モンタンを町から拾ってきて一人前以上の歌手に精魂こめて仕立てあげ、そのあげくポイと捨てられ、何もいわなかった。私の心境はしいていえばそれに近いナ」

ランプしかない深夜の山小屋は六月初めでも0度まで冷えこむが、独立人たちと風の音を聞きながら、コーヒーをわかし、湖、魚、釣り、人生、政治、戦争、金、哲学、文学、男女間のこと、口ぐちに問わず語りにめいめいして語りついでいくさなかに、ふと、そんなことを呟いて注意をひいてみようとするが、誰も気にするものはなく、私も何も気にしていない。われわれの小さな集群にはいつか〝SOS Club〟と名がついたが、それはいうまでもなく、〝Save Our Souls（われらが魂を救え）〟の頭文字である。めいめいのライターには東京では痛烈な皮肉となり、山では掛値なしの現実となる英詩が彫りこんである。

神、空にしろしめし
なべて世は、事もなし

ウグイスが答えてくれた

東京で朝一番に水道の栓をひねってとびだしてくる水を飲むと泣きたくなる。〝朝〟だの、〝一番〟だのという言葉をかりそめにも冠せることができない。主として防腐剤のせいだろうと思うことにしているが、ほかにも何やかやほりこまれていて、その何やかやのおかげでやっと水の面目を保っているのではないかと思いたくもなる。その〝面目〟も、どうにかこうにか水として飲めるという程度のもので、ひどいの一語である。あまりのひどさとまずさに顔をしかめたくなるが、うまいまずいのほかに、何やら、とらえようのない恐怖が体内にひろがっていくこともある。しかし、その恐怖も、〝ノドもとすぎれば……〟で、すぐに何となく忘れてしまい、つぎによみがえるのはいつのことやらということになる。私の経験によればわが国は水道の水がじかに飲めてしかもうまいという、世界でも数少い国の一つだったはずだが、いつのまにかひどいことになってしまったらしい。

毎年春に一度か、春秋に一度ずつか、仲間といっしょにきっとマス釣りにいくことにしている山の湖へいくと、水らしい水が飲める。そこは標高一七〇〇メートルで、六月初めでも夕方になると歯がふるえるくらい寒冷だが、森をくぐってきたばかりの水は峻烈《しゅんれつ》なのにまろみがあり、舌をなめらかにすべり、ノドへ送りこんだあと口いっぱいに澄明な艶《つや》と輝やきをのこしてくれる。電車や自動車などを乗りつぎ乗りつぎして、半日以上を費し、急坂、トンネル、峠、高原をこえていかないことには水らしい水にありつけない時代である。何はとまれ、まずイッパイと飲んだあと、清冽《せいれつ》な感動にうたれつつ、いま越えてきた峠をかくす、ちょっとケヤキに似た枝ぶりのダケカンバの梢《こずえ》をふりかえると、とらえようのない憂愁もおぼえさせられるのである。ここまで逃げないことには白い、荒涼とした化学物から体をぬきとることができないのかと、あらためて思い知らされる。

しらしら明けの朝まずめの頃には木立のなかでたくさんの小鳥が騒いでいるが、しばらくすると夕立のようなその声がやみ、しっとりと湿めった静寂のなかでウグイスの声だけがひびく。湖へボートを漕《こ》ぎだし、ポイントと思うところで上陸し、ルアーを投げはじめると、やっぱりどこかでウグイスの声がする。そこで口笛を吹いて真似《まね》をしてみると、だんだんその声がこちらへ近づいてくる。枝から枝、木から木へと飛び移ってくる気配がありありとわかる。そしてとうとう眼と鼻のさきの対岸の木にとまり、こちらの口笛にあわせてホーホーケキョ、ホーホケキョとやりはじめる。ウグイスは木のなかに体をかくして鳴きつつ、歌の下手な恋人をさがすのだが、レインコートを着た釣師が一人いるだけなので、いぶかしみもし、いらだちもして、ますますホーホケキョと鳴く。釣師はおかしいのをおさえ、この鳥はかわいいけれどちょっと頭がわるくてそのうえクドイところもあるのではないかなどと思いつつ、いつまでもホーホケキョ、ホーホケキョと口笛を吹きつづける。おかげで釣りのほうは留守になり、魚は一匹も釣れないのである。釣師は魚を得られず、ウグイスは恋人が見つからず、そのうちどちらもくたびれて鳴きやめる。

今年は北海道でもどこでもヒメマスに何とかいう名の病気が発生したので放流が禁止され、この湖でも放流しなかった。そのため魚の数は減ったけれど、去年まで湖にいて年を越した魚は一匹あたりの食事の割当分量が増えたせいか、グッと大きく育った。つまり、〝間引き〟の法則である。この魚は可憐《かれん》で淡麗だが、たいそう好奇心が旺盛《おうせい》でお茶ッぴいのところがあり、スプーンをひらひらさせると何だろうと思って何匹も何匹もあとを追ってくる。岸までおびきよせてひょいとスプーンを水からあげると、あわててそのあたりをさがしまわっている。そのキョトキョトしたうろたえぶりは見ていて微笑せずにはいられない。〃ジギング〃というのはルアーを底まで落してから垂直に上下させてしゃくる釣法であるが、片手でこれをやりつつ、水中をのぞいてみると、キラキラ輝やく赤と金の踊りに何匹ものお姫様たちがすっかり魅せられ、危険も知らずに頬をすりよせ、腹をくねらせてたわむれているのが、ありありと見える。こうなってくると、かわいくて、とても鈎《はり》にひっかける気が起らなくなってくる。殺生はなかなかに奥深いところのある遊びで、一度知ったら容易にやめられないのだが、姫殺しはいかにも無残なので、釣れても大小かまわず逃してやることにしている。

いつもこの季節にはおなじ場所にカエルの卵を見るのだが、今年も去年とおなじ場所にゴマ入りの長い寒天の紐《ひも》を二本見た。それがいつもおなじ場所の水ぎわである点からすると、あのぶざまなヒキガエルもなかなか好みにきびしいのだナと思いたくなってくる。それがちょっと見たところでは何の変哲もない、どこでもおなじような、なぜそこが選ばれたのかがよくわからないような場所なので、森の哲学者たちは〃無味の味〃を嗜《たしな》みとしているのかしらなどと、思ったりもする。そして、ゆっくりと岸沿いにボートを漕いでいくと、ふいに野生の鴨《かも》が二羽、羽音はげしくとびたち、湖面をかすめて、霧のなかへ消えていった。ちらと見た後姿では二羽ともずっしりと腹のふくれた、よく充実した成鳥である。去年この季節にはお母さんのあとを四羽か五羽のボサボサ頭の雛《ひな》がよちよちと泳いでいるのを見かけたが、それが育ってシベリアまでいき、そしてはるばるともどってきたのだろうか。あとで山小屋へもどってその話をしてみると、四羽見た仲間もいた。

この湖の水は峻烈に清浄で、蒼暗《そうあん》の深遠がたたえられている。霧がでると自分の乗っているボートの頭も見えなくなる。舟着場には紙屑《かみくず》一つ落ちていない。湖岸の森に風倒木は見られるが斧《おの》や鋸《のこぎり》の痕《あと》は見られない。山菜を根こそぎ掘りとっていくサンデー・ピクニッカーも見なかった。三日間の私たちのまわりにあったのは始源の玄なる水と、原生林と、霧と、雨。ヒメマス。ニジマス。ヒキガエル。カモ。ウグイス。カラス。トビ。シオリザクラ。ブナ。ダケカンバ。ヨモギ。ノブスマ。行者ニンニク。タラの芽。

明日からは、また。

苦界。

歯がゆいような話

某月、某日。

『新潮』の新人賞の審査のためにホテルへいく。審査員は武田泰淳《たけだたいじゅん》、安岡章太郎、大江健三郎の諸氏。これに江藤淳氏だが、旅行中のため、編集部が意見を代読する。めいめいそれぞれの作品に点をつけ、意見を述べていき、もっとも点の高い作品をのこして集中的に論ずるという方式である。これはどの雑誌でもほぼ同様である。

宮本徳蔵氏の『浮游《ふゆう》』にいちばん点が集る。古代日本で大仏開眼《かいげん》の大事業に当時の在日朝鮮人が奴隷《どれい》、賤民《せんみん》として使役される物語で、古語と現代語の交錯のうちに語られている。その交錯ぶりにいささか難があり、また、文体を一気通貫で追求するうちにテーマが文体そのものに溺《おぼ》れかかったという難もある。しかし、そういうマイナスを全部集めてもやっぱりプラスのほうがはるかに多い。気《き》魄《はく》、素養、博学、どの点もなみなみならぬものがあって、抜群である。受賞後の第二作にどんなものをお書きになるか想像がつかないという快い謎《なぞ》もあって、そういうことは最近では珍しいのである。

めでたく受賞作がさほどの異論もなくきまったので、酒を飲みつつ、雑談をした。受賞作がないときは何やらわびしくてにがいものだが、あったときにはやっぱり充実感があって心浮いてくるものである。しきりと話のあちらこちらに花が咲きだすが、ふと安岡章太郎氏を見ると、お婆《ばあ》さんが梅干をしゃぶるような口もとになっていて、見慣れない顔つきである。

「どうしたの?」

とたずねると

「これだ」

といって大兄はいきなり口をひらいた。見ると歯がたった一本しかない。おどろいてわけをたずねると、くるべきものがきたのだという。男が衰えていく順序は、まず歯で、それから目で、それからアレだということになっているが、それがとうとうきたのだ。とおっしゃる。

「じつは今日、入歯ができてきたんだ。歯がないと気持わるくてしようがない。入れてみてもいいかネ」

「どうぞ、どうぞ」

大兄はよこを向いて、ポケットをまさぐり、何やらもぞもぞとしていたが、しばらくしてひょいとふり向いたのを見ると、いつもの顔にもどっていた。

そうすると向い側にすわっていた大江君がいそいそと体をのりだし、ぼくはもうとっくに入歯だけれど、六枚で四十八万エンもかかったよ、入歯ってたいへんな値段がするんだ、小切手を嚙《か》んでるような感じだよ、齟齬《そご》を来たすという言葉の実感が身にしみるナ、と早口でいった。誰にともない皮肉がピリピリしていて、とっさに思いついたにしては痛烈であった。

それを聞いて武田泰淳氏は微笑し、おっとりとした口調で、私は何年かまえに脳血栓で倒れたときに歯がわるくなって、いまや上も下も入歯だよ、といいだした。それからはもう三人とも入歯の話ばかりに熱中しはじめた。しかし、話題が話題であるためか、みんなひそひそと声が低いのである。それを聞きながら、ふと、ホー・チ・ミンが放浪中に中国で監獄へ入れられたときに歯が抜け、その歯を弔《いた》んでユーモラスな短詩を書いたことを思いだしたが、その場に持出すのはわるい気がしたので、さしひかえることにした。

「君はどうなんだ、おい、開高」

安岡大兄がとつぜんたずねる。

私はゆっくりと
「歯だけはいいんだ、歯だけは」

微笑して答えた。

「歯牙《しが》にもかけたことないデス」

大兄はいらいらして
「歯の浮くようなことをいいやがる」

といった。

たしかに私は歯のことで悩んだことは一度もない。子供のときからずっとそうである。歯痛になったこともなければ虫歯になったこともなく、穴があいたこともなければ、欠けたこともない。ただ子供のときからヘヴィ・スモーカーだったから、いささかニコチンでよごれているだけである。ただしダ。目がいけないのだ。もう数年前から私の眼鏡は読書眼鏡になっているのだ。渓谷で釣りをしていて黄昏《たそがれ》どきになるとせっせと毛鈎《けばり》をとりかえなければならないのだが、そのとき鈎の穴に糸が通らなくて、何度もくやしい、つらい、わびしい思いにおそわれるのである。つまりダ。歯→目→××のエスカレーションが私の場合は目→歯→××となっているのではあるまいか。

このあとパーティーになって、すばらしいぶどう酒がでた。安岡大兄は近頃ぶどう酒についてはたいそううるさくて、むつかしいのだが、入歯にまず教えてやりたくなったのだろうか、ボルドォでおぼえこんできたシャトォ・ナニヤラがあるかと給仕にたずね、あると聞くと、それはすごい、すぐ持ってきなさいといった。そのナニヤラはすすってみると、たしかに柔らかくて、奥深いところがあり、舌にほのぼのと気品ある谺《こだま》をのこしてくれるのだった。

そこでよしておけばよかったのだが近頃はずっと部屋にたれこめて暮しているものだからたまにこうしてパーティーにでると、酒のまわりが早くて、人《ひと》テンカンを起してはしゃいでしまう。そして翌朝は何万回めともしれない、とらえようのない、鋭い後悔におそわれて、頭があがらなくなる。このときもナニヤラですっかりデキあがってしまい、大兄とつれだって銀座の酒場へ流れた。そこでも大兄は誰彼なしにつかまえて入歯の話をしていたと思うが、そのうち入歯でシャンソンをうたってみたいといいだした。大兄はだみ声でサッチモ風にシャンソンをうたうのがなかなか上手なのである。そこで二人で酒場をぬけだし、ぐるぐると歩いて地下のシャンソン酒場へ入っていった。

一昨年、二人でヨーロッパへ講演にいったときに、私は大兄を日本の大作家で大歌手だといって司会して本場のシャンソン小屋でうたってもらおうとイタズラを仕掛けたのだが、あいにくと小屋が休んでいたので果せなかった。しかし、そのとき、どんなに酔っていてもやれるようにとひそかにフランス語のスピーチを暗記しておいたので、そこへ、本日は特別に入歯でお歌いになりますという一句を早口に挿入して、ひきさがった。大兄はマイクを片手に、悠々と、『セ・シ・ボン』をうたいはじめた。入歯で『セ・シ・ボン』をうたうなんて、考えてみれば、なかなかしゃれたもんではござらぬか。

民主主義何デモ暮シヨイガヨイ

近頃私はめったに新刊書店へいかなくなった。新聞広告を見て、買いたい新刊書があるとそこを切りとって人にわたし、いっしょにお金をわたして、ついでのときでいいですからといって買ってきてもらうようにしている。いつごろからかそういう習慣になったのである。

書物と酒は毎日欠かすことができない。日本にいようが外国にいようが、これは変えることのできない習慣である。一昨年、ヴェトナムで一五〇日ほど暮したが、読むものがなくなると小倉百人一首を読んですごした。なにげなくそれは思いついてスーツケースに入れて出国したのだったが、南の夜のじっとり濡《ぬ》れた暑熱と倦怠《けんたい》で溺死《できし》しそうになっているとき、気ままに一句一句読んでは床《ゆか》へ落していると、回想や想像がつぎからつぎへとわいてきて時間に果汁をみたしてもらうことができた。今度から外国へいくときは釣道具のほかにかならずこれを持っていくことにしようと思う。

新刊書店へでかけるのが億劫《おっくう》になったのは苦痛だからである。ピカピカ輝やく本が目白押しにならんで口ぐちにオレが、オレがと叫びたてている。その声が声なき叫喚の大渦となって眼と耳にとびこんできそうなのだ。それがイヤなのだ。おぞましいような、あざといような、いたたまれない感触が全身に這《は》いあがってくる。ときには店内へ一歩入った瞬間に窒息しそうになることもある。若いときには得体の知れない不安と焦躁《しょうそう》にとりつかれてわくわくおびえながら毎日をうっちゃっていたけれど、ときたま気力のあるときに新刊書店へいくと、モンマルトルの丘にたってパリを見おろしつつ、パリはおれに征服されるのを待っていると傲語《ごうご》したラスティニヤックのように、よし、これだけの本を全部読破してやるぞとふるいたったものだった。何かしら挑戦されたように感じて昂揚《こうよう》したわけである。

しかし、いまはもうつきあいきれないという気持のほうがさきにさきにとまわって待ちかまえるようなので、私はしがない古本屋へ入っていく。薄暗い古本屋には特有のしめっぽくカビっぽい匂《にお》いが漂よっているが、それも子供のときからの懐《なつか》しいなじみである。傷だらけで垢《あか》だらけの本の顔には辛酸をかいくぐってきた男の顔にときどき見かけるのとおなじものがあらわれている。転々とわたり歩き、転落に転落をかさねて、あと一歩で古紙屋に売られてパルプになるところを崖《がけ》ぎわで一歩踏みこたえてそこにならんでいるが、あくまでも何食わぬ顔でいる気配がうれしいところである。ここではベストセラー作家も、派手な新人作家も、どえらい老大家もみなおなじである。無政府主義的なまでのその権威無視が私には愉《たの》しい休息なのである。傷と垢のなかでのびのびできるのである。これが何よりである。友みなの我よりすぐれて見ゆるとき、しかもなぜかしら花を買いきて妻とたのしむ気にもなれないときは、古本屋がいいですゾ。

いまの古本屋は掘出物の愉しみが少くなって、むしろ新刊のゾッキ本屋にすぎない店が多く、埋蔵資源発掘の、山師の愉しみをあたえてくれる店が年々少くなるいっぽうなので、これはどうにもさびしいことである。蓄積らしい蓄積が物・心ともにどこにも見られない涸《こ》渇《かつ》の時代の特長がこんなところにまで及んできたのではあるまいかということをときどき考えさせられることがある。そこで、それならいっそ、という心理にもそそのかされ、路上で雨ざらしになっている投売本をノミとり眼《まなこ》でさがすという意地悪い趣味が顔を覗《のぞ》かせる。しかし、このパルプ先生たちも私の経験ではいまからおよそ十年前かそのあたりから涸渇期に入りだし、現在ではどうにもこうにもとかしてトイレット・ペーパーにするしかないような本ばかりがむくれてそりかえってころがっている。末端がこうダメなら中枢《ちゅうすう》部もどうやら似たようなことなのではあるまいかと察しをつけたくなってくる。

昔、〝戦後〟が街にも、皿にも、本にも、雨にも旺盛《おうせい》にはびこって、息苦しくてならなかった頃、やっぱり私は古本屋が好きで投売りブックの箱を覗いて歩くのが好きだったが、山師としてはときどきいい本を屑《くず》同然の値で買うことができた。たとえば戦中と戦前に出版された本は八月十五日で大ガラをくらって以来、古本屋の棚からも追放され、そういう箱のなかで小さくなっているしかないのだが、そういう本のなかにはときどきおどろかされるものもあった。たとえば中国のことを書いた本を読むと、蔣介石《しょうかいせき》政権下の中国人をただもう救いようのない無知、貧困、飢餓、商売人根性だけでとらえ、当局の検閲を恐れて中国共産党にはひたすら触れていないか、関心がないかである。たまたま触れていても、この中国人の徹底的な唯美《ゆいび》主義と芸術家気質にコミュニストの高山の空気のようなモラリズムが食いこめるはずがないと断言しきっているなど、歴史の皮肉をおぼえさせられて、じつに勉強になったものだった。そういう暗い箱のなかで、あるとき、明治の頃に出版された、駄洒落《だじゃれ》づくしの英和辞書があった。これまたその頃の私に買えたのだから屑同然の値段だったのだろうと思う。いつとなくどこかへ消えてしまって、その後も思いだすたびに残念な気持になるのだが、この本の著者はなかなかタダのネズミではなかった。英語をかたっぱしから語呂《ごろ》あわせ川柳に仕立てているのである。

たとえばDの頁《ページ》を繰って、〝ドクター〟を見ると、《医者ヲ毒タアコレ如何ニ》とある。Mの頁を繰って〝マネー〟を見ると、《金ハアル真似、ナイ真似、苦シイ真似》などとあって、英音を読み入れつつ、日本語に転移し、意味を知らせながら同時に痛烈な諷刺《ふうし》に仕立てあげるあたり、読んでいて飽きなかった。いまでもよくおぼえていて最高傑作と思うのは、やはりDの頁にあった〝デモクラシー〟である。これは、《民主主義、何デモ暮シヨイガヨイ》というのだった。デモクラシーをめぐる本読みインテリたちの尨大《ぼうだい》で蒼白《そうはく》な肥大した議論や論争や行方不明になりがちの思惟《しい》をこの一句は路上のただの人の視点からたった一行で止《とど》メを刺したといいたくなるくらいのあざやかさで本質を指摘している。こういう本が現在書かれたら受験生諸君もホッと一息つけるだろうし、私も眠れない夜を何とかうっちゃることができそうに思うのだが、誰かやってくれないものか？

ナポリ歌手が夕方に唄《うた》えば……

一

　一九六九年。夏。ローマ。

　朝日新聞の秋元カメラとコンビでアラスカをふりだしに釣りをして歩いていた私は、和戦両様の態勢をとっていたので、つぎはアフリカへいってナイジェリアの内戦の最前線を取材しようと思った。当時、ビアフラは独立を宣言し、ナイジェリア政府と抗争をつづけ、戦争は二年三カ月にわたっていて、ビアフラ側の餓死者は一〇〇万人とつたえられたり、二〇〇万人とつたえられたりしていた。ビアフラ政府はヨーロッパのあちらこちらにみすぼらしい出先機関を設け、ジュネーヴにあるのがもっとも活潑《かっぱつ》に宣伝・弘報活動をしていたが、入国ヴィザは当時、そこでは発行していなかった。パリの機関かローマの宗教団体へいけば何とかなるかもしれないというので、二人はジュネーヴ、パリ、ローマの三角点をいったりきたりした。ローマのカリタス・インターナショナルにいるバイヤー神父に私は会いにでかけたが、目下のところ医薬品と食糧を運ぶのに精いっぱいで、ジャーナリストはいつになったら運んであげられるかわからない、予定表に名前だけ登録しておいて下さい、OKとなれば連絡しましょうという返答だった。

事情はよくわかったけれど、OKがでるまでブラブラ遊んでいられる身分ではないので、とりあえずナイジェリア政府側へ入って最前線へいってみようということになった。翌日、午前の便でジュネーヴへもどり、それから出発。今夜はローマで一泊ときめるが、何しろ行手にあるのは戦争をしている国である。いつ、どんなときに、どれだけ金が必要になるかわからない。今夜から冗費節約である。そこで都心に近いホテルの一室をケチリにケチって予約したが、これが風呂《ふろ》もトイレもない部屋で、ベッドも怪しげなのが一台きり。わるくすると二人抱きあって寝ることになるかもしれないが、やむを得ない。それにしてもローマの夏の夜は騒しくて、蒸暑く、ソノ道の趣味もないのに男二人が宵から部屋にこもって一つベッドに腰をおろしているわけにもいかないではないか。

「カンパリでも飲みにいくか」

「いいな」

「ただし、一杯きりだぞ。一杯でチビチビと二時間か三時間ねばるんだ。ソーダ水の泡を一粒一粒舐《な》めるんだ。飢餓戦争を見にいくんだからな」

「それくらい辛抱しなくちゃナ」

二人でホテルをでると、ちょうど向い側の舗道に四つ、五つ、椅子《いす》をおいて、キャフェが口をあけている。見ればかなりみすぼらしそうで、灯も暗く、こちらの財布にぴたりの風情《ふぜい》である。

ねばねばした暑熱と、たえまない靴音と、汗ばむ倦怠《けんたい》にひたって、二人でホロにがいカンパリをちびちびやりつつ、すれちがうイタリア娘の腰と足を鑑賞していると、中肉中背の青年が一人、通りすぎかけたのが、淡白で優しい微笑をうかべて近づいてきた。そして私たちの席のよこにたつと、流暢《りゅうちょう》な日本語で
「日本の方ですか?」

とたずねる。

「そうですよ」

というと
「ローマの夜は暑いですね」

ニコやかにそんなことをいい、いつのまにか、椅子をひきよせてすわりこむ。問わず語りといった口調で、淡々と、自分はベルギー人で、ブリュッセルからきたが、父はIBMの会社を経営しているのだなどと、自己紹介する。そして秋元に、あなたのお仕事は、などとたずねる。秋元がぶっきらぼうに、新聞社のカメラマンだよと答えると、何という新聞ですかと、たずねかえす。秋元が、朝日新聞っていうんだがネ、と答えると、青年は眉《まゆ》をあげて眼を丸くし

「知っています。よく知っています。いい新聞ですね。科学の欄がいい。ときどき私も読んで、感心しています。そうですか。あなた、朝日新聞の人ですか。お目にかかれてうれしいですね」

青年はひどくうたれた表情で、じッと秋元の顔を眺め、おだやかだが尊敬のまなざしである。ナニ、それほどでもないがネ。秋元はもぞもぞと口ごもったが、まんざらでもない顔。ニコニコしだして、どうォ、カンパリを一杯、などとすすめにかかる。日頃は何かというと悪口か、悪口めいたことしか口にしないのに、ふいに愛社精神にめざめたらしく、いきいきとなってくる。イヤよ、イヤよは好きのうち。そういうコトバもある。どうやら日頃の悪口は愛すればこそのことであるカ。

青年は丁重に礼をいい、やがてカンパリがはこばれてくると、おとなしく一口、一

口すってそこはかとなく雑談にふけっていたが、そのうち秋元に、ローマの夜は暑くて、騒しくて、寝苦しいものです。カンパリのお礼に私のいきつけの店で一杯さしあげたいのですが、どうでしょう。一杯だけ飲んで別れましょう。淡々とニコやかに微笑して誘いにかかる。秋元はすっかり機嫌よくなり、一杯だけならいいだろう、ナ、ナ、といって、私をそそのかす。

タクシーに乗せられてつれこまれたのは、どこか薄暗い界隈《かいわい》の地下酒場である。ほかに客はチラホラとしか見えないが、私たち二人が席について女たちが集ってくると、とつぜん小さなステージで楽隊がドンガラドンドン、スキヤキ・ソングを演奏しはじめた。秋元にはパリからきたというおとなしそうなシブ好みの女がつき、私にはフィレンツェのロロブリジーダよと名のる、こんもりと胸もとの隆起した、愛嬌《あいきよう》のいい娘がついた。いずれもカタコトの英語で酒をついだり、つがれたり。翌朝になればいっさいがっさいお忘れのタワゴトをうだうだとかわすうちに、タハ、オモチロイと口走る。フィレンツェのロロを抱いて私は薄暗いなかで海藻がゆれるようにゆらゆらと踊りはじめ、秋元はシャンパンをすすって、いい御機嫌。

そのうちうろたえたような日本語が

「いけねえ。こいつはとんでもねえチョンボだ。やられたゾ、殿下。チョンボ。チョンボ。ひでえことになってきた」

とひびいた。

秋元閣下が勘定書を見て泡を食ってるのだ。何もいわないのにシャンパンがでたのでにわかに警戒心が生じ、シャッキリとなって勘定書をとたのんだら、もう一本余計にシャンパンをつけて紙きれを持ってきたが、そのリラの数をドルに換算し、さらにそれを円に換算したら、十万円を突破するというのだ。ガセだ。ニセだ。チョンボだ。一杯食わされたのだ。この野郎は詐話師にちがいない。この店と結托《けったく》してやがるのさ。リベートをたんまり裏でもらってるにちがいない。

閣下はうめきうめきそういった。

二

バーテンダーや用心棒めいたのが私たちのまわりに寄ってきて、何となく人垣をつくり、べつに威迫がましい科白《せりふ》も吐かねば、拳骨《げんこつ》をにぎるのでもなく、兇器《きょうき》をほのめかすしぐさをするわけでもない。ただ黙ってそこにたって勘定書をのぞきこみ、おぼろな眼つきをしているだけである。しかし、それでいて、何やらしなやかさのうらにしたたかなものがひそんでいる気配はありありとこちらにつたわってくるのである。

どうしようもない。私たちは尻《しり》ポケットから財布をぬきだしてドルをかぞえ、二人でだしあって、莫大《ばくだい》な額を払い、その店をでた。

でしなに件《くだん》の青年とすれちがったところ、彼はなじみらしい女をゆったりと抱いて静かに踊っていた。私たちを見て例の淡白な、おだやかな、優しい微笑をうかべ

「ローマの夜は暑いですね」

といった。

秋元は舌うちして

「御挨拶《あいさつ》だナ、お兄さん」

といった。

私は

「カボチャ！」

といった。

ホテルの天井裏部屋へもどったところ、風呂《ふろ》もなければ、トイレもなく、エアコンがきかないので真夏の夜の暑熱がたちこめていて、ひどいありさま。一台きりのベッドに二人で腰をおろし、アレやコレやと話して分析するうち、何となく笑いたくなってきた。この話にはエロもなければ、グロもなく、スリルもなく、サスペンスもなく、

ただもう私たち二人がカボチャ野郎の小指一本で、お茶の子サイサイ、コロコロとだまされたというだけなのだ。しかもダ。これだけ辛《から》きメに会わされながら二人ともカボチャ野郎をさほど憎んでいないで、むしろ自分たちのオメデタさに呆《あき》れているだけとわかり、いよいよ阿呆《あほ》らしくなってきた。

開口「寝ようか」

閉口「寝よう、寝よう」

開口「これだけムシリとられるとはじめからわかっていたらヒルトン・ホテルにでも泊るんだったな。十万円からとられながらトイレもないとくら」

閉口「カンパリ一杯が発端さ」

開口「ローマの夜はこわいゼ」

そのうちベッドにころがって二人とも寝るともなく寝てしまったが、夜なかに閣下は寝返りをうったはずみに私に抱きつき、妙な手つきで胸のあたりをもみはじめた。くすぐったいのをじッとこらえていると、そのうちに閣下は気がついたらしく、薄目をあけて私を見ると、何だ、殿下か、アア、つまンない、もぐもぐつぶやいて寝返りをうち、向うむいて眠りなおした。

翌朝、ホテルのすぐ隣りに日航の支店があるのを発見したので、支店長に会い、昨夜のいきさつを話してみた。支店長は薄く笑い、ハハァ、やられましたか、日本人としては一万人めくらいですかナと、はなはだ冷めたい。それで、よくよく聞いてみると、ああいう詐話師はナポリ歌手と呼ばれている。彼らが〝歌手〟と呼ばれるのはけっして暴力を使わないで舌さき三寸の甘い科白だけで人を有頂天にさせるからであろう。その修業もなかなか丹念なもので、日本人専門のやつは、はじめから日本人をだます目的で学校にかよって日本語を勉強する。それも、なまじっかな勉強ではなく、日本人の強所、弱所、モノの考え方、感じ方、いっさいを勉強したあげく攻めにかかるのだから、たまったものじゃない。気魄《きはく》からしてちがうのだ。伝統なんだ。文化といってもいいくらいです、と支店長はいう。

十万円くらいですんだのなら傷は浅いほうです。傷ともいえないくらいです。コロッセウムがすでに三度か四度売られたという話をごぞんじですか。アメリカの大金持がやられたんですがね。リュウとした風貌《ふうぼう》と身なりのイタリア紳士がヒルトンあたりへやってきて、ローマ近代化のためにあのコロッセウムがどうしても邪魔になる。政府は極秘のうちに決議して泣く泣くこれを解体することにした。しかし、アメリカはイタリア移民と伝統的に深い関係にありますし、絵画や彫刻の名作でアメリカへわたって大事に保存されている例となれば数えるまでもありますまい。ついてはあなたの資力でコロッセウムをアメリカへ持っていって原形通りに再現して頂けませんでしょうか。政府は私を密使として信任致しております。そんなことをいって封蠟《ふうろう》付き、印璽《いんじ》付きのホンモノの信任状を何枚もとりだしてみせたあげく、何万ドルか、何十万ドルかの手付金をその場でせしめ、あとはドロンです。そういう手口であのコロッセウムはもう三度か四度売られている、という話なんです。それにくらべれば十万円なんて、アナタ、安いもんですよ。

支店長は以上のようなことを、あきあきした、ものうい口調で説明し、マ、ボン・ヴォワイヤージュを祈ります、といって部屋をでていった。私と秋元はすっかり毒気をぬかれ、夏の朝の日光が渓流の水泡のように踊っているガラス戸をおして、歩道へでると、タクシーを呼びとめて空港へいき、ジュネーヴへもどった。日本人専攻とテーマをたてたら一気通貫、詐話師になるためにだけ、その目的のためにだけ学校へかよって日本語を勉強するというのだ。あのコロッセウムを一度ならず、二度ならず、三度も四度も空証文で売りとばしているというのだ。もしそれがそうならば、たしかに十万円なんて、爪《つめ》の垢《あか》だろう。よくそんな安さで放免してもらえたものだ。お値頃と踏まれて正確にそれだけ頂かれちゃったのだろう。むしろそのあたりでおさえて頂いた点、これは、いっそ、感謝しなければならないということになりそうではないか。

さすがは《人間》の国。サケッティ以来の悪漢文学の宝庫の国。やりよりまんなァ。

モン・ブランの《お針》が翼のすぐしたにそびえたっているのを横目で眺めつつ、冴《さ》えないリンゴ・ジュースなどすすって、私と秋元は口数少くつぶやきあった。

「プロなんだな」

「プロの仕事というもんだ」

「プロならナ」

「ああでなくちゃいけないヨ」

「立派なもんだ」

「やるならああでなくちゃ」

「やるならナ」

そんな意見をかわすうちに、またまた私は二人ともあのカボチャ野郎を賞《ほ》めこそすれまったく憎む気持になっていないことを発見して、かるく吐息をつき、タバコに火をつけた。

三

それから私と秋元は流れるままに流れて、ナイジェリアの最前線へいき、一度パリへ引揚げてからカイロへいき、またパリへ引揚げ、そこからイスラエルへいってスエズとヨルダン川の最前線を観察し、つぎにバンコックへいき、そこでふとしたことからチェンマイ貴族のアンポール殿下のお邸《やしき》にひきとられて居候《いそうろう》生活をしたあげく、アンダマン海の小島の舟着場から落ちて私は右足の甲の骨を二本折って、やむなく、東京へ引揚げてきた。応接室のソファに寝そべってしばらく暮すうちに、冬が春になり、折れた骨もようやくつながって、何とか杖《つえ》をひきつつも戸外が歩けるようになった。

その当時、私が関係しているサン・アド社に、カルロスというイタリア人の芸術青年が捨て扶持《ぶち》をもらって関係していた。彼はヒッピーだけれど、何しろイタリア人であるから、万事ネッチリとしていて、わたり歩く国々に一国ずつ何年も腰をすえ、その国の女と仲よくなってかなり骨髄をシャブってからつぎの国へ移るという暮し方をしていた。あちらこちらでたたきこんだ、不思議な混成英語を巧みに話し、文学、映画、絵画、何を喋《しゃべ》らせても鋭く要点をついた批評を短く語って、私をおどろかせたり、笑わせたりした。本職といってもキマったものは何もなく、そうやって地球をさまよいつつ霧散と凝集をくりかえす鬼火のような自我をそろそろ年齢《とし》で助平皺《じわ》のよりかけた眼で観察しつつ、うだうだと日と週をうっちゃっているのだったが、ためしに昔の聖像画などを描かせてみると、どこでどんな材料をどうゴマかしてデッチあげるのか知れたものではないけれど、完璧《かんぺき》きわまるニセモノをやすやすと仕上げて社へ持ってくるのだった。彼の持ちこむみごとな贋作《がんさく》と、その横で平然とキョトンとしている彼の顔とを見くらべて、何度も頭を掻《か》く思いを味わったものだった。

某日、杖をひいてヨタヨタと有楽町のあたりを歩いていると、このドン・カルロスが向うから歩いてきて、すれちがいざまにサン・グラスをとってみせた。それまでは例によってヤニっこい外人が歩いているナと思っていたのだが、サン・グラスをとったところを見ると、なじみ深い助平皺にかこまれた、無邪気のようでもあれば何やらヒネくれて底深いようでもある眼があらわれた。どこの女の子をシャブっておぼえてきたのかわからないが、長い、骨張った指で私の包帯をした足をさしてみせ

「ドッタノ？」

と聞く。

そこで私は彼を近くの喫茶店へつれていき、過去一年近く彼と会わなかった時期に私が没頭していた放浪のあれやこれやを話して聞かせ、ビアフラの餓死体やガザ・ストリップの難民収容所のことなどを説明したが、どのエピソードにもカルロスは感動した気配がなかった。すべての放浪者は非情と多感の相反併存を心に抱いていて、いつ非情がはたらき、いつ多感がはたらくかが自身にもわからないということをおぼろ

か、痛切にか知っているものだが、このときはどういうものか、カルロスの助平顔には非情もうごかず、多感もうごく気配がなかった。ローマで一夜、ナンセンスとしかいいようがない〝ナポリ歌手〟にひっかかって十万円強をせしめられたという話を私がはじめても、やっぱり彼は不感、不動のまなざしのままで、ストローでアイスコーヒーをものうげにすすった。そして、私の話が終るのを待ってから、同情も示さず、憐《あわ》れみも示さず、ましてや同胞のイタリア人がやったのだということについての羞恥《しゅうち》や反省は毛ほども見せずに

「伝統なんだ」

といった。

「それはイタリアの伝統なんだ。二〇〇〇年の伝統なんだ。習慣さ。そうせずにいられなくてそうするのさ。日本人はまじめすぎるんだな。人をダマすのは犯罪でも何でもない。そういうふうにさせてしまうやつがわるいのだということになっている。わるいのは、ダマしたやつではなくて、そういう気を起させたやつがわるいのだ。あとは、ただ、いかにそれをやるか。それだけが問題なんだよ」

カルロスは小さな助平皺にかこまれた眼をまじまじとひらき、イタリアでダマされるのは日本人だけではないといって私をなぐさめた。イタリア人は誰彼かまわずにダ

マスのである。それが生甲斐《いきがい》であり、芸術なんだ。第二次大戦末期にアメリカ兵がタンクに乗ってナポリに進駐してきたことがある。アメリカ兵はある店の中庭に入っていって、グラッパ（イタリアの焼酎《しょうちゅう》）を飲みにかかったが、そのとき、道にタンクを止めておいた。アメリカ兵たちはさんざんグラッパをあおったが、さてそれが終って中庭からでてみると、彼らのタンクは完全に解体されて蒸発していたそうだ。しかし、何もアメリカ人や日本人だけがダマされるのではないヨ。イタリア人がイタリア人をやるのだ。これもナポリの話だけれどね。ある新婚の夫婦が教会へいって、結婚式をやった。表に車をとめておいた。さて教会で結婚式が終って、みんなに米をふりまいてもらって、その夫婦が表へきてみると、いつのまにか車が蒸発して消えてしまっていたそうだよ。

「そんな話はいくらでもある」

カルロスは平然として、誇るでもなく、卑下するでもない口調で、そういうことをいい、ストローでアイスコーヒーをちゅうちゅうと音たてててすすった。

カルロスの話を聞きながら私の感じではおなじことをまったくおなじまなざしと無関心さで説かれたことがあるという記憶でピリッとくることがあった。人の物を盗みたくなるような気持を起させるやつが悪いのであって、そういうやつは人を泥棒に心ならずも仕立ててしまうやつなのだという言い分である。これは一九六四年にはじめてヴェトナムへいったときにサイゴンでも田舎でも、事情通の、何年もそこに住みついている日本人から聞かされたのと、まったくおなじ論理であった。盗まれるやつは阿呆《あほ》の偽善者なのだ。盗みたくなる気持を他人にかきたてておいてそのことに気がつかないでいるいい気。それこそが問われるところなのだ。自分で他人を煽動《せんどう》しておいて、その気になったところを、ことごとく〝罪〟だなどとののしりにかかるとは何事だ……というのである。

よくよく考えてみると、これにはまったく泥棒の一理があって、さからうことがむつかしい。それが、習慣となり、文化となり、誇りとなり、ましてや一種の〝芸術〟と感じられている国においては、ことにそうなのであろう。

戦争についてのどうでもいいような一言

毎年この季節になると新聞、週刊誌、月刊誌は敗戦記念の特集号をつくる習慣になっている。ちょうど真夏だものだからネタが夏枯れでよほどの突発事件でもないかぎり〝目玉〟になる頁《ページ》のつくりようがないということも手伝うのだけれど、この三〇年間、毎年毎年、飽くこともなくこの年中行事がつづけられてきた。戦争に負けたり、負けないまでもどえらく辛《から》きめに会った国で、しかもマスコミのある国というのはいくらでもあるが、わが国のようにいつまでも〝記憶〟をとっくりかえし、まっくりかえしして反芻《はんすう》をやめないのは珍しいのではないか、という意見がある。

けれど、たとえばワルシャワへいってみると、あちらこちらの商店やビルの壁に人名と年月日の文字がきざみこんであるのをよく見かけ、しばしばひからびていたり、新鮮であったりする花束がそのまえにおいてあるのを見かけるのである。ときにはマンホールの蓋《ふた》のまわりに人名と年月日が、つまり舗道そのものにきざみこんであることもある。君は怪訝《けげん》に思うか、なにげなく眼のすみで見て通過するが、もしそれが十一月一日でカトリック教のウラ盆にあたる《死者の日》だったら、老・若・男・女がそのマンホールの蓋のまわりに集って、うなだれたり、祈ったり、ときには道にしがみついて泣きくずれている光景をみることになるだろう。その小さな、小さな一群はあわただしく交叉点《こうさてん》をわたっていく大群集からは孤立しているし、やがては散ってしまうのだけれど、道にきざまれた人名はいつまでも残る。

これはナチスにたいするレジスタンスの闘士の記念碑なのである。パリでもセーヌ河岸の胸壁や、ビルの壁や、大学の教室や、いろいろな場所に小さく人名と年号がきざみこんであるのを見かけるし、しばしば銅板をハメこんでそうしてあるのを見かける。ワルシャワではそれがマンホール蓋である例が多いが、これはあの地下水道にたてこもった蜂起《ほうき》の事件のためで、窒息と飢えに耐えかねて闘士たちがあちらで五人、こちらで十人というぐあいに路上へ這《は》いだしたところをナチスは待ちかまえてつかまえ、その場、その場で銃殺刑をやったのである。そのメモリアルなのである。

こういう事物を目撃すると祖国の路上で異民族と殺しあいをしたり、しばしば同国人同志の兄弟殺しをやらずにはいられなかったヨーロッパの戦争と、他に思いつけるかぎりのいろいろの血みどろは演じたけれどそういうことだけはやらずにすませられたわが国の戦争との相違が、あらためて膚《はだ》に食いこんでくるのである。ひとくちに〝戦争〟といってもその様態は無数であり、経験は無数であり、記憶もまた無数であって、こまかく痛切なところで話しあっていくと、やがて、どう手のつけようもなく彼我のあいだに茫漠《ぼうばく》とした薄明の、まさぐりようのない地帯がうかびあがってくることを痛感させられて、沈黙せずにはいられなくなってくる。

明治の御一新以後だけをとってみても、わが国はそれ以来、とめどなく持続的に戦争をしつづけてきたが、日清にしろ、日露にしろ、ノモンハンにしろ、日中にしろ、大東亜戦争にしろ、〝敵〟の民族と面積が膨脹一途をたどったという事実はあったが、祖国の路上に〝敵〟の姿をその何十年ものあいだついに一人も人民は目撃したことがなかったのである。〝敵〟らしい〝敵〟の姿なり行為なりを何ひとつとして日常に目撃することがないのにもっぱら〝お上《かみ》〟から流される情報だけでひたぶるの思いにかりたてられて海外へでていき、もっぱら海外だけで血みどろを演じ、それが前後して約一〇〇年にもわたり、おおむね将兵は命令と想像のなかだけで七転八倒し、銃後の国民にはその〝経験〟が何ひとつとして骨髄にしみこむところまで伝達されることがなかったという点では、ちょっとヨーロッパの十字軍に似たところがある。〝観念〟のなかで殺したり、殺されたりを演ずるのは人間の常だけれど、まがりなりにも〝近代国家〟となった国でこの一〇〇年間に祖国の路上で〝敵〟と出会わなかったのはわが国だけであるし、宗教やイデオロギーの相違のために兄弟が夜半の物かげにひそんで待伏せしあい、殺しあうという経験をしなくてすんだのもわが国だけである。信仰や信念の標語は明晰《めいせき》だけれど、それを実践し、とことん徹底しようとする情念はねばねばとしてとめどなく不定形である。そしてそれゆえにもっとも〝人間〟の基質に達するものかとも思われる。そのあたりのことを私たちは何ひとつとして味わわなくてすませられたのである。つまり私たちは他のほとんどあらゆる民族が〝戦争〟についてとことん味わったはずの苦悩をまったく知らないですませられたわけである。事実としてそれはそうなのである。ふりかえってみれば稀有《けう》なことでもあり、奇妙きわまることであるけれど、事実としてやっぱりそれはそうだった。

だから、だろうか。他国の戦争の報道を読んで、私たちは、父が殺された、母が消えた、弟はどこへともなく去り、妹はひとり草むらで泣いているという記事で眼が熱くなってしまうのだが、そしてそれは〝人間〟としてまったくふさわしいことであるはずなのだが、その一枚裏にひそんでいる、何のための戦争かという一点になると、にわかに無感覚か、マヒか、テレビ・ドラマなみの〝黒か白か〟の判断しかはたらかなくなってしまい、〝人間〟が基質の部分で持たされているものをついつい無視して、甘酸っぱくも痛切な感傷に走るだけとなってしまうのである。そしてそれが他国の戦争であってみれば、いよいよ感傷は純粋に感傷としてのみ味わえるから、涙もろくなればなるだけいよいよ偏狭、傲岸《ごうがん》になるという心の事実もまた発生してくる。そのために、いよいよ、私たちの〝経験〟とはまったく異なる戦争について自身の体験のみを反射させ、それにおしこめて考えようとする、偽善と感じない偽善に身をゆだねてはばからないという事態もまた発生してくる。右の眼で一方の抑圧を見て見ぬふりをし、左の眼でもう一方の抑圧を見ないのに見たふりをして〝正義〟を叫ぶ人があまりに多いのでこんな文章をついつい書いてしまうハメとなる。その人の右の眼と左の眼とのあいだにどれだけ尨大《ぼうだい》な数の人びとがどちらの眼にもかけられることなく右往左往していることかということを考えると、とどのつまり、何もいえなくなってしまう。

酒の王様たち

一

七月中は登り坂一方の暑熱がたちこめていてもたってもいられず、家でも道路でも電車でも、すべての物が匂《にお》いをたてて肉薄し、どこへ逃げていいのかわからなかった。音楽と新劇には訓練がないので私は弱いけれど、嗅覚《きゅうかく》だけはいくらか心覚えがあり、中年になっても衰えることがないので、悪臭にはひとかたならず苦しめられる。胸苦しいのは梅雨期と夏で、こういう季節に男や女に近づいていくと、ことに女に近づいていくと、髪から足の趾まで、すべての箇処が匂いをたてているものだから、熱帯の密林がのしかかってくるようである。

汗と弛緩《しかん》と中年の疲弊でヘトヘトになっているところへ身辺に思いもよらぬ突発事故が発生したので、したたか辛《から》き思いを膚《はだ》に刷りこまれ、限界をまさぐりようのない反省に蔽《おお》われるということがあって、この七月は私にとってはにがいかぎりであった。けれど事故はようやく一見収縮の方向に向いだしたので、どうにかこうにか部屋のなかにすわれるようになってきた。しかし、八月になりはしたものの、心の弛緩と疲弊はどう手のつけようもなく、のめりこみ、錆《さ》びついてくるばかりである。マトモなことを書こうにものめりがさきへさきへとたちまわるのでトリモチに吸われたハエのように足も羽も剝《は》がれてしまう。(トリモチもトンボも見られなくなった時代にこういう比喩《ひゆ》を書くあたり、お年も知れようし、疲労も察しられよう)。

だから。

酒の話でも書くとするか。

明治時代は〝和魂洋才〟を叫んで、社会に新鮮な刺激にたいする飢渇感がみなぎり、熱っぽい醱酵《はっこう》があらゆる分野に見られ、それが鹿鳴館《ろくめいかん》のダンスにもなり、アナーキズム運動にもなり、汽笛一声にもなり、日露戦争にもなりした事情はみんなよくわきまえているが、いっぽう、奇妙キテレツな風俗もそれにつれて出現したから、場末の行方のない叛骨《はんこつ》を抱いたゲイジュツ家たちはたちまちこれにとびついてすッペケペ節などをでっちあげ、早くもニヒルな塩味の漂よう蒼白《あおじろ》い頰をひきつらせて毒笑のための毒笑に夜な夜なふけったものであるらしい。その頃、酒界においては、もっぱら一升瓶と、焼酎《しょうちゅう》と、屋台と、スキヤキ屋の高歌放吟が主勢だったのだが、いっぽう、ここにも〝和魂洋才〟がノミのように跳ねまわり、めったやたらに外国の酒を輸入するかたわら、めったやたらに国産洋酒も出回った。〝国産洋酒〟というコトバそのものが原義にたって凝視すれば矛盾そのものなのだけれど、お国にみちわたる好奇の熱気からすれば、ドッてことはないのだった。

〝ウィスキー〟といったって、そんじょそこらの焼酎屋が蒸溜《じょうりゅう》は〝和魂〟、レッテルは〝洋才〟という好奇の一発《やまあて》主義にそそのかされてのゴタマゼ事業だったから、たかが焼酎にカラメルでコハクの色をつけ、そこへ自分でもよくわかっていないサムシングを微量投入してから瓶詰めし、赤や、金や、黒など、何やらゴテゴテと派手に印刷した横文字のレッテルを貼《は》りつけて売りだしたものだった。だから、そのうちの一つは、スコッチの向うを張ろうというので、レッテルの一隅に、〝バッキンガム宮殿で瓶詰めされました〟などと一行、英語で刷りこんだものであった。真ッ赤なウソとわかりきったことを堂々と名乗りあげるあたりの魂胆はなみなみならぬもので、いまでもこういうレッテルのウィスキーが酒屋の棚にあったら、ちょっと買ってみたくなる。これから数十年たって第二次大戦直後の闇市《やみいち》にはアメリカ兵の氾濫《はんらん》といっしょにレッテルのどこかに〝Made in USA〟と刷りこんだマヤカシ・ウィスキーが流れたことがあった。当時は――いまでもあまり変らないが――何だってかんだって〝米国製〟とあればありがたい一心で国民はとびついたものだったが、そこを焼酎屋はうまく利用したわけである。

MPが踏みこんで訊問《じんもん》してみると、この焼酎屋のおっさんはあわてず騒がずレッテルを指さし、〝USA〟とレッテルに書いてはありますけれど、よく見て下さい、UとS、SとAのあいだに点がありません。つまりこれはわが社の名をたまたま横文字にしたからこうなったので、米国製という意味ではありません。ウサ商会製という意味なのです。わが社は〝宇佐商会〟というのです。といって、その場を切りぬけたそうである。このエピソードは当時少年だった私たちをいつでも朗らかな哄笑《こうしょう》にさそってくれたものだが、しかし、よく考えてみると、ハッタリ精神の血は明治の祖父から脈々と頂いてはいるものの、手口からいえば、やっぱり祖父のほうが雄大、奔放で、ナンセンスという貴重なものを楽しむ感覚があったと思いたいのである。

こういうハナシはどの国にもある。トーマス・マンの『詐欺師《さぎし》フェリックス・クルル』を読むと、ドイツぶどう酒で一代の産を築いた父の商売のコツは、ぶどう酒のレッテルをめったやたら華麗・荘厳《そうごん》なものにする、ただその一つにあったという説明があって、ナルホドと深夜、微笑をうかべずにはいられないのである。この父親の売るシャンパンを飲むと翌日きっと頭がピンピンと痛んだとのことである。きまじめ一本槍《やり》のはずのトーマス・マンの森厳なる作品群のなかでもこの詐欺師物語は未完のままで終ってしまったけれど作者がいきいきと男の本能にたって書いた気味が行や句読点にかくし味として漂よっていて、珍しくパリ風のおどけが愉《たの》しめるので、この箇処をも含めて読者諸兄姉《みなさん》に一読をおすすめする次第である。レッテルだけでドイツぶどう酒をバカ高値で買いこまない用心のためにも……

まったく〝レッテル〟というやつは人の眼をだます。近頃はすべての商品が過当競争で、そこへ《暮しの手帖《てちょう》》などという痛烈な正直者がいたりするものだから、明治や戦後の阿呆《あほ》なマネはできなくなり、すべてのメーカーは〝品質本位〟を争いあうよりしかたなくなってきて、それはそれで結構なことだが、何しろわが国人《びと》は古来、好奇の心はげしく、うちこめばとめどなくなるところがあるので、それが洗濯機やクーラーなどという、手でさわれもするし、肌で感ずることもできるブツについてのみ執着しているあいだはいいが、これが無限界、無辺際の信仰やイデオロギーの分野にまでひろがると、それすらとどのつまりは〝レッテル〟にすぎないのに身も心もなくうちこんで暴走する危険がある。長い目で見れば一時しのぎのことに一生を諸世代、諸国民は葬《ほうむ》ってきた。

二

前項でトーマス・マンの『詐欺師《さぎし》フェリックス・クルル』に触れ、クルルの父が一代でぶどう酒で産を築いたのはひたすらイカサマ酒を売ったことにあるが、それが二日酔液であるにもかかわらず売れつづけたのはただレッテルがやたらに華麗・荘厳《そうごん》であったためだと書いておいた。これは原作者のトーマス・マンの記述を頂いてそのままに書いたわけなので、私がそのアタピン（飲むとアタマがピンピンしてくる）酒を飲んだうえでのことではなかったから、責任はすべてマンにある。マンがどれだけの酒通であったか、私は知らないが、おそらくそういうことを書くことでマンはおふざけ気分のうちにもレッテルを信ずるな、わが舌に従えということの警告を発したかったのだろうと思いたい。

そのあとつづいて人というものはレッテルに酔いやすいもので、それは何も酒だけのことではなく、信仰もイデオロギーもことごとくおなじだという一行を書きたしておいたと思う。レッテルに惚《ほ》れていい気持になってズップリひたったあげく翌朝アタピンで苦しみ、あの酒はひどかったがオレもひどかったという反省に陥ちこむのは医者、刑事、弁護士、小説家、エッセイ屋、みな、おなじである。そして、しばしば、これを飲めばアタピンになって七転八倒することがわかりきっているのに、ついつい飲まずにいられなくなるというのも、おなじ習性からである。酒呑《の》みというさびしいセンチメンタリストがいて、そいつらに飲ませる酒と場所があり、それらによってがつがつ生計を得ようとする口達者な人物がいるかぎり、これはいつまでもあることだろうが、政治と宗教の世界でも、ま、変ることはあるまい。変るとすれば、せいぜいスローガンだけのことだろう。

昔、どこかで読んだハナシだが、南米の某国で、ぶどうがやたらにできる国があり、それから果汁をしぼって酒にしてやたらに儲《もう》けた男がいたというのである。この男はやがてその国のぶどう酒の王様となるのだが、人民たちはしきりに薄暗い酒場で、王様の酒は酒じゃない、何かまぜものをしてあるのだ、だから飲んだ翌朝はきっとアタピンになるのさといいつづけたが、人民は心もノドもつねに渇いているので、どんどん飲まずにはいられず、したがって王様はどんどん王様になっていったが、王様はいよいよ臨終ということになったとき、ベッドのまわりに子や孫をのこらず呼び集め、息もたえだえに

「いいか、おまえたち」

といった。

「ぶどう酒はぶどうからつくるものだよ」

といったそうである。

詐欺師が最後のベッドでめざめて、正直は最善の策なのだよと訴えるハナシは、だまされつづけの人民としては当然のことながら、でっちあげたいハナシであろう。そうでもしないことにはそれまでに日夜をわかたず飲みつづけてきたマヤカシ酒についての、そしてそれをその場その場で飲みつづけてウムとか、イケルとか、マアマアなどといいつづけた自分たちの立場がなくなってしまうではないか。ペタンコになった財布のことを思うとイマイマしいかぎりではあるが……

しかし、酒の道はとりもなおさず人の道でもあるので、この道では〝人〟の混沌《こんとん》そのままを反映して、いつの世にもしたたかの曲者《くせもの》を生みださずにはいられないのである。某年、某月、某日、パリで朝遅く眼がさめ、三日月パンと牛乳入りコーヒーを飲みに街へ這《は》いだし、たまたま新聞を買ったところ、四、五人の紳士がつながって映っている写真があった。三日月パンを食べつつ牛乳入りコーヒー飲んで記事を読んでみると、これらの紳士はみなイタリア人で、キァンティの王様である。王様たちはキァンティが売れるのをいいことにして自然のぶどうによらないで人工でこれを増産、増量する方法を発明し、もっぱらそれによってここ数年間、巨額の富を築いていたが、最近発覚して法廷へ送られる身分となったというのである。自然のぶどうをどう人工でゴマかしたのか、そのあたりの詳細は記事に書いてなかったが、ぶどう園をでたときトラックは三台だったがナポリを通過するとそれが七台になっていたという暗示的な、愉快な記事が書いてあった。（これがやっぱりナポリであるということに留意して頂きたいナ）

その妙なキァンティを飲んだ人たちがアタピンになったかどうかは書いてなかったので、やっぱりナポリ人は伝統主義者でヒトをだましつづけておるのだなと私は教えられ、不思議な安堵《あんど》をおぼえてベッドにもぐりこんで惰眠のつづきをむさぼったものであった。イタリア人なら当然そういうことをするであろうという感懐があり、むしろ当然そのものであり、かねがね感ずるところがたまたまちょっぴり実現されただけのことだという、あえかな的中感と満足感で私は、むしろ、のびのびと手や足をシーツのなかでのばしたくらいであった。フランス人が勤勉になり、イタリア人がウソをつかなくなったら、そろそろ覚悟をきめたほうがよさそうであるからネ。

すると、数年後に、某月、某日、東京の新聞で三面記事を読むと、ボルドォの旦那《だんな》衆が何人かよってたかってイカサマぶどう酒を売ったかどで御召しになったとのことである。記事は短いからよくわからないが、旦那たちは自家のぶどう酒に安物のぶどう酒をまぜて増量を計っていたというのだが、旦那の一人が法廷で証言したところによると、誰もそのマヤカシに気がついたものはなく、お客はみんな満足していましたとのことである。どんな酒をどれだけどの酒にまぜていたのかということはわからないけれど、どうやら旦那はぶどう酒業者としての良心をさほど痛めることなく収入をたのしんでいたらしい気配であった。

しかし、シャトォ物の《ヴレ・ド・ヴレ（正真正銘）》のぶどう酒についてはまずこういうことは起らないと考えておいていいように思われる。中級から下級にかけての品ではよくこういうことがある。だからといって、呑み助の私の舌覚にたっていわせて頂くなら、マゼモノをしたからといってそれだけで酒品が落ちるわけではない。ときにはアルジェエリアの安酒をブレンドすることでかえって腰が強壮になる酒だってあるのだ。イケナイのはマゼモノをしてるくせにマゼモノをしてないみたいなふれこみやレッテルをつけること、ただそれだけのことなのである。ぶどう酒の鑑定は一つしかない。レッテルではなく、舌だ。君がウマイと思えば、酒はそれで成就《じょうじゅ》するのだ。〝王様〟が何を企《たく》らもうと、それはそうなのである。

でも。

たまには極めつきを飲んでおくといいゼ。

ミミズのたわごとという容易でない問題

一

西鶴《さいかく》が書いているところでは江戸時代の人の職業で〝最低〟と思われるのは金魚の餌《えさ》とりだろうかという。ボウフラやアカムシをどこかそのあたりの小溝《こみぞ》ですくってくるなり、カメに水をためてふやすなりして、その日その日をかつがつしのぐ生計である。遊里で朝も夜もなく流連荒亡、だだら遊びの好き放題をやったあげくのプレイボーイが落ちぶれていまは扇持った手にたわいもない手網をにぎっての侘《わび》住いというエピソードがよく短篇に登場する。

いまから七年ほど以前に神田の保刈老と会って話を聞いたことがある。当時、老は〝日本一の餌問屋〟という大層な看板をかけて釣餌専門の店を経営していた。ミミズからイモの粉（いまは〝マッシュ〟というのだ）までずいぶんテーマが手広く微細で感心させられたものである。昔は釣場へいってからその場で餌をさがしたものだが、東京の神田でミミズだろうとブドウの虫だろうと何だって手に入るようにしてやったんだからオレは釣界の革命児なんだと老はうそぶいていた。〝革命児〟はいささかオーヴァーだけれど、釣りの餌は釣道具屋へいって買うものだというのが現在の釣師のほぼ常識となってしまったことを考えあわせると、老の自負は、それ自体、まことに正当であって、先見の明というべきものであった。

その頃はまだ〝公害〟だの〝都市化〟だのというイヤらしい単語が、現実はそれとなく気づかれてはいたものの、新聞に氾濫《はんらん》するということはまったくなくて、芽の気配もなかったのだが、薄暗くて異臭の漂よう店さきで老とボソボソ話しあっていると、わが国の異常さがそこはかとなく膚《はだ》に迫ってくるのだった。たとえばミミズについていうとだな。老の店へ図太いドバだろうと、きれいなキジだろうと、何人もの人がミミズを掘って売りにくるのだが、誰も自分がどこで掘ってきたかということをけっして口にしないというのだ。穴場を荒されたくないという防衛反応からそうするのだが、どこへいってもミミズがとれるという状況ではないからそうなるのである。釣師はとっておきの穴場をけっして他人には教えないが、その一歩手前のミミズ師がすでにそうなのだという。

少年時代の私の濃い記憶からすると、ミミズというものはちょいと家をでてどこかそのあたりの野溝のほとりの草をひっこぬくとか、湿めってあたたかくてきつい匂《にお》いを発散している堆肥《たいひ》の裾《すそ》をほじくるとかすると、たちまち血色のつやつやとした、おつゆのたっぷりつまった、ピンピンと元気よく跳ねるミミズがとびだしてきて、それを見たとたんに魚が釣れたような気持になったものなんだが、いまはどこかそのあたりへでかけても野溝はないし、堆肥なんてものもない。いたるところコンクリの皮で蔽《おお》われていて、泥らしい泥のついた人の靴を見たこともない。ずっとあとになってストラヴィンスキーの『春の祭典』をはじめて聞いたとき、これは堆肥が濡《ぬ》れて、むれて、日光に輝やく、あの春の午後の混沌《こんとん》として強烈でもあれば豊沃《ほうよく》でもある匂いだという直覚の一片があったけれど、堆肥を知らないいまの少年は何を手がかりにしてあの曲をさとるのだろうか。

保刈老はボソボソとした口調でいろいろのことを教えてくれたが、アカムシは九州から空輸で運ばれてくるし、ゴカイやイソメはもう日本ではとれなくなったから朝鮮から空輸するんだという話もしてくれたように思う。ゴカイとかイソメとか申すものは、いわば、渚《なぎさ》のミミズなのであって、土があるかぎりミミズがいるのだという常識からすると、それがわが国の海岸でとれなくて他国から飛行機で運んでくるというのは、どう考えても、狂気の沙汰《さた》としかいいようがない。それだけわが国には釣師の数がおびただしく、とりもなおさずそれだけ〝自然〟に渇《かつ》えている人がいるのだということにはなるのだが、釣りの餌、それもごくごく素朴な段階のものまでを外国に仰ぐしかないのだというこの事態はのっぴきならないものを私に感じさせた。土蜂《つちばち》の子は甘醤油《あまじょうゆ》で御飯にたきこむとうまいもんだよ。めったなことで客に売れるもんじゃないよ。フォア・グラよりうまいな。保刈老は話の枝としてそんなことをブツクサと洒落《しゃ》れのめして話してくれるのだけれど、聞いている私としてはとらえようのない恐怖にさそいこまれて、いてもたってもいられなくなるのだった。

でかい、広い、大きい、というのはアメリカ帰りの人がかならず話のどこかで私の耳に吹きこんでくれるコトバであるが、そのどえらいアメリカでも事態はどうやら似ているらしい。アチラでもルアーや毛鈎《けばり》だけではなくて、ナチュラル・ベイトで、ミミズだの、カエルだの、ゴキブリだのでケレン味なくのんびりと魚を釣りたいと考えている釣師の数はおびただしいものであるらしく、しかし、需要はすごいのに供給源がないという事態もわが国とおなじであるらしく、もしやってくれるのなら毎月十万ドルのミミズの取引をしたいと保刈老に申しこんできた業者がいるというのだ。神戸の商工会議所にも似たような提案が舞いこんだことがあると聞いたこともある。

アユも、コイも、ドジョウも、ハマチも、すべていまでは養殖である。〝自然〟は人工だという感触はもうたいていの人の膚にしみこんでいて、しみこむしかなくなっているように思われる。だから、わが国の業者が外国から渚のミミズを飛行便で輸入したって、ある意味では狂気の沙汰でも何でもないのだということになるのだが、これはどこかの外国の自然の分泌物をただひろってくるだけのことなのだから、人工でも何でもない。その国の渚にきく口があって語らせれば、〝略奪〟だということにもなるであろう。だから、どえらい運賃を払うことはないのであって、わが国でもウナギを養殖するようにミミズやゴカイを養殖すればいいのだ。それは厖大《ぼうだい》な〝レジャー産業〟なのだ。ミミズやゴカイは、この目もなく顔もない暗黒のぬらぬらとした友は、人類の友なのだ。それを求めずにはいられず、それなしでは手も足もだせず、いてもたってもいられない人の数は、毎年、地球上のアチラでもコチラでも、増大するいっぽうなのである。はずかしがることは何もないじゃないか。毎日毎日、不況のうわさばかり聞かされるこの頃だ。ひとつ、あなた、虚栄を捨ててやってみたらどうです。身を捨ててこそ浮かぶ瀬もあれ、谷のドングリと申します。

二

そういうわけでアメリカから月に一〇万ドルでミミズの取引をしないかという申込みがあったとき、保刈老は、結果としては応じなかったのだけれど、考えることは考えたらしかった。ミミズの養殖なんて簡単なんじゃないのと私がいうと、うってかえすように老は頭をよこにふって否定した。ミミズをバカにしちゃいけません。ああ見えても奴《やっこ》さん、なかなか気むずかしいところがあるんです。好みの土というものがあって、土なら何でもいいってものじゃない。そこへほどほどのお湿りがないといけないし、ほどほどの通気性というものもいる。いまかりに箱で飼うとしたら、ガラス箱でもいけないし、ブリキ箱でもいけない。ガラスや金属は、奴さんのお気に召さないんです。ひどく趣味がきびしいんです。どうしても木の箱でないといけないんですね。ところが奴さんは脱走の名人で、いつ、どこからともなく逃げだして、いなくなっちまうんですよ。木の箱だとね。だといっていまいったようにこれをガラスや金属でやると、それは肌にあわないとおっしゃるんだ。むつかしいもんです。

そういって老は、どこもかしこもコンクリの皮で蔽われてきてミミズがいなくなったから、ミミズを掘って売りにくる人が店さきでけっして穴場を詰しあわないという話をしてくれたのだが、ミミズが入手困難になったのは何も東京とその近辺だけではないらしい。新潟で大地震があってテンヤワンヤの大騒ぎになったとき、一日たってから同地の釣道具屋がバイクを飛ばして神田の老のところへミミズを買いにきたというのだ。釣師というものは一種の狂気か熱病に似たものを抱いているから地震、津波、戦争などのあるなしにかかわらずでかけていく。だからミミズはどうあっても常備しておかなければならないので、こんなことになるわけだが、新潟でミミズがたやすく手に入らないからこそオートバイで東京まで突ッ走らなければならないのだということにもなりそうである。

去年、山形県の酒田へスズキを釣りにいった。あそこの庄内川の河口附近には一メートルからある、まるでサケのようなスズキがいて、たまげるような魚拓を見せられた。それでコーフンしてせっせと突堤にかよってルアーを投げたのだが、釣師の数のおびただしさにも圧倒された。夜になると電気浮子《うき》をみんなが使うのだが、なにしろ三メートルおきぐらいの目白おしに釣師がいるものだから、何十コという電気浮子がチカチカ光って波に浮き沈みしている光景は燈籠《とうろう》流しさながら。その釣師たちが、聞いてみると、餌は誰も彼もがアオイソメであって、それはみんな朝鮮から空輸したものだというのだ。アオイソメというのは早くいえば海のミミズみたいなものだが、それを朝鮮から飛行便で輸入しているというのだ。酒田市だけで釣師が一週間に消費するアオイソメの量はちょっとしたものになるだろうが、日本海岸でスズキの釣れるところはどこにでもあるから、あちらでもこちらでもおなじ朝鮮産アオイソメを使っているのだとしたら、いったい全部でどれだけの数量、どれだけの金高になることか。

そういうことを夜の海を眺めながら考えていると、とらえようのない恐怖と憂愁がじわじわと足を這《は》いのぼって全身にひろがっていくのが感じられ、酸か泥に顎《あご》まで浸されるようである。汚染と乱獲と過剰の問題は東京で暮していたらもう反応らしい反応が起らないまでになっていて、のべつだし、おびただしすぎるし、広大すぎるし、深すぎて、いまでは何ひとつとしてピリッと感ずることができなくなっているのだが、遠い海岸まできてもやはりおなじ影と爪《つめ》は追っかけてくるのである。こういう文章を書きながらもつぎの行にくる絶望なり、嘲罵《ちょうば》なり、訴えなりの字面《じづら》はちゃんと見えていて、ことごとく手垢《てあか》にまみれていることも見えているから、いまさらしく何も書きたくなくなってくる。とどのつまり、それはミミズのたわごとにも似たものではあるまいか。

ドイツ南部の涼しくて草の深い高原でマス釣りをよくやったことがあるが、マスは貪欲《どんよく》な魚だから、イナゴ、クモ、羽虫、小さなカエル、何でも餌になる。もちろんミミズは大好物である。ちょっと注意してやればミミズの数だけマスが釣れるといってもけっしていいすぎではない。そこで釣宿では餌釣りの客のためにいつもミミズを用意してておかなければならないが、それはどうするのだと、ある夜、宿の主人にたずねてみた。するとヴァルトマン老はニヤリと笑ってビールのジョッキをおき、どこか妙なものを持ちだしてきた。これは電気を土に流す棒で、一端に長いコードがついている。この棒を夜のうちに庭のすみっこにさしこみ、弱い電気を流すと、朝になればミミズがいっぱい表面へでてくる。あっけなくとれる。ただし、そのとき、かならずコードをコンセントからぬいておかなければならない。そうでないと感電死する。年に二、三人はそそっかし屋の釣師がそれで死ぬんだそうだ。

「釣りも命がけです」

ヴァルトマン老はそういって笑った。

ウォルトンの『釣魚大全』によると、ミミズのとりかたがやっぱり記してあって、塩水をそれとおぼしきところへまけばよいとある。これは簡単にやれるが、もう一つ、栗《くり》の葉をもみこんでにがくした水をまくのもよろしいとある。これは近くに栗の木がなければ実行できそうにないから、むつかしい。また、ミミズに樟脳《しょうのう》や茴香《ういきょう》の匂いをつけたら大釣りができるとあって、井伏さんの随筆にも引用されている。井伏さんはどうやらそれをやってごらんになったことがあるらしいが、結果をおたずねしたところ、はかばかしい答えが得られなかった。

しかし、私の若い友人の東条君が教えてくれたのはちょっと思いつきようのない方法で、ハイボールをまいたらテキメンだというのだ。映画の撮影をやっているときになにげなく庭の植込みのかげへ飲みのこしのハイボールをまいたら、たちまちミミズがぞろぞろと這いだしてきたそうである。細くてかわいいキジも、太くてあつかましいドバもいっしょくたになってピンピンもがきつつでてきたそうである。これなら手軽にできそうだから、そのうち一度ためしてみようと思う。

「ウィスキーは何がいい？」

「白でも黒でもいいです」

「ソーダ水かミネラル・ウォーターか」

「どちらでも結構です」

「氷は？」

「お好みで、どうぞ」

という次第である。

ドテラの袖口《そでぐち》とセンセイとチョコレート

いつだったか、雑誌の座談会のあとでお茶を飲みつつ平林たい子さんと雑談をしていて面白いエピソードを聞かせてもらった。

戦前のある時期、平林さんは銀座のある出版社で発行している雑誌に連載で原稿を書いていたが、その編集長に変った癖があったとのことである。何でも、ある日、平林さんが編集室に顔をだすと、そこは和室で、一隅にテーブルと椅子《いす》をおいて編集長がドテラの着流しで鎮座しているのだが、それが平林さんを手招きし、ヒソヒソ声で、来月号から原稿料を値上げしてあげましょうという。

こちらが何もいってないのにこれは奇特なことだと若い平林さんがワクワクしていると、編集長はドテラの袖口をあけて見せ

「ここへ手を入れなさい」

という。

いわれるままに平林さんがオズオズと手を入れると、編集長氏は袖のなかでその手をとり、指を一本、二本と折って、にぎりしめ、天井を向いて
「これでよろしいか?」

といった。

二エンなら指を二本、三エンなら三本というぐあいに折ってよろしいかと聞くわけである。口でいうのでもなく、数字に書いてみせるのでもなく、ただ指を折って知らせたわけである。現在のコトバでいえばスキンシップということになるか。

これは奇妙で、素朴で、トボケた味のある慣行で、インテリくさい出版界よりは、むしろ大阪商人などのやりそうなことのように思えるが、ギスギスとなりやすい、また正面を向いておたがいの眼を直視しあってはちょっとやりにくいところのある事務を柔らかくほぐしてはこぼうとする心づかいがあるみたいにもとれる。〝スキンシップ〟などという横文字で現代人が感ずることを昔の人はちゃんとわきまえていて、それをちょいとコナれたやりかたで実行に移したわけである。しゃれたもんだと思わせられる。

いまの時代でこういうことを実行しようとしてもドテラの着流しで出社する編集長はいないだろうから、銀座の毛革屋へいってマフを買ってくるのである。西洋のレデ

ィが冬になると両手をあたためるのに使う、あの、毛革のドーナツみたいなマフである。それをテーブルのうえにいつもおいといて、物価高と稿料安と孤独で蒼《あお》ざめた作家がやってくると、やおら椅子にすわらせて粗茶をすすめてから、マフに手をつっこませる。編集長はこちらからマフに手をつっこみ、作家の指を一本、二本……と折っていき、さいごにグッとにぎりしめ、天井を眺めて、これでよろしいかと小声でたずねるのである。当今の御時世ではとても片手の指ぐらいでは足るまいから、そうなれば両手をつっこんでもらう。そういううれしい用途のものなんだから、マフはいっそパール・ミンクかチンチラあたりを選んで下さいナ。

しかし、当時の若い平林さんが原稿料または金そのものについてどう感じていらっしゃったかということはその席で聞きそびれてしまったが、金に翻弄《ほんろう》され、キリキリ舞いをさせられる地獄感覚はその頃も今もあまり変ることはないだろうと思いたい。風俗は変るけれど本質はつねにほとんど変ることがないからである。ただし、金そのものの持つ実力についての〝実感〟というやつはお話にならないくらい違ったものがあったのではないかと思うことがある。経済学ではそういう実感をどう定義したり、解釈したり、演繹《えんえき》したりしているのか、私はまったく無知だけれど、金と人との関係においては意外に根深い役を演じているのではないかと思うのである。たとえば当時の一エンが物価指数などからして今の一万エンに相当すると、かりに教えられたところで、当時の人が〝一エン〟と聞いたときに感じたものと、現在の私たちが〝一万エン〟と聞いたときに感ずるものとでは、容易に算術計算では説明できないものがあるだろう。そのあたりのことである。〝一万エン〟の語感も現在では一年前、二年前という短い時間のうちにひどく変ってしまう。しかも困ったことには、一年前に一万エンについて感じていたこと、二年前に感じていたことを私たちは容易に明確に思いだすことができなくなっているということも問題を厄介にさせる。急変があるのにどこかいつも朦朧《もうろう》としたものがあるし、〝急変〟を口でいうほどには痛烈に知覚できないものがあり、とどのつまりは、のべつアップアップしてあがきながら流されつつあると感じているのにどこへ向って流されているのかがまったくわからないというのが〝実感〟なのではあるまいか。そして、金そのものがひどく薄っぺらになり、玩具じみて感じられ、毎日明暗さまざまにきつい思いをさせられているにもかかわらず木ッ葉さながらの不信感を抱かせられて私たちは暮している。少くとも私はそうである。

ドテラの袖口のなかで教えられようが、チンチラのマフのなかで教えられようが、物書きセンセイたちの原稿料は銀行から銀行へいつともなくコンピューターで払いこまれていくので、センセイたちは労働の果実をまざまざと肉眼で眺めることもなければ、ありありと手でさわってみることもない。日頃からコトバをいじってその組合わせを変えることや置換えることだけに没頭していて、自分の労働を本質的に〝虚業〟だと感じているのが、こういう仕掛のために金の魔性をいよいよ見失わせられて、それがじつは魔性の一つでもあるはずなのに、いよいよ知覚の手がかりが失われていく。穴の底にうずくまって銃をかまえている兵隊は頭上をピュンピュン弾丸《たま》が飛んでいくのを聞いているが、ジッとうずくまっているかぎりあたることはないのだと知っている。にもかかわらずそこは戦場だからときどきはオズオズ首をのばして銃を穴からつきだして引金をひかねばならない。〝敵〟の顔を見ることもなく、どこにそれがいるのかもわからず、ただ引金をひくのである。こういう状況におかれた兵隊が実感するのは銃の反動だけだろう。

そんなことを考えるものだから、ときどき、センセイは、原稿料として古代の石貨、もしくはチョコレートの金貨を眼のまえに積んでもらったらどうだろうかなどと、タバコの煙りのなかで真剣に考えたりするのである。

ライターやら陰毛やらと寝床のなかで死ねない男

映画をこれまでに見すぎたせいか、それとも中年ボケのせいか、近年私は妙な癖がついて、スクリーンを見ながら細部や背景ばかりに眼がいく。ストーリーはよほど丹念な作品でないかぎりたいてい三分の一ぐらいで割れてしまって、ほぼ予想通りにはこんでいくし、そうなれば描写力を見るということになるが、これは何もヤマ場を見なくたって、任意のワン・カットを見ればだいたいのことがわかる。念入りに精密につくった作品は無差別抽出のワン・カットを見ただけでわかるものである。光線、カメラ・アングル、時代考証、その他、その他、こういうことはよってたかってどのワン・カットにもにじみでていなければならないものだから、どれだけ力を入れ、注意がそそがれているか、一瞥《いちべつ》してピンとくるものである。その一瞥で、ウン、コレナラとくるようなら、たとえストーリーが、ヤマ場が、エンドが予感通りになったとしても不満はおぼえない。むしろ、好感を抱かせられることが多い。かりに予想通りの結末になっても、そうなると、まるで自分がその映画を作ったかのような気持になるものである。これはひそかな魅力である。

ストーリーが早くも割れてしまい、しかも一瞥がさほど期待を抱かせてくれないとなると、美女のお尻《しり》のうえの二つのエクボを眺めるよりは、むしろ細部や、小道具や、背景をじろじろと意地悪く観察することになる。この愉《たの》しみは陰気なものだけれど闇《やみ》のなかの時間つぶしとしてはなかなか味があって、やめられないものである。ことに背景に自分が滞在したことのある市や、野や、山がでてくると、もういけない。映画なんかそっちのけでその頃のことをあれこれと思いだすのにいそがしくなり、あたたかい湯に全身を浸したようなぐあいに回想にもたれかかることができて、ありがたい。

小道具一つをとりあげても、たとえばライターならライターで、第二次大戦を扱った映画なら、アメリカ兵はジッポを使っていなければいけないし、ヨーロッパ人とナチスならイムコを使っていなければいけないということになる。これはオーストリア製の安物のライターだが、たった一枚のブリキ板を折って畳んで作ったライターで、素朴ながらその着想は抜群である。ガス・ライターが登場してからかなりの年月になり、わが国ではライターといえばガスときまっているが、アチラではいまだにこのオイルのライターを愛用している人をしばしば見かける。ジッポもおなじである。これはアメリカ人にとってのナショナル・ライターといっていいくらいに愛されているようである。

このライターは輸入ライターが高価でしかもこわれやすいのに腹をたてた一人のオッサンが発奮して開発した作品だということになっているが、この煙界の愛国者は変人であったらしく、商品名を何とつけようかと考えたところ、かねがねファスナーをチャッとひっぱったときの音が大好きだったので、それをヒネって、〝ジッポ〟としたのだと聞かされたことがある。ブランド名というものは一度アタってヒットすればその名以外のどんな名もダメだと感じられるもので、いまでは〝ジッポ〟のほかにこのライターの名はどう考えようもない。ジープとおなじようにいささか油を食いすぎるという一点をのぞいてこのライターはまことに有能、正確、百発百中、どんな雨も風もかまうことなく火を発し、こわれる箇所がどこにもないという名作である。いつだったか、『ライフ』を見ていると、広告頁《ページ》に傷だらけ、シミだらけになったこのライターの写真がでていて、キャプションを読むと、〝第二次大戦中、ヨーロッパに上陸した最初の部隊の最先頭のアメリカ兵が持っていたライターです〟とあった。いささかマユツバといいたいところだが、ジッポならそれを不思議と感じさせないものがある。それからしばらくたってからの広告では、やはり一箇が登場し、〝カリブ海で釣ったサメの腹を開いたらこのライターがでてきましたが、念のためにパチリとやってみると火がつきました〟と説明文にあった。

私はこのライターが好きで何年となく愛用しているが、しじゅう落っことしたり、おき忘れたりするものだから、もう何箇買いかえたことか、数えられないくらいである。貴重な思い出のしみこんだのもあるから、近頃ではすっかり用心深くなって、外出のときには持ってでないように習慣づけた。とくにアメリカ兵の弾丸《たま》よけの呪文《じゅもん》をきざんだやつなどはぜったいに門外不出である。サイゴンの町角では、いつ、どの年にいっても、呪文屋が大繁昌《はんじょう》で、あちらでもこちらでも小型モーターがぶんぶん回転していたものである。呪文には何種類かあったが、私が選んだのは、《たとえわれ死の影の谷を歩むとも怖れるまじ……》をひねったもので、《そうさ、たとえわれ死の影の谷を歩むとも怖れるまじ、なぜっておれはその谷のド畜生野郎だからヨ》という罰当たりである。雅俗混交体もいいところだが、兵隊気分はありありとでている。いつかビアフラ戦争を観察するためナイジェリアへいったとき、ナイジェリア人の情報担当官と食事して、なにげなくこのライターを見せたら、ゆっくりと読んでから顔をあげて、その人は

「典型的なアメリカ式ユーモアだ」

と呟いた。

第二次大戦中にはバイブル型の小さな鉄製のお守りを胸のポケットに入れて心臓を守ったものだと聞かされたことがある。その頃、日本兵は、水商売の女のアソコの毛を、自分ではなく誰か他人に抜いてもらってきてお守りに入れるといいんだと、中学生の私などに真顔で教えてくれたものである。鉄のバイブルだの、女の恥毛だの、罰当たり聖句だの、どの国、どの時代でも、兵隊は似たようなものである。それをバカバカしいとか、ナンセンスとかで笑殺できるのは寝床のなかで死ねる人だけである。《戦争の話を聞きたかったら歩兵に聞け》という名句があるが、そんな話のできる兵隊は、きっと体のどこかに何かをひそませている。その小さな、どうしようもない《物》にはしばしば莫大《ばくだい》な力と優しさが内蔵されていて、ちらとでも分泌をうけると、放射能のようにいつまでも体内にとどまって生きつづけていくのである。

男も卵を生むことがある

酒をよく飲む人には手術のとき麻酔がきかない。だから、酒を飲んで笑った分だけそのとき泣かされる。それは冗談ごとではすまされない。たいへんな苦痛なんだ。《断腸の思い》というやつ。これが患部から全身に鳴りひびくのだぞ。だから、飲むのはいいが、覚悟しておくべし。

ときどき人からそう聞かされた。なかには手術をして退院してきてようやくもとの戦列に復帰できるようになったのが、酒場でグラスをまえにして蒼白《あおじろ》くやせた顔で飲むべきか、飲まざるべきかと迷いに迷いつつ聞かせてくれたこともあった。

しかし、私はフム、フムといって耳を貸しはするものの、てんで感じもしなければ考えもしなかったものである。酒を飲みながら全身に鳴りひびく苦痛に思いをいたせと申されても、およそ手がかりがないのである。ことに私は手術どころか、病気になって病院に入るということが一度もなかったのだから、いくら聞かされても上の空で、マ、オ大事ニなどといってた。
しかし、その私にも、とうとうツケがまわってきて、おびただしい涙で一度に支払わなければならなくなった。六月と八月にそれぞれ一度ずつ猛烈な胃ケイレンに襲われ、それもまた生まれてはじめてのことだったので何やら不安になり、医師にすすめられるまま人間ドックに入って精密検査をうけたら、胆嚢《たんのう》にゴルフ玉大の結石があるとわかり、ただちに開腹手術をうけることになった。その結果、石といっしょに胆《きも》までとってしまったのである。とりだしてみると、〝ゴルフ玉大〟というのはいささかオーバーでウズラの卵のひとまわり大きいのか、ぶどうのマスカットかというくらいのものだったが、二年や三年でそんな大きさに育つわけはなくて、推定、十五年物かという。ウィスキーならVery Rare Oldとレッテルに書かれるところである。

開腹手術そのものは背骨に麻酔薬を注射されたうえにガスを嗅《か》がされるので、痛くもなければ、冷めたくもなく、意識そのものがすみからすみまで消去されてしまうので、ウンもスーもあったものではない。それからの醒《さ》めぎわにはちょっとほのぼのとした時間帯がある。これも痛覚がなく、柔らかくのびのびとお湯につかっているような快よさである。誰かが〝ドウデスカ〟と呼びかける声が聞こえたので、執刀医がアメリカ人のデルマー・ジョンソン先生だという意識がちらと芽生えたものだから、うつらうつら漂よいながら私は、〝No pain. I feel good〟と答えた（つもりである）。

それからだ。

うつらうつらの朦朧《もうろう》のなかで、ふいに、強烈な痛みがむっくり頭をもたげる。腹を裂くような、ねじるような、しぼるような、嚙《か》みつくような、鈍く大きく波うつのと、針の尖端《せんたん》で搔《か》きむしるのと、二種の痛みが入れかわり、たちかわり、または同時にまじりあいつつ腹のなかでのたうちまわるのだ。熱い輝やきのなかによこたわったきりで指一本持ちあげることもできず、全身に鳴りひびく怒濤《どとう》のような痛みにただゆさぶりたてられるまま。ここですぐに痛み止めの注射がうたれる。つまりそれは麻酔薬なのだが、ふつう三時間から四時間もつところが、私は二時間ももたないで切れてしまう。切れたらまたつぎのをうてばいいのだが、看護婦嬢は〝自力更生〟医学の信奉者だから、何だ、カンだと優しいことを口にしながらも、けっして妥協してくれない。するとふたたび、時間も方角もない痛みの泥と怒濤である。どれだけつづくのか。あと何時間待てばいいのか。何分耐えればいいのか。全身をじわりじわりと切りにかかり、きざみにかかる疼痛《とうつう》の大波小波。脂汗《あぶらあせ》が顔いちめんにふきだしてくるのが感じられ、大波の頂上まで持ちあげられると、気が遠くなりそうになる。失神してしまいたいと一瞬思いつめるが意地悪くそこでひきもどされて、またまた混沌《こんとん》へたたきこまれる。

　手術をしたのが午後で、それから一晩呻《う》めきつづけ、翌日になると、まだ疼痛の大波小波は去らないが、かわいい看護婦嬢がやってきて、甘えてちゃダメよ、体力をつけるのよ、さァ、ベッドに体を起して足をバタバタさせなさいとおっしゃる。咳《せき》、くしゃみ、深呼吸、笑声、ちょっとふるえただけでたちまち腹いっぱいの激痛が走るので、それが恐しくてこちらはただもう息をひそめて小人島の渚《なぎさ》にうちあげられて全身に縄をかけられたガリヴァーのようになっているのに体を起せとおっしゃるのだ。昨日、二〇センチも腹を切ったのが、今日は起きろだと。茫然《ぼうぜん》としているとお嬢さんはポンとボタンをおす。すると、ベッドのやつ、にわかにモーターの唸《うな》りをたて、ウイ、ウイ、ウイといいつつ、私をのせたままでジワジワむっくり半身を起しにかかるのである。待て、待て、待て、待ってくれというスキもない。イ。イ。イ。！!!×△・⦿□？

♀♂！!!!!!……

　全身を突ッ走る痛苦のために感情からではなくて、おそらく緊張緩和の生理的反射として、涙が、流れるというよりは両眼からふきだしてくる。そろそろと手をあげて甲でそれを拭《ふ》くが、つぎからつぎへとふきだしてきて止まらない。〝自力更生〟の理論にはまったく賛成だけれど、これはまた何とも峻烈《しゅんれつ》、猛烈なもんだった。

スポーツ・クラブにきたのか、病院にきたのかと、怪しみたくなるくらいである。外科医術のことをわが国ではその昔、『鬼手仏心』といみじくも呼んだが、明るい血色でツヤツヤと頬の輝やく、どうやらヴァージン様であるらしい白衣のお嬢さんがボタンのそばにたってにこにこしているのをこちらはチラと見たきり、うなだれてしまい、全身にとどろくこだまの重圧。これは鬼か、仏かと判じているゆとりもない。

ふつう胆石がひき起すのは吐気、めまい、さしこみ、のたうつ疼痛、背の痛みなどであるが、私の場合はこの石が育つ十五年間というもの、そんな自覚症状は何もなかった。テーブルにコロンところがされた石の卵を見ていると、つくづく人体の不思議さを感じさせられ、文字通り、度胆を抜かれてしまうのである。これだけ硬くてこれだけ大きい石コロを腹に入れたままで飲むままに飲み、食べるままに食べ、暑い国、寒い国、戦争だ、サケ釣りだと跳ねまわって何ともなく、ときにはロシア人と十二時間ぶっつづけにウォツカとジンの呑《の》みっくらをしたこともあったのだから、アレだ、コレだと思いかえしていると、だんだん、抜かれたはずの胆《きも》のあたりが冷めたくなってくる。たまにはそういう体質の人と、そういう気質の石があるので、医学ではちゃんと名前をつけ、〝サイレント・ストーン〟と呼んでいるのだそうである。

ジョンソン先生は

「男ガ卵ヲ生ムノハ珍シイデス」

とおっしゃる。

麦茶を飲んで讃美歌を

御近所に永く住んで日頃からなにかと親しくして頂いている飯高医院《せんせい》に自動車のパーツを調べるようにではなくわがボディの精密検査をしてくれる人間ドックはありませんかとたずねてすすめられたのが荻窪の東京衛生病院であった。何だかクリスチャンの宗教団体の経営する病院だということのほか、事前の知識は何もなかった。クリスチャンといっても新派あり、旧派あり、無教会派あり、新派、旧派いずれもおびただしい数の宗派があるけれど、とんと気にならなかった。私は日本人であるうえに小説家だから森羅万象派とでも呼ぶしかないのである。

いまではそれがプロテスタンの一派の再臨派に属するセヴンスデイ・アドヴェンティストと呼ばれる人びとのやっている病院だと知ったが、その教義なりお宗旨なりについてはやっぱり入院前とおなじくらい無知である。胆《きも》のあったときもなくなった今も、何も知らないということでは、まったく変りがないのである。しかし、たった一つしかない胆をここで抜かれ、それはついに死ぬまで再生することがないのだから、これを記念として、これからぼつぼつ勉強にかかろうかと思っているところである。胆に銘じて……

そういう次第だからこの病院について私は〝Why〟を語ることはできないのだけれど、そこに働らく人びとの〝How〟を語ることは、いくらかできる。つまりここの人びとが日頃いかにピューリタンであるか、その特異にして固有なるものをかいま見たので、記憶と痛覚ののこっているうちにメモしておこうと思うのである。酒は飲むまま、タバコは吸うまま、その他いわゆる七つの大罪ことごとくにおぼれるままの暮しを送ってきた男にとってはこの聖域での暮しはいささか眼を瞠《みは》らせられた。

ここへドック入りした中古船や老朽船の船長たちは初日に一室に集められて看護婦長さんから心得を申しわたされる。婦長さんは童女のような顔をニコニコさせ、口調は淡々と、禁酒・禁煙・菜食を宣言なさる。それはどこの病院でも似たものだろうと思うが、ここではそれが日頃からの信条なのである。〝医〟だけではなくて、〝信〟なのである。病室はもちろん、廊下、待合室、いっさいどこにも灰皿がない。コカコーラや週刊誌などを売る売店もない。売店らしい売店といっては〝ギフト・ショップ〟と名のる小さな別棟があるきりで、そこで売ってるのはことごとく自然食品であり、宗教雑誌であり、そうでなかったら『あなたは五日でタバコがやめられる』といった小冊子。オヤ、英語の雑誌があると思ってなにげなく横文字本をとりあげ、パラリと開いてみると、第一行から「『パパ、お酒を飲まないで！』と息子のジャックが泣いて叫んだ」などとあり、なにやらソワソワしてくる。

病室にもどると壁に額があるが、これがよくある『人生は美しい実篤』と書いたカボチャの画などではなくて、『わが体は主の霊の宿り給う宮である』など、ことごとく聖書からの引用句である。そして、禁酒・禁煙・菜食は患者だけではなく、医師、看護婦、事務員、掃除のオバサンことごとくがそうであるらしいと、おいおいにわかってくる。外人患者の姿もチラホラと見かけるが、この人たちもおなじである。でも彼らはコーヒーぐらいは飲んでるんじゃないかと、ようやく見つかった逃げ道をイヤ味ったらしく看護婦さんに申上げると、彼女はニッコリ笑い、マホー瓶を持ってきて、これですが、とおっしゃる。それを茶碗《ちゃわん》についでもらうと、何と、麦茶である。ここでは夏も冬も、黄人も白人も、みんな、年じゅう、麦茶を飲んでいるのだそうである。いわゆる〝手術後の一杯〟も麦茶である。恍惚《こうこつ》となるくらいこれはうまい。

ここで非凡なことの一つは病院直属の牧師がいることである。ドック入りして二日めくらいになると、何やらあなたは徹底した清浄の気迫にうたれてかえってはかない思いにとらわれ、そのうえ血をぬかれる、御叱呼《おしっこ》をとられる、腹を干されるでグッタリとなる。そこへ牧師が入ってきて、ニコニコと世間話などをなさるので、慰さめられるが、これがいつのまにか気がつくと、禁酒・禁煙の話となっていて、その気取らせない語り口のうまさは絶にして妙。その日の夕食はふたたび全員一室に集合し、アメリカ人の医師《せんせい》も同席して、幕の内弁当などを頂戴《ちょうだい》するのだが、その中身がことごとく精進料理であることはもうクドクドと申上げるまでもなかろう。食前に牧師が、「天の高きにましまして私どもを見そなわし給う主に……」と、お祈りを唱える。かくて善意にみちてはいるがわびしい自然食品のマナと心の糧を同時に注入されてさすが七つの大罪の諸垢《しょこう》にまみれてニタニタ脂《あぶら》ぎったあなたの首すじも、ちょっと、爽《さわ》やかな微風に撫《な》でられる。そして、この病院なら臨終になってもすぐさま天国の門がひらいてもらえるのだなと気がつくのである。

病室で寝ていると、朝な朝な讃美歌を合唱する声が聞えるので、看護婦さんにたずねてみると、あれはチャプレン（牧師）と患者がいっしょになって歌ってるんです、大きな声をだすのは手術後とてもいいんです、信仰があろうとなかろうと歌をうたうのはとても体のためにいいんです、一つ、どうですか、とすすめられる。壁からコードがぶらさがって枕《まくら》もとに小さなマイクがおいてあり、一日じゅうミュージックが低く流れているが、これにも讃美歌が入れてあることはもちろんである。

しかし、これだけは何の含みもなしに申上げておかなければならないが、この病院の看護婦さんたちはとても優しくて親切である。それは言動のはしばしににじむ、とらえようのない、〝匂《にお》い〟のようなものであって、なかなかに名状しにくいものなのだが、通算して二週間ほど暮すうちに、爽やかな、新鮮なお湯のように私の全身によくしみこんだ。じつに久しぶりに〝庭訓《ていきん》〟という廃語を思いだしたほどである。主治医の命令を守ることや戒律を実践することにかけては徹底的であり、峻烈《しゅんれつ》であって、〝医〟と〝信〟にかけたピューリタン魂が随所に跳躍するが、いたわり、思いやり、無邪気、ユーモア、いきいきとした知的好奇心などに接していると、〝医は仁術〟であって〝算術〟ではないと、よくわかるのである。つまりここでは初心が生きているらしいのである。病院からそれをぬいたらあとはメスと薬瓶とレントゲン機械があるだけ。それならどこへいってもおなじことではないか。

どうです、あなたも。

季節はずれの麦茶も悪くないですゾ。

水を飲むのは安全か？

〝末期《まつご》の水〟はいよいよ御臨終というときのものだから誰もその味を語ることができないということになるが、〝手術後の一杯〟を知っている人はたくさんいる。これまでに私はいろいろ友人から何度となくその絶妙ぶりを聞かされてきたのだけれど、いつもフンフンというだけで、耳たぶのはしに一分とひっかかったことがなかった。その水の味だけではない。病気という病気、その苦痛という苦痛を真剣に聞いたためしがないように思う。想像しようにも手がかりがまったくなかったのだから、どうしようもない。

開腹手術をしたあと三日間ほどはブドウ糖液を点滴で注入され、頭上にさかさまにぶらさがった瓶のなかで泡がプクリ、ポカンと昇っていっては割れるありさまを仰臥《ぎょうが》して眺めてすごす。痰《たん》がのどにからんで息苦しくてならないから口をあけてハァハァと深呼吸し、縫合部の強烈な疼痛《とうつう》を、あまりひどくなってくると、タオルを嚙《か》みしめてこらえる。腸がしびれたままになっているので、それが麻酔からさめて活動を再開するのを待つ。そのうちモグモグとうごめきはじめる気配があり、しばらくするとピンポン玉のようなものがグルグルとうごいていき、プスーッと体外へでていく。すなわちガス様のお出ましである。

さァ、ガスがでたというので看護婦さんがマホー瓶を持ってきて茶碗《ちゃわん》についで下さる。これが前回に書いたようにこの病院では麦茶なのである。それを恐る恐るストローで、チビリチビリとすする。ひからびきった舌とのどと、やがて全身にひろがっていくそのほんのりとしたあたたかさ。澄明《ちょうめい》に波だつその波紋の鮮やかさ。ふるえがでそうである。一杯の麦茶にこれほど深くて広大な威力がひそんでいようとは、ついぞ知らなかった。うなだれてしまう。しばらく声がでない。酒は飲みもののなかでは抜群のものの一つじゃあるが、この鮮烈な、澄明な無邪気さはない。夏の深山をイワナ釣りでテクテク歩き、渇きでのどがぜいぜい鳴りそうになったときに石《いわ》走る清水に出会って、手ですくって飲む。シダの葉が岩かげでふるえ、よく小さな、おぼろな虹《にじ》が水泡のなかにかかっているものだが、この水でも全身に戦慄《せんりつ》が走る。さてどちらの一杯に票を投じたものか。純白の枕《まくら》に頭を沈め、爽快《そうかい》な、おだやかな波に体をひっそりと揺られるようななかで、うとうとする。

山野が生無垢《きむく》のまま山野であった昔でもうまい水は少いとされていたのだが、それでも、わが国の水は諸外国にくらべて抜群にうまかったのではないかと想像する。水道の水がそのまま飲めてしかもうまいという国はめったにないものである。水道の水がそのまま飲める国はいくらでもあるけれど、たいてい舌にザラザラときたり、まろみや光沢や奥深いこだまがなかったり、荒涼とした欠落感がのこったりするものである。空港からホテルへはこばれ、部屋に入ると、まず水道栓をひねって水を飲んでみる癖が私にはあるが、その水がうまいと、何かいい国へきたような気持がしみじみと湧《わ》いてくるものである。めったにないことだけれど……

ある年、春から夏過ぎまで新潟県の山奥の銀山湖畔ですごし、毎日毎日、薬も入っていなければ鉛管もくぐっていない岩清水を飲んで暮らしたことがある。それはほんとの岩清水で、小さな沢からごく短いビニール管でひいてくるのだが、朝、顔を洗おうとして水道栓をひねると、水といっしょにサンショウウオの子供が洗面器へとびこんだりするのである。しかし、秋になって山をおりることになり、小出駅から電車に乗ってみると、ビュッフェ車がついているとわかったので、なにげなく栓をひねって紙コップで水を飲んでみたら、ムカムカッと悪寒《おかん》が胸へきた。陰惨な化学臭とザラザラの荒涼とした舌ざわりが、どうにもこうにもやりきれなかった。どこの駅で仕立てられた電車か知らないけれど、その市の水道の水をつめこんできたのだろうと思う。そして、その水は東京都の水道の水とあまり変りがないのではないかと思う。東京で暮している私は山の宿についてから飲む水に毎度、驚愕《きょうがく》を味わわされるが、すぐに慣れてしまって、二杯めか三杯めではもう差がわからなくなってしまう。その電車の水も最初は眼さきが暗くなりそうだったのに、上野駅につくころには不快も恐怖も消えて、何でもないものになってしまった。

《日本人は水と安全はタダだと思っている》という意味の名言が、かの覆面インテリ、イザヤ・ベンダサン氏にあるが、まったくそのとおりである。最近はわが国でもミネラル・ウォーターを瓶につめて売るようになったが、銭をだしてそれを買ってるのはごく一部の好事家《こうずか》かバーや飲み屋などの水商売者だけだろうと思う。水道の水があまりにひどいのでそんなものをどうしても買わなければならないというような事態には何とかなってもらいたくないが、諸外国では常識であり、常習である。水屋やお湯屋(風呂屋《ふろや》ではない)を町角に見かける国はざらにあって、水はいちいち銭をだして買いにいくものだというのは生活の常識になっている。パリでもエヴィアンだ、ヴィシーだ、ヴィッテルだと、いくつ銘柄があることだろうか。御叱呼《おしっこ》をしにあの都へいったことのある人なら誰でも知っているし、酒屋へ酒と水を買いにいった経験の持主は冷《さ》めてから紅茶をいれたら、また、ドイツで、水道の水で紅茶をいれたら、冷《さ》めてから表面にギラギラと凄《すご》い薄膜状のものが浮かんでいるのにギョッとなった人もたくさんいらっしゃることであろう。東南アジアへいった人なら生《なま》水は殺人的なのだと、くどいほど現地人に聞かせられたことであろう。

手術で禁断症状に追いこまれたものだから水道のひどい水でいれた麦茶でも至純、至高の味がして戦慄《せんりつ》をおぼえたのだが、毎日毎日朝となく夜となく、あの水道の水を平気で飲んでいるのかと、ときたま山へいってゾッとなるくらいで、そのゾッもさほど持続しない。アメリカ人のコラムニストのアート・バックウォルドは東西の政治を単純きわまる文体でコテンパンに嘲罵《ちょうば》する時事短文を書き、プラウダにもニューヨーク・タイムズにも両股《ふたまた》かけて稼いでいる当代の奇才だが、彼の文集の一つの表題は『水を飲むのは安全か』というのである。この表題を見て人を食ってるナと感じられていた時代はどうやらわが国でもとうに去ってしまったらしい。諷刺《ふうし》の題というよりはシラ真剣の題と、つい、うけとりたくなるのだから、小生も、とうとう水が頭にくるようになった。といって水がわりに酒を飲むには胆《きも》をぬかれてしまったことだし、いったいこれからさき、どうしたらいいのダ？……

またまた入る・ヒトラーか

第二次大戦がヨーロッパとアジアで終ってから三〇年の歳月が流れたが、この歳月のうちに何度か〝ヒトラー・ブーム〟というものがあった。映画と書物、ことに映画の分野では、ヒトラーの伝記であれ、ナチス史であれ、強制収容所のドキュメントであれ、あらゆる角度と発想で紹介がおこなわれ、そのたびに〝戦無派〟の若い人たちが映画館へおしかけた。いち早くこの現象に気づいた映画屋さんは、ヒトラーは儲《もう》かるというので、〝ハイル・ヒトラー〟をもじって、〝入る・ヒトラー〟と仲間うちでひそひそいいかわすようになった。

アメリカには〝オーディオ・ラリティース〟という録音レコード専門のレコード会社がある。世界じゅうの有名オートバイの爆音だけ集めたレコードだの、七つの海の渚《なぎさ》の波音だけを集めたレコードだのと、それぞれその道のマニアのための録音集を制作している社である。その一つとして〝ヒトラーの地獄〟という一枚がかれこれ十五年前頃にでた。初期のヒトラーの演説から最後はニュルンベルク法廷、〝有罪か無罪か〟とたずねられてゲーリングが傲然《ごうぜん》と、たたきかえすように〝無罪！〟と返答する声までが、軽快で潑溂《はつらつ》としたナチス党歌の合唱などをまじえて入れてある。耳で聞くナチス史としてはまことによくできた盤で、私もアイヒマン裁判の前後に自宅で参考資料としてよくかけたものであった。

この第一集がベスト・セラーになったものだからその会社はいそいで第二集を発売したが、いい資料はみな第一集に入れてしまったので、あまり出来はよくなかった。しかし、第一集がベスト・セラーになるくらいだから、やっぱり〝入ろ・ヒトラー〟現象は世界的であるらしいなと見当がついた。

チャーチル、スターリン、ルーズヴェルト、ド・ゴール、それぞれ当時、救国の英雄と仰がれたＶＩＰたちなのに、誰もヒトラーほど蒸しかえし蒸しかえしあの世から呼びもどされる人気を持っていないらしいのが奇妙なところである。嘲罵《ちょうば》され、憎悪《ぞうお》されつつもヒトラー一人がいつまでたってもおびただしい数の人びとを映画館や書店にひきつけてやまない磁力の持主であるらしいのはどういうわけだろうか。無名の一人の伍長《ごちょう》が徒手空拳《くうけん》で一帝国を築きあげ、北欧からアフリカまでを制覇し、三〇〇〇万人から六五〇〇万人とかぞえられるめくらむような死傷者を生みだし、やがて出発点のゼロにもどって去っていくという一生が、ちょうど朝陽から夕陽までを見るような、勃起《ぼっき》から射精までを見るような、いっそあっぱれといいたくなる完結性を持っているからだろうか。

何事であれ、いっそやるならトコトンやれという世界じゅうの男をとらえてはなさない深層の願望にこたえてくれるからだろうか。あるいはゴキブリのような毎日のきまりきった暮しにうんざりしている男たちのこれまた深層にうずくまる破壊衝動を思いっきりみたしてくれるからだろうか。

ミュンヘンへいって日本人と見るとドイツ人がよってきて、親しげに微笑し、今度はイタリアぬきでやろうなと物騒なことを冗談ともマジメともつかぬ口調で話しかけるという噂《うわ》さは海外渡航が自由になったとたんに流れてきたが、私も二度か三度やられた。一度は「ドイツと日本がもっと地理的に近かったら第三帝国の運命は変っていたでしょうね」とタクシーの運ちゃんに真剣な口調でやられたのだが、この人は右手が肘《ひじ》のところで切断されており、義手をハンドルにくくりつけて運転しているのだった。聞くと、モンテ・カシノの戦闘のときにやられたのだという。〝バイエルン気質〟と呼ばれる諸性格のうちの猛烈、または不屈、または性コリのなさ、その一端をまざまざと見せられる思いをした。しかし、『第三帝国の興亡』という名著を書いたシャイラーはその精細で長大なドキュメントの最終部で、敗戦後廃墟《はいきょ》と化したベルリンを飢えに苦しみつつドイツ人はさまよい歩きながらも戦争そのものをさほど後悔している様子を見せてはいなかった、という意味の観察をさりげなく一行、書いていたはずである。だから、ミュンヘンだけを注視するのは、ひょっとしたら誤っているかもしれない。

家庭や、バーや、レストランで私が話しあったドイツ人は、ナチスのことをたずねてみると、さりげなく話題を変えるか、胸苦しい沈黙におちこむか、そうでなかったら、ヒトラーにだまされたのだとつぶやいた。一時代たってふりかえってかつての時代のことを自由にしゃべれるようになると、ひどい目に遭わされても、遭わされなくても、たいてい人民は、だまされたのだとつぶやくのが、石器時代以来の避けようのない習慣のように見える。ヒトラーは『我が闘争』のなかで、政治宣伝の本質をあけすけに語り、大衆というものは女に似たところがあるから、アレかコレかと選択に迷わせてはならないのであって、たった一つ、コウだということを繰りかえし繰りかえし徹底的にたたきこまねばならない。大きな嘘《うそ》には何かしら人をして真実と信じこませるものがあるのだ、と書いている。恐るべき名言である。諸君、オレはこれから君たちをだましてやるぞと宣言したようなものだ。その宣言が当時のドイツでは超々べストセラーになったのである。つまり、彼は手のうちをさらけだしてから白昼堂々と完全犯罪をやってのけたようなものである。あの手この手と考えに考えたあげく《正直ガ最善ノ策》と思いきめた、その結果であろうかと、つぶやきたくなるほどである。英雄伝と悪漢伝はしばしば皮一枚の差しかないのだが、当時のドイツ人の眼を借りて眺めると、ヒトラーは両方を徹底的にやってのけたのだといえるだろう。彼はけっしてドイツ人をジッとさせておかなかった。つぎからつぎへたえまなく新しい刺激を人民にあたえて情念の大動員をやりつづけた。そのダイナミズムは空前のものであったが、運動のための運動、エネルギーのためのエネルギーだというのが本質であったように思える。その結果として、あの空前の災禍が発生した。その結果としてドイツは二つに分割された。その結果として西ドイツは〝奇蹟〟の復興と繁栄を獲得し、マルクはドルを追いぬき、ドイツ人はゲルマン史上はじめて〝甘い生活〟に浸ることとなった。

時間がたてばたつほど歴史というものは何が何だか、わからなくなってくるということなのだろうか。またまたまたヒトラーが映画館に呼びもどされそうな気配なので、入るまえにちょっと考えにかかったのだが、たちまち朦朧《もうろう》が頭にたちこめてきた。やれやれ。これでは顎《あご》が出る、出す、出む、出ん。

飲むならサロン・パリかオツネンマイだ

〝南西諸島〟という字を見ると、さしあたって沖永良部《おきのえらぶ》島などという名が浮かんでくるが、ほかにいくつも島はある。そういう島はサンゴ礁《しょう》にかこまれていることが多く、港ができないので、鹿児島あたりから大きな船がくると、礁《リーフ》の外に停泊する。島から人びとは小舟にのりこみ、手漕《こ》ぎで漕いで礁の外へでていき、荷と客をうけとる。さきに荷をつみこんでから、つぎに客をうけとることになるが、波がやってくるのを待ち、小舟が波にのせられていちばん高く持ちあげられたところを見て客はピョンと跳ぶ。島人たちはニコニコ笑い、ヤイ、ヤイと声をあげてよろめく客の手をとる。〝ヤイ〟はここでは嘲罵《ちょうば》ではなく、歓迎の言葉なのである。

リーフの内部は塩辛い湖といってよいほどの澄みきった静穏な浅海である。晴れた空にはいつもおなじ場所におなじ形でと思いたくなる積乱雲の白い峰や城がそびえ、島はひっそりと静まりかえり、ガジュマルの林が壁のようにつながっている。渚《なぎさ》にはその緑と白い砂のほかに何もないと、すぐ眼が思うが、壁、家、屋根、電柱、自動車などにさえぎられることに慣れた視線はかえって不安をおぼえる。足跡もなければ汚《し》みもない砂を踏んでいくと、やはり鮮烈と不安をおぼえさせられる。そんな静かな、清潔な始源の渚にとつぜん、たった一軒、小屋が建っている。小屋の屋根は波形トタン一枚だが、そこに片仮名で字が書いてある。

《サロン・パリ》と書いてあるのだ。微苦笑をこらえつつ小屋に入っていくと、バーだとわかる。よく陽焼けした、甘栗《あまぐり》のような丸顔の、眼の黒い娘がでてきて、はにかみつつ微笑する。酒を、というと、大きなシャコ貝をとりだし、そこへ一升瓶から黒糖の焼酎《しょうちゅう》をなみなみと注いでくれる。シャコ貝の殻には底がついてないから、両手で持たないことには酒がこぼれてしまう。一滴のこさず飲み干してしまうまで両手で持っていなければならない。つまりそれは南方の馬上盃《ばじょうはい》である。黒糖からとった焼酎は素朴な酒で、口あたりは柔らかいけれど、シャコ貝一杯分を飲めば、弱い人ならたちまちくたばって寝こんでしまう。娘はそれを見て、いいお客さんだとよろこぶ。

そんな島があるのだと、いつか奄美《あまみ》大島の名瀬《なぜ》へいって島尾敏雄さんと酒を飲んでいるときに教えられたが、まだ私は訪れていない。その島の名を聞かされたのに忘れてしまった。どこかしらシュペルヴィエルの『沖の小娘』を思いだしたくなるようなのだが、島尾さんの話を聞いているうちに、ありありと光景が見えた。《サロン・パリ》などという字は東京では垢《あか》と脂《あぶら》にまみれきって睫《まつげ》毛にもひっかからないけど、そんな島の、そんな渚に下手なペンキでとつぜんあらわれたら、さっと両手の荷物をおとして大声で笑いだしたくなるだろうと思う。いつごろからか私は銀座でも新宿でも飲まなくなり、酒場のツケをいっさいがっさい清算し、人からも誘われず、人を誘うこともなく、飲むとなればもっぱら部屋にたれこめて一人でチビチビと大酒にふけるようになっていたが、夜ふけの壁を眺めていると、ときどきこの晴れた島と小屋と字が見えてきて、ひととき愉《たの》しかった。これはやっぱり酒を飲む場所として最高のものの一つだと思う。はるばるでかけていって現場にたつよりはこのままにほっておくほうがいいように思う。遠きにあって夜の壁を眺めつつ想像とたわむれているほうがいい。

真冬に知床半島へでかけると、羅臼《らうす》の小さな町は軒まで雪に埋もれている。その雪は札幌や小樽のように煤塵《ばいじん》でまッ黒になったり、ぬかるんでびちゃびちゃ膿《う》んだり、雪やら泥水やらけじめがつかなくなったりしていないで、結晶の角という角が刃のように鋭く尖《とが》っている粉雪である。吹雪を正面から浴びると顔いちめんが傷だらけになるかと思いたくなるが、服についたのはパッと手で払うと、サラサラ落ち、濡《ぬ》れもせず、からみつきもしないのである。そして、ここで吹く風は、これまた風そのものである。羅臼は背が山で腹が海だという狭い狭い荒磯の町だから、風は山から吹こうが、海から吹こうが、家鳴り震動のすさまじさである。巨人が空にたちはだかって力まかせ気まぐれに足踏みするかのようである。ちゃちな旅館のフトンのなかでその物凄《ものすご》い音を聞いていると、いまにも屋根が剝《は》がれ、柱が折れて、フトンごと空へ持っていかれるのではあるまいかという気がしてくる。

風のおさまった夜に飲み屋へでかける。凍《い》てついた道に足をとられないよう、一歩一歩踏みしめてゆっくり歩いていき、雪の壁のなかに灯のある穴を見つけ、ガタピシのガラス戸を手繰って店内へ入るのである。土間にはスコップだの、自転車などがおいてあり、壁には藁靴《わらぐつ》、古鉄砲、ちぎれちぎれのクマの毛皮、トドの皮などが無造作に釘《くぎ》で張りつけてある。煤《すす》けた低い天井からは飴色《あめいろ》にテラテラ光る干し鮭《ざけ》や、ニシンやホッケの干物の束がぶらさがっている。ここはルンペン・ストーブとタバコと人肌であたたかいが、裏の便所へいってみると、これがなつかしい古式一穴落下法。足と足との間から壺《つぼ》をのぞいてみると、闇《やみ》のなかに白い尖塔《せんとう》のそそりたっているのが見える。すなわち雲古が凍ってモンブランになり、その表面に御叱呼《おしっこ》が磨きをかけて、カチンカチンの氷の塔になっているのである。便所のすみっこには先端の尖った古鉄の棒がたてかけてあるから、塔が育ちすぎて穴からでてきそうになったらそれで砕きなさいというのである。ためしにやってみるとカンカンと音がして何の匂《にお》いもしない。

部厚いナラの古材の削りっぱなしに肘《ひじ》をついてやおら飲みにかかるが、場所が場所だから甘ったるいベタ口よりはキリッとした辛口でいきたい。それがないのならいっそ焼酎のほうがありがたい。ジワジワと腸の襞々《ひだひだ》から熱が全身にまわっていくのを感じつつ壁ぎわを見ると、天井まで幾袋ともなく米袋がうず高く積みあげてある。すなわち、越年米である。冬籠《ごも》りの食料である。一年の労働の果実である。これは〝エツネンマイ〟といわないで〝オツネンマイ〟と呼ぶのが正称であり、通《つう》であると教えられる。どっしりとした米袋の壁に守られて酒を飲んでいると倉のネズミか穴のクマになったようだが、人、酒、家、海、山、風、ことごとくが元素に還元されたような、すみ簡樸《かんぼく》で剛健で渋いけれど壮《さか》んな男のあたたかい血の音にかこまれているような、すみずみまでしみじみとした安堵《あんど》がひろがって、いつまでもすわりこんでいたくなる。

南か、北である。飲むなら。

黒眼鏡が、いきなり倒れるとき

阿堵物《おかね》がほしいのと息ぬきの小さい旅行がしたいのとで、毎年、某社の講演旅行にでかける。小説家のあいだでのいわば〝業界用語〟の一つに、講演が上手になると小説が下手になるというのがあり、かなり的を射た戒語だと思うので、この社の旅行をのぞいてはほとんど引受けないようにしている。聞いている人にとってはどうなのか、まるで見当のつけようがないが、何回やっても、演題をいくら変えても、どこへいってやっても、高い所へあがって多勢の人をまえにすると、頭と眼に濃霧がかかったみたいになり、何をどうしゃべったものやら、まったく手がかりがなくなってしまう。講演旅行に出発する東京駅や羽田空港からすでに腹が崩れて下痢がはじまり、会場の講師控室というのに入ると二度も三度もトイレへかよい、とことん腸をからっぽにしてしまわないことには不安でならないのである。

私は話術を職業としているのではないのだから出たとこ勝負のいきあたりばったり

で話すことにし、それ以上ではないと覚悟をきめ、乱調の調というものもあるんだと内心いい聞かせて時計を片手に演壇へでていく。カスんでうるんだ眼にチラと客のなかにノートをひろげている人があるのが映ったりすると、もう狼狽《ろうばい》してしまって、演題はテーマも細部も一瞬で霧散してしまう。しかもどういうわけか近年はあちらこちらでそういう人を見かけるようになり、恐怖ですくみたくなる。

あらぬことを口走るのだという意識が頭にお釜《かま》のようにかぶさり、心にじくじくと膿《うみ》をにじむものだから、その羞恥《しゅうち》を消すためにいろいろな反射がはたらく。いつか松本清張氏といっしょに九州へいったときは、前後一週間ほど、ずっと氏と英会話を交わしてすごした。これは羽田空港で氏が冗談半分に提案したのを名案だと思って、うけてたったのだが、氏はなかなかの英語使いなのである。文学、政治、男女関係、テーマが何であってもヴォキャブラリーが豊富で、つぎつぎと枝をのばし、葉をつけ、どこまでもしぶとく食いさがってくるという特徴がある。流暢《りゅうちょう》だというのではないが、話題をどんどん展開して狩りたて追いたてしていく気魄《きはく》が背後にあり、しばしばたじろがせられるけれど快よいのである。ほとんど酒の力を借りず、ジュースを片手に座談を愉《たの》しむという点では広津和郎《かずお》さんによく似ている。

けれど氏も、いつもいつも明晰《めいせき》なわけではない。帰途に日航に乗ったら機内でやっぱりジュースを片手に、正確な英語で、いつかいっしょにヨーロッパへいこうじゃないか。そしてホワイト・ホースに乗ろうじゃないか。君はそういう場所をよく知っているであろう。私をつれていきなさい。ヨーロッパには二、三度いったけれど、いつも新聞記者といっしょだったから私は偽善者として旅をしたのだ。つぎは偽善者であることをやめたいのだ。いいか。わかりましたね。そういって何やらギロリ、眼を光らせて微笑なさるのだが、私はダービーかロン・シャンの競馬場へつれていけとおっしゃってるのだと解し、それにしては何故《なぜ》、競馬を見にいくことが偽善でないのかと、しきりにいぶかしんだ。白馬に乗りたい、乗りたいといって、けっして買いたいとはおっしゃらないのだから、それも競馬の話としては不思議な朦朧《もうろう》であった。

これも九州へいったときのことだったが、野坂昭如《あきゆき》がいっしょだった。彼は講演をしなくてものべつチリチリいらいら羞《はずか》しがったりその反射として居直ったりしているのではあるまいかと思えるフシがあるが、何しろ朝から晩までサン・グラスの濃いヤツで眼をかくしているものだから、つかみようがない。皮肉にねじれた唇は生得のものと思えるが、それと頰の歪《ゆが》みぐあいで陽炎《かげろう》のような気分の変転を察するしかないという仕組みになっている。いつか彼と小松左京と私と三人でサウナ風呂《ぶろ》に入ったことがあるが、彼はスチームと熱が朦々《もうもう》とするさなかでもサン・グラスをかけていた。裸になったところを見ると、手首と胸になかなかいい剛毛が生えていて、ハハン、これがポアン・ド・シャルムかと察しられるのだが、ごく一部だけである。あとはツルリとして何も生えていない。妙な毛である。

シャツの袖口《そでぐち》と胸もとをちょっとひらいてこれをのぞかせる。ちょっとだ。それ以上ひらくと何もないのがバレる。そこを注意しなければいけないので気苦労だ。プレイボーイ元祖はそう説明したあと、口早に

「つまりおれのは上げ底の胸毛やねン」

といった。

某市（特ニ名ヲ秘ス）で講演をしたとき、彼がさきにでて、私があとにでた。どうにかこうにか話を終って控室にもどってくると、お二人のファンだと名のる土地の有力者のマダム二人が楽屋へおいでになりましたが、野坂先生が一人をつれてキャバレへおでかけになり、そこで待ってるとのことですと、教えられる。いってみると、がらんとした、薄暗い、水族館のようなキャバレで野坂が二人の妙齢の女を相手にしきりに談じこんでいる。よっていくと彼がたちあがり、耳もとに口をよせてセカセカと早口に、おまえに一人わけてやる、オレは猥談《わいだん》をするから、おまえはブンガクのきれいなとこでいけという。そこで、何とかかんとか話しあっているうちにマダムたちは

ようやく昂揚《こうよう》してきて、場所を変えましょうということになり、たいそう豪華な、閑散としたバーに繰りこんだ。

バーのカウンターに肘《ひじ》をつき、明るい灯のしたで二人のマダムの顔を見ると、眼じりに消しようもない鳥の足跡がまざまざときざみこまれ、微笑はおなじだが顔が一変している。ヤ、と思ったとたん、野坂がいきなり大きな音をたてて椅子《いす》からころげ落ち、床《ゆか》をころげまわった。胸をおさえ、ゴロゴロころげまわり、音をたてて吐いたり、あえいだり、咽喉《のど》を気味わるくグビリと鳴らしたりする。そしてあえぎあえぎ、低い声で、オレ、何やしらん、気分わるうなってきてン、急におかしなってン。タクシー呼んでんか。わるいけどさきに帰るワ。そういいつつもゴロゴロころげまわって、のたうって、上等の背広を悪ていねいに埃《ほこり》まみれにするのだった。二人のマダムはそのまわりでうろうろと立騒ぎ、どうしたのかしら、いままで元気だったのに、などと、真剣に心配していろんなことを口走っている。そのうちタクシーがやってくると野坂はくそていねいにグビグビやりつつ肘で床を出口まで這《は》っていって消えた。

一瞬の知覚が瞬後に行動に直結する花火のような例をはしなくも私は目撃したのだったが、アホらしさがつきていっそアッパレと思いたくなった。おかげでそのあと私は三軒ハシゴをし、二人の残香たっぷりのマダムを相手に焼酎《しょうちゅう》を飲みつづけ、宿に帰ったのは朝の三時であった。廊下を通りつつ隣室をチラとのぞいてみると、机に原稿用紙をひろげ、野坂はやっぱり黒眼鏡をかけて蒼白《そうはく》な蛍光灯のしたで寝ていた。

巷《ちまた》の美食家たちは厚いものを食べる

いまからもう二〇年も昔のことになるが、大阪生れ、大阪育ちのものがはじめて東京へでてきて、はじめてウドンを食べたときには口もきけないくらいびっくりした。その途方もないマズさにである。関西育ちの人間が東京へでてくると誰しもがきっと一度はくぐる驚愕《きょうがく》の門を私もくぐったわけである。

バナナ屋さんにいわせるとどれだけトロリとしたバナナがあるかでその国の文化の程度がわかるそうだし、香辛料屋さんにいわせると、これまた、どれだけ豊富な香辛料を使ってるかでその国の文化の水準がわかるそうである。このデンでいけば、マッチ屋、名刺屋、×屋、△屋、□屋、みなそれぞれ似たことをいいだすだろう。事実それぞれの業界では道によって賢き人びとがそういいあっているようである。

一国の文化の程度だの、水準だのというものは容易に語れる筋あいのものではない。めいめい自尊心から勝手なことをいってるだけのことで、微笑《ほほえ》ましいといえば微笑ましいけれど、それだけのことである。一国の文化の水準をバナナで計ってみたりマッチで計ってみたりする人間がどれくらいいるかでその国の文化の水準がわかると、どこかで誰かに低く笑って呟《つぶや》かれそうな気がするくらいである。とっくにそういわれてるんじゃないの？

こんなまずいウドンに平気でいられる東京という町の文化の水準は、と一度は私もいいかけたことがあったけれど、当時、ソバとにぎり寿司《ずし》とウナギと中華料理には脱帽したことがあるので、それは口に呑《の》みこんでしまった。東京のうまいソバと大阪のうまいソバをくらべてみたら、当時、これはもう一も二もなく東京の勝であった。一度で私はこりてしまったのでそれ以後二度と東京のウドンには手をださないようにしているが、ひところある町のある店の鍋焼《なべやき》ウドンばかりを食べつづけたことがあった。何年おきか何カ月おきかに私はその町の一隅で居候《いそうろう》暮しをする習慣だったから、ちょっとは味が変ったかしらと思ってためしてみたのだったが、いつまでたっても徹底的におなじであった。何でもかでもこれだけあわただしく変貌する東京都内でその鍋焼ウドンの味（うまいとは一言もいってないヨ）だけは徹底して変らなかった。閉口しながらもいささか脱帽したものであった。その心臓の強さに……

東京のウドンも大阪のウドンも、ウドンはウドンなのだから、値はだいたいおなじようなものだろうと思う。東京のウドンはダシを丼《どんぶり》にのこすが大阪のはダシごとすすってしまうのだから、これはスープ・ヌードルとか、中華風なら〝湯麵《タンメン》〟と呼ぶべき性質のものであるだろう。すると、あれだけまずい、お粗末なダシしか作らない東京のウドンが値だけは大阪とおなじなのだから、東京のウドン屋は大阪のウドン屋にくらべてずいぶんと儲《もう》けがちがうはずだと私はかねがねニランでいるのだが、どんなもんだろう。どうも店内に漂うものからすると大差ないといいたいのだが、そこのところがちょっとわからない。

大阪のウドンといったところで、いまは一軒ずつめいめいのオッサンなりオバハンなりが鼻をすすりすすりダシをつくるのではなくて、何やら石油罐《かん》につめられたダシの素を買ってきて、それを薄めたりなんかして使うから、どこで食べてもおなじ味である。東京では牛丼《ぎゅうどん》の罐詰というのが業者用に売られていて、オジサンは註文があるとそれを湯にほりこんであたためてからオープナーで罐を切ってホイと御飯にぶっかけ、ハイといってさしだすのだから、東西ともにいい勝負である。

大阪の南区順慶町にウドンで有名な一軒があって、その店はウドン玉をいちいち自分のところで作るし、ダシもあらゆる材料を吟味しぬいたものを買い集めて作る。ウドンの値そのものは他の店のとほとんどかわらないから、この店の儲けはどうなるのだろうかと思わせられる。どれだけ材料集めに苦心しているか、ちょっと書きだしてみる。


水…浄水器でカルキ臭をぬき、一晩、不思議な石を入れておく。

小麦…讃岐《さぬき》、播州《ばんしゅう》、石見《いわみ》産。

砂糖…北海道のビートからとったのと阿波の和三盆。

塩…やむなく専売局製造のもの。

醬油《しょうゆ》…別註《べっちゅう》の天然醸造の上澄み。

酢…酒からとったもの。

味醂《みりん》…土中で三カ月自然醱酵《はっこう》させたもの。

カツオ節…屋久島、種子島あたりでとれるカツオの本節を本燻製《くんせい》し、わざわざカビを生やしたもの。

コンブ…北海道産。元揃《もとぞろ》いの黒。夏の土用入りにとったもの。


どれがどういうぐあいに同種の他のものと違うのか、コンブもカツオも、まったく私にはわからないのだが、ただその店で以前に食べたキツネのうまさが舌にまざまざとのこっているものだから書きだしてみたまでなのである。当時から頑固なことでは有名な店だったからいまでもこんなふうに秘儀めく苦心にやせる思いをしているのではないかと思いたいのである。たった一杯のウドンの味を五年たっても十年たっても忘れさせないでおくためには裏にこれだけの苦心の厚さがいるのだということもおぼえておきたいのである。

麺《めん》は東南アジアのいろいろな町で厚い出来（麺が太いといってるのではないヨ）のを食べたが、安くてうまい店を見つけるのはなかなか容易ではなかった。輪タク、オートバイ、占師、娼婦《しょうふ》、乞食《こじき》、兵隊、巡査、タバコ売り、新聞売り、エロ写真売り、チェンマネ屋（ドル交換屋）、カウ・ボーイ（かっぱらいの不良少年）、新聞記者、ポン引、モツ屋、本屋、サンドイッチ屋など無数の屋台。これらが強烈な日光とドブの甘い匂《にお》いと魚の腸のねっとりむれた匂いのたちこめるなかで右へ左へとひしめく。その猛烈な混沌《こんとん》をジッと観察して一軒また一軒、一台また一台と麺家や屋台を食べてまわれるのはなかなかの愉《たの》しみであった。東南アジアにはいろいろな種類の麺があり、日本のキシメンにそっくりのものもちゃんとあるが、丼のなかでグッタリとならず、シャキッと腰の張ったのをまっとうな、厚い厚い出来のスープからひっぱりだして、全身をカサブタとヒゼンの白い皮で蔽《おお》われた乞食と肩を並べて食べ、しかも一度も吐気をおぼえないというところまで自己鍛錬をするには、いささかのものがいる。

赤ン坊の蒸し物　酒飲みの煮込み

飢えからか、迷信からか、ゲテ食いの果てにか、とにかく何かの理由から人が人を食ったという経験はこまかくしらべてみればたいていの民族が持っている。戦争になるとどの民族も残虐《ざんぎゃく》行為に走り、そのやりかたは千変万化するが、とどのつまり、どの民族がどの民族よりもすぐれて残虐であるなどといえなくなるのとおなじように、喫人の経験なり、歴史なりを持っているからその民族がとくに他より野蛮だとか、残忍であるなどとは、とてもいえなくなってくる。

昔の中国。南朝の梁《りょう》代。ある将軍がクー・デタを起し、軍隊で南京《ナンキン》を包囲して兵糧《ひょうろう》攻めをやった。官、軍、民、あわせて十余万人が城内にたてこもったが、やがて食物に窮してウマ、ネズミ、スズメなど手当り次第に食べ、ときには鎧《よろい》をぬいでその革を煮こんで食べたりしたが、尨大《ぼうだい》な数の死者がでて、その死体からでる爛汁《ただれじる》が溝からあふれたという。この将軍はやがて南京を降服させて手に入れるのだが、のちに捕えられて殺される。すると、恨み骨髄の人民は将軍とその妻の肉を食べ、それでもまだ足りなくて、骨を焼いて灰にし、酒に入れて飲んだと伝えられている。こういう挿話はざらにあるし、激怒の表現としてはさほど不自然に感じられない。食べチャイタイワと女がいえば讃辞になるが、食ッチマウゾと男がいうと、ほんとにやっちまうのである。

唐代には喫人はふつうにおこなわれる食習慣であったらしい。飢饉《ききん》や戦争のときだけでなく、つまり追いつめられたあげくに喫人するのではなく、あえていえば趣味、または嗜好《しこう》としてそれをおこなったらしい。ある盛大な盗賊は二〇万人の輩下をつれて東に西に流れ歩き、いたるところで喫人した。女や子供を料理して野郎共に配ってた食べさせ、本人ももちろんよろこんで食べたが、とくに赤ン坊の蒸したのが好物のメニュであったらしい。牛でも豚でも仔《こ》のうちは珍味中の珍味で、スペインでもタヒチでも丸焼、また、丸のままの蒸焼きにするのが御馳走《ごちそう》である。マドリッドへいったら《カサ・デ・ボチン》という店がこれの専門だから是非訪れられたし。だからその山賊が赤ン坊に眼をつけたのは、的を射てるといえそうである。しかし、この先生、いつもいつも赤ン坊の蒸したのを食べていたわけではなさそうで、人間ッてどんな味がするもんですかとたずねられ、〝酒飲みの肉が一番だな〟とも答えている。

則天武后《そくてんぶこう》の時代に杭州《こうしゅう》の一人の警察関係のエライさんは、これまた喫人が好きで、借金取りがやってくるとそれを殺して食べ、ついでにその従者も食べ、まだ足りなくて未亡人にまで手をのばしかけたところ、逃げられてしまい、そこで発覚して、捕えられ、死刑になったという。さきの盗賊が赤ン坊や酒飲みに眼をつけたのはなかなかの食通だと思いたいが、借金取りとその従者などはかなりゲテ趣味のように思える。食われたほうは文字通り元利まるごとイカレちまったわけだが、食ったほうはあまり消化《こなれ》がよくなかったのじゃないか。それとも、頭痛の種が消えて、ああ、これでスッとしたと呟《つぶや》いたか。

ほかにも死んだ召使いを食べたのや、人に人肉の味をたずねられてついうっかり、〝あんな生臭いもん、食えるかい〟と答えたのや、人肉を食べると人が眼をさまさないからというジンクスを信奉してこれを常食にしていた七人組の泥棒など、いくらでも例があるらしい。黄巣《こうそう》の乱のときには人肉工場があったというのである。賊が特設工場をつくり、数百の臼《うす》をならべ、善男善女を生きたままそこにほりこんで砕き、ゴロゴロとひいて骨ごと食べたそうである。くわしいことはわからないけれど、肉を骨ごと食べるというのはちょっと珍しい。豚の肋骨《ろっこつ》についた肉を骨ごと焼くのは西洋料理にも朝鮮料理にもあるけれど、あれは骨から歯で肉を剝《は》がして食べるのであって、骨のほうは捨てるのである。ところが、この賊たちは人肉を骨ごと食べたというのだからカルシウム分の多い、歯ごたえのあるハンバーグといったところだろうか。

話が物凄《ものすご》いのでいささか戯文めかして書いたけれど、これはみな篠田統《しのだおさむ》『中国食物史』（柴田書店刊）からの引用である。これは労作であり大作である。原人以来の華国の食習慣の変遷《へんせん》の歴史をたどった稀書《きしょ》であり、奇書である。それをずっと読みたどって唐代まできて喫人の挿話をいくつも教えられた。ちょうどそのとき、過日の『人を食う』座談会があり、佐伯彰一《さえきしょういち》、野坂昭如《のさかあきゆき》の両氏に是非紹介しようと思ったのだが、機会を失してしまったのでちょっと遅れたけれど補遺としていま書いておくのである。座談会というものにはザルで水をすくうようなところがあって、おしゃべりをすればするだけ洩《も》れ落ちていく。あとになってからいつもいらだたしい思いをさせられるのだが、どうしようもない。部屋をでて階段の踊り場にさしかかってから、シマッタ、あれをいうのだったと唇を嚙《か》むことを《エスプリ・デスカリエ》と呼ぶが、どうやら私はいつも踊り場でいらいらしているようだ。

東京都の雲古を舟で房総沖へはこび、そこを流れている黒潮の本流に捨てる。ヘリコプターから眺めるとそこに黄いろい島ができたように見えるけれど、たちまち流されて消える。その雲古からプランクトンができる。食物連鎖の第一環である。そのプランクトンをイワシが、そのイワシをカツオが、そのカツオをカジキがと、とめどない食いあいがはじまるのだが、人間はプランクトンをのぞいて第二環以後のすべての魚を食べる。そして、ときどき、マグロの中トロをつまみつつ、生きることの息もつけない濃密さにおびえてか、どこかでおれはひょっとして人を食べているのではないかという予感におそわれる。しかし彼は眼前に形のある事物をのぞいては濃密な思考がおこなえないから、たちまち忘れてしまう。予感は閃《ひら》めきだけで終り、発火しない。

しかし、地球大でこれを眺めれば、厖大《ぼうだい》な数の飽食にふけっている人口と厖大な数の飢餓にあえぐ人口があるのだから、飽食族が飢餓族を形式を変えて、見えない形式において喫人していること、これはもう明白な事実である。ヒトが鼓腹撃壌してお上《かみ》なんざ知ったことかいとアナーキーの至福を歌えたのは伝説の堯《ぎょう》帝時代だけで、あとは連綿として一社会、一国内部で、制度からか信教からか、それぞれあらゆる民族が事物の見えない喫人をしつづけてきた歴史はいまだに書きかえられていない。そうすると、ヒューマニズムだの、連帯だのを口にせず、いきなり赤ン坊の蒸し物にかぶりついていた例の盗賊のほうがいっそ率直ですがすがしいということにさえなりかねないのである。今年の正月はフトンにもぐりこんでゆっくりこの本を読んですごそうかと思う。
何を食べて？……

深夜に男の声がする

正月。

部屋にたれこめて寝て暮す。『中国食物史』を何頁《ページ》か読んではウトウトと眠り、さめるとまた何頁か読んで、ウトウト。枕《まくら》もとのスタンドはつけっぱなしのままである。これはもう何年もの毎夜の習慣で、いちいち手をのばしたり寝返りをうったりしてスイッチを点滅するのがめんどくさいということと、眼がさめたときにすぐさま本が読めるのがありがたいのである。明るいところでは眠れないという人や、なかには妙な黒マスクをかける人があるけれど、あんなものは私にはかえってわずらわしくていけない。

さすが正月である。家をガタガタふるわせてかけぬけるダンプもないし、遠くのひきもきらないエンジン群の潮騒《しおさい》もない。ときどき子供の笑声や歌声が聞えてくるくらいである。白い紙障子に午前中は明るく清浄な陽が射《さ》し、新しい水を入れた池のように映えていて、何かの声のない歓声があたりに湧《わ》きたっているようだったが、正午すぎてしばらくすると、もう影がひろがりはじめて部屋のなかが薄暗くなり、私はおだやかな池の底によこたわっているかのようである。今日はどこへも年始にいかず、年賀状はきたのを読むだけで、誰も年始にくる人はないとわかっているから、このままふたたび眠って夜へすべりこむつもりである。甘い、あたたかい泥のなかで眠る川魚のように眠りこむつもりである。この三日間の仮死に似た静謐《せいひつ》は何といってもありがたい。〝天与〟といいたくなるくらいである。

ウトウトしながらたわむれに諸外国での正月を思いだしてみようとするが、西ベルリンの暗くて凍った洞穴さながらの横町やパリのキャフェのギッシリと露で濡《ぬ》れたガラス扉が見えるくらいである。クリスマス前夜の記憶ならいくつもあって、豆電球がキラキラと点滅するどこかの飾窓や、ノートル・ダム寺院をみたしていた少年合唱団の荘厳《そうごん》な噴水のような声の湧《わ》きたち、たくましいゴシックのドームにひそむ森さながらの闇《やみ》などがありありと見える。けれど正月となると、食べた物の思い出すらない。まったくないわけではないけれど、それはいつでも作ったり食べたりする御馳走《ごちそう》であって、わが国のように正月でないとお目にかかれないというものではなかった。《ボン・ナンネ》、《ノイ・グート・ヤール》などと、舗道の人ごみのなかで聞えた挨拶《あいさつ》のいくつか。くぐもったのや、ちょっと明るく炸《はじ》けたのや、億劫《おっくう》そうなの。ときどきそれらが泥のなかの私の耳もとによみがえるくらいである。

正月は仮死ときめこんで久しくになるから、私はどこへも年始にでかけないし、年始客がくることもない。みんな日頃、顔をつきあわせているのだし、めったやたらにあわただしくもつれあっているのだし、言葉のキャッチボールで右往左往の間柄なのだから、この三日間ぐらい、おたがいにソッポ向きあおうじゃないかときめたのである。一夜明けて正月といったところでせいぜいが冥途《めいど》への一里塚。いずれ来たるべきものに一歩近づくだけのことなのだから、マ、首すじでも洗って一人酒をするほうが、よっぽど気がきいている。どうあっても今年は仕上げねばと思いきめている作品をどう不逞《ふてい》にするか、どう奔放にするかと、ウトウトしながら私は思いをこらす。

あまり私は家にいたことがないし、いたところでフクローのように昼寝て夜起きる生活なのだから、隣近所と往来《いきき》したことがまったくといってないほどである。十九年も一所《ひとところ》に住んでいながら御名前をおぼえているのは斜め右向いの御一軒だけという滅形《めっけ》ぶりである。ときどき道で出会うと左右、および斜め左向いの御主人や奥さんとモグモグ口ごもって挨拶するけれど、それが精いっぱいのところである。杉並区のこの一画は御屋敷町ではなくて、右隣りの御宅で飼っているブルドッグのいびきが夏などはありありと聞えてきて、あの怪音の正体はと首をかしげたくなる。そういう密接さなのに御名前や御顔がいつまでたってもおぼえられないのだから、やっぱりこれは私がチトどうかしているのだろうか。

夜ふけに起きて窓ぎわにすわっていると、十年前なら麦畑やキャベツ畑を威勢のいい男の歌声がわたってきたものである。そうでなければキキキーッと自動車のとまる軋《きし》りが聞えたとたんに旺盛《おうせい》な歌声がころがりだしたものである。その声は一つではなく、幾人ものそれである。『昭和維新の歌』や『露営の歌』が多かった。しばしばそれら壮年の濁声《だみごえ》にまじって若い声が〝ワセダ、ワセダ！〟とよろめき歩いたりした。近くに下宿する学生が駅前の銭湯へいって、ついでに屋台でイッパイひっかけたらしい気配である。耳を澄ましていると壮年の男の喚声はしばらくよろよろと歩いたあげく、ある地点でフッと、いきなり消えてしまう。それっきりウンともスーとも聞えなくなるのである。奔放、旺盛、激甚《げきじん》、混沌《こんとん》をきわめた声が一瞬で掻《か》き消えてしまうのである。あれだけの波乱と動揺を一瞬で消してしまうとは、いったいあの家にはどんな怪物がひそんでいるのだろうかと思いたくなる。

年を追うにつれてキャベツ畑はつぶされて団地になり、喚声は一つずつ消えていつとなく聞えなくなり、若者は酒を飲まなくなり、時代はいよいよ萎《しな》びていき、小さくなっていく。いまだに健在な疾風怒濤《しっぷうどとう》のロマン派はたった一人で、その一つの声だけは放吟、叫喚、嘲罵《ちょうば》をいつまでもつづけて法燈を守っている。あちらへよろよろ、こちらへフラフラしながら家に近づき、門口までくると、やにわに大声で

「やい、御饅子《おまんこ》、戸をあけろ！」

と一声、吠《ほ》える。

ときには、ただ

「御饅子、御饅子！」

と連呼なさる。

こないだなどは

「やい、クロ饅子、でてこい！」

とやっておられた。

この雄々しいロマンの残党も、戸のあく音が聞えた瞬後にフッと声が消えてしまう。あれだけの怒濤を一瞬でとり鎮めてしまうのはよほどの怪物でなければならないだろう。まるで穴に水が吸いこまれるように声が消えてしまうのである。いつか私はその黒い怪物に出会ってみたいと思うのだけれど、その仲のいい御夫婦の家が隣近所のどれなのかよくわからないから迷っている。そしてひそかに、今年も、この、いまやた

った一つとなった、《バンダの桜か襟の色》の声が健在であることを、心にねがってやまないのである。

頑張って下さいヨ。

御主人。

故郷喪失者の故郷

一

所用があって関西へいく。

京都で一泊し、大阪で一泊してそれぞれの用件が片附き、新幹線に乗るまでに午前いっぱいがあいたので、朝早くホテルをでて、ぶらぶら歩きにでかける。ちょうど日曜日だったので町は静潔な仮死に陥《お》ちこみ、自動車も人も見えず、史後の都市にそっくりで、明るく空虚である。異常乾燥がつづくので空は冬なのに明晰《めいせき》に晴れわたり、澱《よど》みやうるみなど、どこにもない。ふと北欧の夏の朝を思いだすほどである。誰も歩いていないので、いつもはめったに人前では吸わないことにしているパイプをとりだして火をつけるが、吹きだしたひとかたまりの煙りのよこを通ると、まざまざとその香りが鼻につたわり、通りすぎたあとにいつまでも香ばしい綿菓子のようにのこりそうに思える。混濁と騒音の都市にもそんな真空の静謐《せいひつ》が、ふと、ある。

この市に私は生れて育ったのだが、去ってから二〇年とちょっとになる。そのあいだに市は顔が一変してしまった。ハイウェイと地下街と高層建築群とマンモス団地のために市内も市外も変ってしまったが、ことに市外についていえば郊外が消えた。生《い》駒《こま》、六甲、宝塚、和歌山、これらの山と市のあいだにあった緑と土の地帯がほとんど消えてしまったのである。〝郊外〟というコトバも死語に近くなってしまった。それとともに、いつごろからか、私から〝大阪へ帰る〟という感覚が消えて、それは〝大阪へいく〟となった。〝いく〟、〝いく〟とくちびるにのせているうちに、ほんのしばらくのあいだ新鮮さがあって、そのことに気がつき、おれも大阪も変ってしまったナと思わせられていたのだが、やがて、何でもなくなってしまった。それでは東京に棲《す》みついてあくせくの浮沈みを二〇年もくりかえしたのだから何か感ずるかというと、これまた空白なのである。地方から東京へもどってくるとき、東京駅に電車がすべりこんでも、何のトキメキもおぼえない。

外国から帰ったときは飛行機のタラップをおりるときに新鮮な声なき歓声が湧《わ》きあがってきて足が軽くなるけれど、空港の建物のなかに入るともう消えてしまって、かわりにおぼろな憂鬱《ゆううつ》が体内のあちらこちらに汚水のようにしみだしてくる。どうやらドイツ人のいう《ハイマートロス（故郷喪失）》か。

朝早くの市場を見るのは愉《たの》しいことなので黒門市場へいってみたが、あいにくと日曜日のせいか、ちらほらとしか店があいてない。そのうちの一軒でアナゴの素焼きを買う。これはキスの素焼きとおなじく東京で買えないものの一つである。うどんスキに入れるといいダシがでるうえにその枯れた軽い肉からは香ばしさと上品な脂味がにじみだしてくる。段ボール箱をさげてぶらぶらと歩くうちにミナミの千日前《せんにちまえ》裏にきたのでそれとなく眼を凝らして歩くと、よごれたノレンと赤提灯《ちょうちん》をぶらさげたパイ一屋が熱い油とソースの匂《にお》いを洩《も》らしている。ズイと入ってみると、もう何人もの客が入り、串《くし》カツを揚げたり、ドテ焼きを煮たり、兄さんたちは寝不足らしいふくれッ面《つら》でいそがしくうごきまわっている。さっそく焼酎《しょうちゅう》とドテ焼きをたのむ。

東京ではモツの煮込みだが、大阪ではドテ焼きである。これは牛か豚かの腱《けん》を屑肉《くずにく》といっしょに串に刺して鉄の浅鍋《あさなべ》で味噌《みそ》でコトコトぐつぐつ煮たものである。名古屋ではお得意の赤の八丁味噌でやるが、大阪は白味噌である。大きな水さしに白味噌のといたのが入れてあって、それをドロドロと鍋につぐところは、ちょっと膿汁《のうじゅう》に似た色と質感があるが、そんなことを気にしていては求真できないナ。長時間煮込みはしたけれどまだ味噌焼けはしていないと思われる串を二、三本、皿にとってもらい、七味、またはサンショをかけて頬ばる。ざっかけな町角の味覚だが、こってりとしたところ、ネットリとしたところ、シコシコとした歯あたりもあり、唐辛子がピリピリしたりして、一本の串にしてはありがたく多角的な楽しみかたができる。

客たちは黙々と食べている。こういう店の客は十年前も二十年前も二十五年前もまったくおなじである。老いも若きもとことん貧しく、背骨にさびしさがしみつき、酔って叫ぶ気力ものこされていず、クドクドと他人にからんだり、愚痴をこぼしたりもできず、あと一歩で植物になってしまいそうな薄明の地点に佇《たたず》んでいる。顔にも猫背にも風雨に吹きさらされた気配がありありとでている。体をくっつけ、肘《ひじ》をふれあって水っぽい焼酎をすすっていると、垢《あか》やフケや汗の匂いといっしょに絶望、茫然《ぼうぜん》、朦朧《もう》がじわじわとこちらにうつってくる。店は吹きさらしだから風と寒気が容赦なくズボンの裾《すそ》にもぐりこんで脛《すね》をじわじわと這いのぼってくるが、この人たちが何人となく入口に目白押しにならんで楯《たて》になったところで風は防げないだろう。風はこの人たちの体内から吹いてくる。その風にふれると腸の襞々《ひだひだ》まで冷えこみがいきわたり、とらえようのない焦燥で、いてもたってもいられなくなるだろう。

十五歳か十六歳ぐらいだった私にはこういう場所と人が恐しかった。それでいて他のどこへいってよいかわからず、オトナの真似《まね》をしたい一心でもあったので、この千日前や、新世界のジャンジャン横丁や、大阪駅前の闇市《やみいち》のドブロク屋などに銭をにぎりしめて出没したものだった。銭はパン焼見習工や旋盤見習工など、そのときどきのアブクのような仕事でかせいだもので、家へ持って帰って母にわたしてやらなければならないのだが、オトナの真似をしてカストリを飲んでいたらそのあいだだけは潮のようにおしよせてくる孤独と不安がまぎらせそうなので、ついフラフラとノレンをくぐり、恐怖でわくわくしながらくさいコップを舐めたのだった。谷沢永一と知りあいになると、彼はおッ母さんからちょろまかした金で私をさそって大阪駅前の闇市へつれていき、便所わきの暗がりでしぼったドブを飲ませてくれたが、地下鉄の天王寺の駅で吐いて倒れてしまった。階段のすみでゲロや汚水やルンペンの体に顔をつっこんでうつらうつらしていると孤独や恐怖は消えて、かわりに奇怪な快感が分泌されてくるのだった。

「誰や、こんなガキに飲ませよって」

「戦争には負けとないなア」

そんなオトナたちの声が嘆きとも舌うちともつかず落ちてくるのだが、それがまた奇怪な快感になった。無化は甘美なのだ。

味噌が煮える。もくりポカッと脂っぽい泡がはじける。アウツたちは黙ってコップを眺めている。あれ。これ。なおあれ。なおこれ。無数の記憶がよみがえってきて私は茫然となる。故郷のない故郷に辿《たど》りついたということだろうか。

二

そのころのジャンジャン横丁あたりの串カツ屋は非凡の才を持っていた。串にほんのひときれ小さな肉片が縫い刺しにしてあり、それに衣をまぶして油で揚げると、プーッとふくれて五倍ぐらいの大きさになるのだ。見たところ盛大なもので、ちょっとトンカツといいたくなるくらいの大きさである。そいつをバットのソースにジャブンとつけてから頬ばると衣だけが口にのこって、肉は串にしがみついたままで、でてくるのである。どんな秘密とコツがほどこしてあるのか、いつも不思議でならなかった。

そして油が粗悪なので、食べたあとでひどい胸焼けがする。それをゴマかそうとしてか、オトナたちは生のキャベツのきざんだのをむやみに食べた。これはタダだから、いくらでも安心して食べていいのだった。みんな復員姿のままで、軍靴や半長靴をはき、飛行服を着たやつもいれば、軍隊毛布でつくった半外套《がいとう》を着たのもいた。私より一世代年長の世代の若者たちは酔えばきっと殴りあいをはじめるのだが、しばしば特攻隊帰りなんだぞとか、一度は死んだ体だなどと凄《すご》文句を口走る。あまりそれがしばしばなので、国軍はみんながみんな特攻隊だったように思えたりした。

酒はバクダンかドブ。後年になって〝粕取《かすと》り〟という酒はまっとうにつくればうまい焼酎になるはずのものだと教えられたが、その頃のは粗製乱造のうえにアルコールやメチルなどがまぜてあり、ひどい悪臭がして、酔うとどういうものかあたりいちめんガラスの破片が充満したようにキラキラ輝やいた。まぶしいほどキラキラし、ただもうキラキラするだけで、何も見えなくなる。ドブロクは便所わきの暗がりでしぼったのをバケツではこんでいき、やがてデコボコの大薬罐《やかん》に氷塊といっしょに入れて持ってくるのだが、《カルピス》というのがアダ名であった。シポリタテノカルピスヨといってだされるのである。前項で書いた谷沢永一がよく連れていってくれた大阪駅前の闇市ではそのカルピスのサカナとしてキムチをだしたが、これだけは本物であった。白菜の葉と葉のあいだに生魚やら腸やらをつっこみ、ニンニクと唐辛子をめったやたらにきかせてあるので、これを食べて吐いて宿酔《ふつかよい》になって翌朝眼をさましたときの苦痛と穢感《わいかん》はちょっと類がなかった。

ジャンジャン横丁の串カツ屋で一軒ひどくにぎやかなのがあって、屋号をドンドン寅勝と申した。店さきに太鼓が一つぶらさげてあって、客が入ってくると、闇屋だろうと、カルピス屋だろうと、特攻隊だろうと、はたまた孤独と恐怖でわくわくしてい

る私のような青餓鬼だろうと、おかまいなしに
「三〇万石様、お成りィ！」
　とか
「一〇〇万石、加賀様、お成りィ！」
など、やにわに大音声《だいおんじょう》を発してとうとうたらり、太鼓を連打するのだった。声と音で思わずとびあがりそうになるのだが、そのはずみに孤独は一片ぐらい、ふりおとせた。
　あるフランスの大作家はマドレェヌというお菓子を紅茶に浸して食べようとした一瞬にそれまでの生涯の全時間をすみずみまで一挙に喚起することができた、ということになっていて有名なのだがいまでも私はあの少年時代後半と青年時代前半を背中いちめんにプリント・インされたままで暮らしている。ドテ焼き。雑巾《ぞうきん》の匂いのするドブロク。魚の腸の匂いのするキムチ。新聞紙のきれっぱしにのせてだされた血みどろの牛のレバー。生キャベツ。あくどい串カツ。ふかしイモ。コッペパン。脱脂大豆。ヨメナ。ノビル。そして映画でいえば『荒野の決闘』だの、『大いなる幻影』だの、『霧の波止場』だの、『サンセット大通り』など、など、など。名を聞いただけでおどんだ血がむっくり起きて沸きかかってくる。

その頃は映画を一つ見ると電車賃がなくなるので、ミナミから阿倍野、阿倍野から北田辺まで、テクテク歩いて帰らなければならなかったが、苦にも何もならなかった。腹がへると耳がたつので、スクリーンから聞こえる外国語が香りのように鋭く耳にからみついてはなれなかった。脱走捕虜のギャバンがリタ・パウロの百姓の戦争後家さんにドイツ語のカタコトを教えられ、《ロッテス・アウゲ・イスト・ブラウ（ロッテの眼は青い）》なんて、よたよたと繰りかえしつぶやくあたり、ミナミから北田辺まで歩き歩き繰りかえしてもまだ放射能が減退しなかったナ。ずっと後年、やっとまともな酒が飲めるようになると、シュトロハイムの真似をして背中全体をのばしたままグッと一挙動でウィスキーをあおってむせかえったものでしたヨ。エ。あなたもですか？　そうでしょう。そうでしょう。『第三の男』のチターが忘れられないばかりにこないだウィーンへパック旅行でいったときはアントン・カラスの店はどこだろうと一日さがしまわったのじゃございませんか？

あの映画ではジョセフ・コットンが西部劇の三文小説を書いているムッツリと生まじめな作家という役で登場するが、それが何かのまちがいで純文学の夕べの講師になり、眼光鋭いやせギスの老嬢からジェイムズ・ジョイスの意識の流れの手法をどうお考えですかとつっこまれて立往生するあたり、胃と背骨がくっつきそうな空きッ腹をかかえて、私、大笑いしたものでした。父がとっくに亡《な》くなって、食うや食わずで、栄養失調、ノミとシラミにたかられっぱなしの、家にいたくもなければ学校にもいきたくないどん底の少年ですが、アタマのブックの知識だけはむやみにあるものですから、そんなギャグは窒息的にコタエたんです。いまの灘高校や日比谷高校の諸君もあの映画のあのシーンを見せたらヒクヒク笑うことでしょう。飢餓線上にあろうとなかろうとシティー・ボーイはやっぱりシティー・ボーイだということなんだ。

闇市と、パイ一屋と、映画館があの頃の私のハイド・アウト（隠れ家）であった。それと、手を使う労働である。パンを焼いたり、旋盤で鋳物を削ったりする仕事は朝となく夜となく針一本立てる余地もないくらいに肉迫してくる孤独、不安、倦怠《けんたい》、自己凝視、恐怖の上げ潮から、かろうじて、私をひととき、守ってくれたように思う。映画を見るのは本を読むように孤独なことだったけれど、あの闇がなかったら私はとっくに自殺をしていたかもしれないし、狂っていたかもしれないなと思いかえすことが、じつに、しばしばある。

いつだったか、石川淳氏と対談をすると、バクチでもいいから手を使えと孔子がいってるよと紹介されて、謎《なぞ》でも何でもなく、まさにそのとおりだと直下《じきげ》に感じ入ったことがある。私の右手は私の左手がすることを、四十五年同棲《どうせい》しているはずなのに、やっぱり不知《しらず》不識《しらず》のままでいるが、それでも、手を使えば、おびただしいものが、こめられる。手は故郷である。

陽は昇り陽は沈む

西園寺《さいおんじ》公望《きんもち》はパリに遊学し、日夜、落花狼藉《ろうぜき》、洒々落々《しゃしゃらくらく》の暮しぶりだったが、上流社交界のサロンにもよく出入りして芸術家や作家たちとまじわったので、ゴンクールの日記にも言動が書きとめられた。この人は舌がたいそう鋭く、天皇の司厨長《しちゅうちょう》だった秋山徳蔵氏の回想記を読むと、ウナギでもスッポンでも、ひときれ食べただけで産地をいいあてるというような神技を発揮したらしい。この人についてのエピソードはいくつもあるが、私が好きなのは、当時の国定修身教科書に《艱難汝《かんなんなんじ》ヲ玉ニス》の言葉を入れさせるまいとした挿話である。彼は明治政府の猛烈な富国強兵の近代化促進政策を眺め、今後の日本人はどうあっても苦しむことだろうと思ったので、それが避けられないのなら何も幼少のときから学校でそんな観念を叩《たた》きこんで、ためにヒネくれて貧寒な気質の国民をつくってしまう、そのことを憂えて撤回を進言したのだったが、これは容れられなかったという。この挿話のうらにひそむ彼の思いやりと寛容が私は好きなのである。パリでどうやら彼はただ浪費して遊び呆《ほう》けたのではなかったらしい。ケタはずれの豪遊をパリでやった珍しい日本人の一人に薩摩治郎八《さつまじろはち》氏がいた。この人は父祖の築いた産を一文のこらず使い果たす目的で暮していたというのだから類がない。日本人館を寄附し、純金のキャデラックを乗りまわし、ラオスの王様に招かれてインドシナ半島まで遊びにでかけたりする暮しぶりで、日本人で『ヴォーグ』誌に登場したのはこの人ぐらいのものだろう。二十年とちょっと以前に私はこの人と知りあい、当時私がやっていた『洋酒天国』に連載エッセイを書いてもらうため、ちょくちょく会っていた。その頃氏は自転車振興協会に関係していて、例のフランス一周の自転車競走みたいなのを日本でもやるんだというのが口癖だった。中世絵画と香水の鑑定家でもあったが、長身の大男で、卵型の頭はツルツルだった。いつ会っても明朗、豪放な紳士で、微笑がその血色のいい頭にまでのぼるようであった。昔の豪遊ぶりをぽつりぽつりと話す口調は淡々としているのだが、何しろ、ケタのはずれかたが凄《すご》いので、こちらは茫然《ぼうぜん》と聞くだけであった。

この人はその頃、浅草の踊り子さんに夢中になっていて、ときどき私を浅草へつれていって、屋台や大衆食堂でエンコ・ビールを飲ませてくれた。エンコ・ビールというのはあちらこちらの店で毎夜でる客の飲みのこしのビールである。それを集めて瓶につめなおしたビールである。客にだすときにはちょいと瓶をふるというのが御愛《あい》嬌《きょう》だった。そうしないと元気よく泡がたってくれないというのである。ときには重曹《じゅうそう》か何かをちょっぴり入れて泡のたつよう工夫してあるそうだと、氏から聞かされたこともある。氏はそのルンペン・ビールが、金がないから飲むのではなくて、好きで飲むのだった。それをひっかけてから、巨大なバラの花束を花屋で買い、胸にそれを抱えてイソイソと小屋へでかけるのだった。当今で申せばオナシス様張りの豪遊にふけっていた紳士が浅草の大衆食堂でルンペン・ビールに眼を細くしている光景は何といってもチグハグで、はじめはキョトンとさせられるばかりだったが、そのうちに慣れて何でもなくなった。

そんな場所でそんなふうにしながら、《ラオス百万象王国》の王様の大園遊会の話を淡々と聞かされるのはまことに奇抜なものであった。氏はアテネの人学をでていて、アポロン教信者だというのが口癖だったが、これは太陽教とでも呼ぶべきもので、それが全身に沁《し》みこんでいるから、いつも晴朗、快活、楽観、不屈なんだとおっしゃるのであった。じっさい頬にも頭にも薔薇色《ばらいろ》の血が射《さ》していきいきと輝やいている氏の顔を見ると、私まで血があたたかくなりそうであった。そして、随筆集か何かが出版されると、きっと巨体にも似ない小さな横文字で献辞を書いて進呈して下さるのだが、その横文字は、《ムッシュウ・シャ・ノワールより》と読めた。シャ・ノワールというのはもちろん〝黒ネコ〟ということだが、アチラでは女の秘めどころのことでもある。それに〝ムッシュウ〟がつくのである。どういうわけでとたずねてみると、ナニ、あたしのパリ時代のアダ名ですよ、ア、ハ、ハといって太陽神は顎《あご》をそらして哄笑《こうしょう》なさるのであった。

(蛇足をつけておくと、シャ・ノワールのほかにミネットともいう。英語のプッシー・キャットにあたる。例の《69》のことは、そう呼びもするが、別名を《ポンピエ・エ・ミネット》と呼ぶ向きもある。《消防夫と仔《こ》ネコチャン》の意。光景を想像すればただちに、ナルホドと納得なさるべし。)

あるとき、フトしたことでスペインの地酒が手に入った。硫酸瓶のような大きな瓶に入っていて、瓶の外側は柳皮細工で籠《かご》のように編まれ、レッテルも何も貼《は》ってないので、上物なのか下物なのか、さっぱり見当のつけようがなかった。第一、名前そのものがわからないのである。その頃、私は原稿とりに走りまわっていて、原稿を依頼にいくときには角瓶かオールドをきっと手土産に持っていくことにしていたが、そんなことから下戸の寄稿者の人が進呈して下さったのだと思う。当時はぶどう酒の輸入も細々としたものだったし、こちらには経験も知覚も、まるでなかったから、鑑賞会をしましょうということになって、薩摩治郎八氏、中島健蔵氏、岡本太郎氏などを東京会館に御招待して一席を設けた。当日、薩摩太陽神はみごとな正装ぶりであらわれ、いつも屋台で見慣れたのとはまったく別人かと疑いたくなるダンディー姿であった。

かんじんの酒のほうはとりたててドッテことのない味だったが、出席者一同はそのうち口ぐちにあそこで飲んだブルゴーニュは、とか、このときやったボルドォは、などと酒談義にふけった。薩摩氏はそのあいだずっとニコニコしてうなずくだけだったが、そのうちロスチャイルドの荘園は、とか、ロマネ・コンティはとか、モエ・テ・シャンドンの館はなどという話を淡々とした口調ではじめたので、みんな黙ってしまった。いつものエンコ・ビールとはケタはずれに位相が異なるので、私は聞くともなしに聞き惚《ほ》れた。

そのうち誰かが、腹をたてたような、苦笑したような口調で沈黙をやぶり

「誰だい、こんなところへ薩摩さんを呼んだのは。ダメじゃないか。おれたちの話ができなくなるじゃないか。失礼な」

といったので、ドッときた。

やがて私は小説を書くようになり、原稿とりも雑誌編集もできなくなり、薩摩氏か

らも遠ざかってしまった。何年かたってから風あって便りを知らされ、氏は浅草の踊り子さんといっしょになったが脳溢血《のういっけつ》で倒れ、足腰がきかなくなり、徳島の踊り子さんの実家にひきとられて寝たきりだと教えられた。

くるものはいつかくる。

やっぱり。

阿鼻叫喚の闇《やみ》が無邪気を生む

生れてはじめてヨーロッパへいったとき、パリでも、ローマでも、夜が暗いのにひとかたならずおどろいた。目抜きの大通りは遠くから見ると街燈がずらりと並んで輝やいているように見えるし、その大通りの両側にひしめくキャフェやレストランや宝石店からは奔放な光があふれて舗道をキラキラさせているが、近づいてよくよく観察すると、街燈も明るいのはその支柱を中心として燈が円光を投げかけるあたりだけで、円の外周からちょっとはずれると、もう、おぼろになって、影の圏である。その影の圏から一歩はずれると、もう闇である。闇の圏である。宝石店はなるほど光で輝やいているが、その右隣りに革の装身具店があるとして夜は閉める習慣だとすると、その表戸や両側の石壁は、もうまッ暗である。一個一個の石材の芯《しん》部まで冷めたい水がしみこんでじっとりと湿めり、年中乾くことがないのではないかと思われるような寒さと暗さがたちこめている闇である。

目抜きの表通りもそういうわけで、光と影が交互に氾濫《はんらん》しつつ蚕食しあっているから、これをたとえば凱旋門《がいせんもん》あたりからゆらゆらとおりていくと、かなり酔っていても、つぎつぎと光、影、光、影というぐあいによこぎっていく感覚は、視覚にも温覚にも、たえまなく温水と冷水を体を拭《ふ》かないままで出たり入ったりしているような体感となる。それが、ほんのちょいと一歩、横町へ入ると、洞穴へさまよいこんだような闇である。じとじとと湿めった、冷めたくて暗い、さまざまな匂いがフッと鼻さきをかすめていく洞穴である。前方に小さくキャフェやレストランの灯があるのを見ると、森のなかで茸《きのこ》が輝やくように見える。

その洞穴を、靴音だけを聞きつつ歩いていくと、暗い冷水のなかを歩いているような体感が全身にひろがる。背の曲った、鼻が氷柱《つらら》のようにとがった、深沈と意地悪そうな眼をした老婆《ろうば》と、町角を曲りしなにフッとぶつかりそうになると、思わずとびあがりたくなる。老婆はいきなり音もなくあらわれて、ヨチヨチとすれちがっていく。ついいまさきまでホウキにまたがって上空をとびまわっていましたのサ。これから穴倉へ帰って痛風の煎《せん》じ薬の熱いところを一《いち》杯やって寝ますのサ。ジロリとこちらを一瞥《べつ》することもないのに、すでに正体を見ぬいたような、冷めたい、その、ボタンのような、すれっからしの眼は、そうつぶやいているかのようである。

首都の大通りも田舎の町も、町角、横町、迷路、路地、空地、小広場、ベンチのわき、彫像の台座のよこ、いたるところに闇がうずくまり、這《は》いまわり、手をのばし、指を触れしている。その闇は、夜の池や木立ちや草むらに息づいているのとおなじ闇である。深くて、冷めたく沈みきっていて、鼓動の気配の感じられない闇だが、同時に、まがいようなく生きていることがありありと感じられる闇である。

中近東やアフリカや東南アジアで、おなじ時刻におなじ場所で体感する闇は、同種族のものでありながらも、おそらく暑熱とむっちりした湿気のせいだろうと思いたいが、何かしら怪物的な生がギシギシと音たててひしめかんばかりに充満しているようなところがある。魚、果物、肉、おしっこ、ウンコ、さまざまな栄養の分解しつつある匂《にお》いがたちこめ、それが眼なく耳なき怪物の息づかいのように感じられるものである。この闇は発熱しているし、発酵しているのである。すぐさきの町角を曲って大通りにでていってまっすぐ歩いていかなくても、眼前の闇のすぐ背後に砂漠やジャングルや水田の肉迫していることが、まざまざと感じられ、闇はたとえ町のなかにうずくまっていても、それら広大な無辺際のものの分泌物にほかならないと感じさせられるのである。

西欧が開発した独自の魅惑の一つに、ステンド・グラスがある。西欧も東洋も鏡を発明したし、その素材と永続のために無数の素材をさがし求め、工夫に工夫をかさねてきたが、ステンド・グラスはもっぱら西欧人の没頭した様式であり、素材であり、工夫であった。それはフランスで幾世代もかさねたあげくに完璧《かんぺき》の開花を見ることとなるのだが、シャルトルとモン・サン・ミシェルの奇蹟《きせき》は、後続の幾世代もの芸術家たちを鼓舞しつづけてやむことがない。

シャルトルの教会へはじめていったとき、真夏のしらちゃけきった午後であるにもかかわらず、薄暗い堂内に一歩入った瞬間、異様な、澄明な色と光の乱舞に眼を奪われて、それっきりになってしまった。この教会のよこに小さな小さなミュゼ（美術館）があり、この教会のステンド・グラスにヒントなり、モチーフなり、テーマなりを天恵された現代画家たちの作品群が公開されているのだが、その萎微《いび》、沈澱《ちんでん》、不全、失調ぶりは、眼もあてられなかった。画は布地に油彩で描くものだから、その画面からくる光は反射光であり、ステンド・グラスからくるのは入射光と反射光の交響なので、物理的に光の質は異なるのだから判断も変えねばなるまいと思いはするが、反射光だろうと入射光だろうと、一人の人間にとっての感動そのものはどうしようもないものである。

この教会のステンド・グラスの感動をくわしく書きこむ枚数をいまあたえられてい

ないので、手と足を縛られて川へほうりこまれたようなものだが、堂内にひしめく華麗の燦光《さんこう》の乱舞にはおしつけがましさがどこにもなく、ひたすら主題と細部が手をとりあって炎上しているにもかかわらず、すべての破片が一片のこらずはしゃぎ昂揚《こうよう》しつつも自身であることに満足しきっていて、その満足に光耀《こうよう》し、おしつけがましさがどこにもないのだった。キリストの受難を語りつつ、かくあるべしなどとは、どの隅っこも語っていないのだった。どこをとっても本質でありながら、あくまでも自足し、謙虚で、無邪気で、澄明《ちょうめい》なのだった。無邪気というものがこれだけ豪壮、絢爛《けんらん》、華麗で、しかも、つつましやかさをいつまでも保持できるのだという例をそれまでに私は知らなかったし、想像することもできなかったので、息を吸ったきりになってしまった。そして、ややあってから気がついたのだ。

これら無数の光と色の乱舞は、まるで古代の森さながらのゴチックの剛健なアーチの腋窩《えきか》にたたえられた闇のゆえにこそ、それであること。シャルトルのステンド・グラスを東京でスキラの本やドキュメンタリー・フィルムで見たときには想像もつかなかったのが、その闇の質と役割であった。あれだけ深沈としたゴチックの闇があればこそ、あの光耀と燦爛があり得たのだった。それは現場へいって眼と膚《はだ》で味わうよりほかに、どうしようもないものであった。無数の阿鼻叫喚の闇を吸いこみ、たくわえながら、何ひとつとして語らずにそれ自体のまま聳《そび》えている闇のゆえに、あの無邪気が現出したのだった。この闇が大通りにも横町にも、ベンチのよこにもゴミ箱のかげにも、分布されているのだろうか。

男の収入の三分法

今年（一九七六）はどこへもでかけないで本願の仕事に没頭するつもりだが、そうなると、まるまる三年、旅らしい旅をしないですごすことになる。歩きもせず、跳躍もせずに、ただ室内にうずくまったきりですごしてきたような実感がある。全身のそこかしこにカビが繁茂し、足に無数の菌絲《きんし》が生えて畳へ縛りつけられてしまったようでもある。とらえようのない憂愁が骨にまでしみこんで、泥をつめこまれたようであり、また、べつに、藁《わら》人形になったようでもある。旅をしない小説家なんて、縄跳びを忘れたボクサーのようなものではないか。

黄昏《たそがれ》の窓ぎわでちびちびと焼酎《しょうちゅう》をすすりつつ、われ、流謫《るたく》の王は過ぎし瞬間の数々の回想にふける。不幸な瞬間もあり、可憐《かれん》な瞬間もあった。耐えられない瞬間もあり、耐えぬいた瞬間もあった。女や男の眼が眼前にあったこともあり、川や壁しかないこともあった。彫像を見るように私はそれらの瞬間をコップのふちに呼びだして眺めたり、いじったりするが、おそらくそれらは原形をとどめないまでに歪《ゆが》められ、改作され、美化されてしまったのだろうと思う。しかし私にはまさぐりようがないので、ただ酒精の一滴とともに開いたり閉じたりする花の群れをまえにしているのとかわらない。美酒、美食、美女に飽いた流謫の王はサクランボやイチゴの画をレッテルに印刷して〝ホワイト・リカー〟などと銘うった焼酎を一升瓶からグラスへつぎ、シャバシャバの水くさい37度で回想の補強にいそしむのである。

やんぬるかな。

嗚呼《ああ》。

ナイジェリアの内戦を観察したあと、一度パリへでて、それからイスラエルへいって砂漠を横断してスエズ最前線を観察し、そのあと長駆してバンコックへ入ったのだったが、そこでふとしたことからチェンマイ王朝の外戚《がいせき》の一人である殿下と知りあいになり、どういうものか気に入られたので、パヴィリオンをあてがわれて、居候《いそうろう》として暮したことがある。毎朝、ツバメの巣のスープをすすり、ブーゲンヴィリアやハイビスカスの花の数を窓ごしに数え、万事おっとりとかまえて暮した。

当時、殿下はアンダマン海に無人島を一つ所有して、真珠の養殖にいそしんでおられたが、これはシロチョウ貝なので、アフリカの子供の出ベソぐらいもある真珠であった。日本で《南洋玉》と呼ばれているものである。その島で私は寝たり、釣りをしたり、ウィンチェスター銃で空瓶を射ったり、足の甲の骨を二本折ったりしたのだが、いつも夜になると小屋のまわりにアヒルが放たれた。アヒルは夜じゅう断続的にガァガァくうくうと鳴いて小屋のまわりをよたよたと歩きまわる。それは蛇をよけるためなのだ。アヒルは蛇がこわいし、蛇はアヒルがこわい。両者はいわば恐怖における平和共存をしているのだ、というのが殿下の説明であった。

アヒルが蛇をこわがるのはわかりますが、なぜ蛇がアヒルをこわがるのですかとたずねると、アヒルの雲古にあたると蛇が火傷《やけど》するのですというのが殿下の説明であった。何度たずねてもそうお答えになるので、私としてはよく考えてみればアヒルを飼ったこともなければ蛇を飼ったこともないのだから、だまって聞いておくしかないのだった。雲古で火傷、というのは奇想天外で愉《たの》しいハナシだけれど物理的には不可能のはずだから、おそらく、爛《ただ》れる、とか、腐る、ということなのだろうと思いたいところである。帰国後、何カ月かしてから、たまたま幸田露伴が食いしん坊としての蘇《そ》東坡《とうば》の一面を紹介しているエッセイを読むと、そっくりのことをアヒルについて詩人が述べているとわかって、膝《ひざ》をうちたくなったことだった。

殿下の解説によると、タイ人と接触するには万事、《静謐《せいひつ》》を旨《むね》としなければならぬということだった。タブーがいくつもあるが、そのかなりのものは仏教のタブーに由来している。寺の内部での戒律は潮のようにあふれだして寺の外部での心と暮しを浸している。それら無数のタブーを寺のそれと、寺のそれでないのと、いちいち判別してけじめをつけることは不可能である。しかし、いずれにしてもそれらをわきまえたうえで悠々とふるまうことが妙諦《みようてい》なのだ。こだわってもならず、無視してもいけない。しかし、タイ人とまじわるには、眼と眼をあわせて挨拶《あいさつ》してはいけないし、肩ごしにものをいったり、物をわたしたりしてはいけない。二階をドンドン音たてて歩いてはいけないし、大きな物音をたてて椅子《いす》に腰をおろすのもいけない。托鉢《たくはつ》にでかける時刻は時計で見るのではなく、窓から庭を見て木の古い葉と新しい葉の見わけがつく頃を見計らってでかけ、家の門口にたったら御飯やバナナをくれる女の顔を直視してはならず、お鉢がすれすれになるまではもらっていいがそれ以上は辞退して去らねばいけない。etc、etc……

それくらいきびしいのだが、毎朝のバンコックの新聞で見るところ、人民諸氏はまことに悠々、かつ奔放であって、切った、張った、ヤッた、ヤラれた、脅迫した、誘拐したなど、旺盛《おうせい》をきわめた生体反応を示している。おまけにここではライセンスを所持してさえいたらどんな銃でも買えるので、《最後の理性》が発揮される瞬間にはしばしば銃声がつきまとうのである。戒律の話を聞きながら新聞を読むと表裏一体の絶妙な、豊沃《ほうよく》な矛盾感覚が生じて、奇であり、妙なのである。

毎日、殿下から冗談まじりに、アアではいけない、コウではいけない、アアなっていない、コウなっていないと、さまざまに秩序と混沌《こんとん》を教えられる。あるときはタイ人の男の収入の三分法についての諺《ことわざ》を教えられた。これはなかなか鋭く説くところがあって、バンコック独特というよりは万国共通の習慣だといいたくなる。

《⅓は水に流す。
⅓は大地にもどす。
⅓は敵にくれてやる。》

そういうのだそうだ。

水に流すとは酒を飲むこと。大地にもどすとは金を壺《つぼ》に入れて土に埋めてかくすこと。敵にくれてやるとは女房にわたすことなのだそうである。

「タイ語で敵というのですか？」

「そう。敵と呼んでます」

殿下はおっとりと笑って、しかし、厳然とそうお答えになるのだった。この静謐《せいひつ》と奔放を愛する礼節の民ですら、男は女房のことを、〝敵〟と呼んでいるらしいのだ。何度かかさねてたしかめたけれど、そのたび殿下はうなずいて微笑し、敵と呼んでますと、お答えになるのだった。戒律でおびえた私もこの諺を聞くと、ホッと安堵《あんど》させられ、しきたりどおりに合掌できた。

どこでも男はおなじだ。

内憂外患こもごもだ。

バンコックの金言は万国共通だぞ

タイ国の昔の男のズボンはいささかユニークである。帯がないのである。ベルトを通すようにもなっていない。胴回りがだぶだぶに作ってあって、はいてから両端をつまみよせ、くるくるとからみあわせて、ズボンの内側へさしこむ。それだけである。いつもベルトに腹をしめつけられる感覚で暮してきた人間には、いつほどけて落ちることかと、気になって気になってしようがない。部屋のなかにいても腹をちょっとふくらませたり、へこませたり、立ったり、すわったり、つい何かのはずみにバラリ、ズンと落っこちてしまいそうに思えてしかたない。

殿下のパヴィリオンで暮すうちに、某日、これをはきなさいといって国風パンタロンを一着頂いた。これが有名なチェンマイの絹で作ったもので、花や鳥の刺繍《ししゅう》のある、金色燦然《さんぜん》という逸品であった。胴回りと裾《すそ》がおなじサイズ。つまり、ズンドである。足は二本べつべつに入れるようになっているが、絹の筒である。それを教えられるままにはいてみると、はじめのうちは安心できなかったけれど、しばらくすると何でもなくなり、ねっとりジットリと蒸暑いこの南の国では汗が溜《た》まったり、からみついたりしないようになっているのだなとわかってきたりする。

アロハ・シャツにこのズボンだけの寛濶《かんかつ》な姿で朝の食卓につき、オカユをすすったり、ツバメの巣のコンソメ・フロア（冷めたいコンソメ）をすすったりする。殿下が新聞を読みながら、あんなことがあった、こんなことがあったと解説しながら、森羅万象についての国風をいろいろと説いて下さる。この人は真珠の養殖と、チーク材の輸出と、熱帯魚の輸出を営んでいらっしゃるのだが、いつ見ても悠々たり、閑々たり。バンコック市内のオフィスには週に一度顔をだすくらいで、あとは中華料理、タイ料理、トルコ風呂《ぶろ》、魚釣り、どこへでも気さくに淡々と出向いて、いっしょに遊んで下さる。この国の熱帯魚の特産は例のベタという闘魚だが、これを輸出するには一匹ずつビニールの袋に入れ、水を少しと酸素を少しと麻酔剤を少し封入してから段ボールの箱につめて空港へ持っていく。ところが商売仇《がたき》で性《たち》のわるい奴《やつ》は、こっそり錐《きり》を手にかくして空港へでかけ、積んである段ボール箱にプスリ、プスリと穴をあけよるという。南の国もなかなかにセチ辛い。

前章にちょっと書いたようにこの国は仏教の戒律が精密できびしく、何事も静謐《せいひつ》を第一に心がけてふるまわねばならず、事実、人びとの眼配りや動作にはよくそのことがうかがえるのだが、いっぽう多血質の南方人らしく奔放性急に行動することもおびただしくて、刃傷沙汰《にんじょうざた》がいつも新聞をにぎわせている。ちゃんと殺し屋なんてのもいる。当時にして一件五〇〇バーツ（一万エン程度）ぐらいから請負いの相談に乗ってくれるとのことだった。消しかたは殺し屋めいめいの好みによるが、手ぎわはなかなか清潔であざやかだという。

わが国でどうしようもなくなったらアベックで、夫婦でバンコックへでかけて打開策を練るのも妙手であろうかと思われる。ホンのお小遣い程度のものでヤッてもらえるのだから魅力である。マ、散歩のときは、暗い運河のほとりなどをお避けになること。一例にすぎませんけれど……。

ある日本人の商社マンがキャバレーで働くタイ人の女友達のことを、酔ったまぎれにマネージャーに、あれは病気だからクビにしろといったところ、伝え聞いた女は、私は侮辱されたと叫び、太腿《ふともも》の靴下どめから小型ピストルを二丁ぬきだしてやにわに男に五発射ちこみ、自分は警察に拘留されてから睡眠薬をあおったと伝えられる事件が、ある日、発生した。ツバメの巣のスープをすすりすすり殿下が新聞を読んで訳して下さったところでは第一報としてそう伝えられる事件であった。まるでコルシカかキャラミティ・ジェーンのような話なのだが、殿下がおっとり微苦笑しつつ説かれるところでは、この女はタイ女の例外ではなく典型なのかもしれない、ちょっと激しいだけだとのことである。いささか私がおどろいて、うっかりタイ女と恋愛ができませんねというと、なに、大丈夫です。タイの諺《ことわざ》を一つさしあげます。これを守りさえすればいいのですと、おっしゃる。

《25歳までの女は自分を殺す。
35歳までの女は自分と相手を殺す。
35歳以後の女は相手だけを殺す。》

では、昨夜の女はいくつでしたかとたずねると、殿下はチラと新聞を見てから、28歳です、諺通りですなといって、顔をおあげになった。第二項である。25歳から35歳までの女は自分と相手を殺す。死なばもろともの世代だという。まさにそのとおりだったというのである。

これはバンコックで聞いた事件であり、諺であったが、東京へもどってから新聞の三面記事を注意して読み、刃傷沙汰で女が積極的な行動にでたケースを読みわけて、それとなく年齢をしらべてみると、例外があることはもちろんだが、まずまずこの諺に一致していた。それを発見したときの私の愕《おどろ》きは大きかったけれど、タイ人の観察眼の鋭さにはあらためて脱帽したくなった。これがほんとの万国共通だというのが私の駄洒落《だじゃれ》だが、私としてできることはせいぜいそれぐらいのことだった。読者諸兄姉《みなさん》、よくよくこの諺を座右訓として心得て行動されるがよろしいゾ。

バンコックでテロと爆破事件が頻発しだしたという新聞記事を読んで、しばらくぶりになじみの諸感覚がよみがえったので、ヴェトナム学と照合して同国の今後の動静を占う短文を書いてみようと思ったのだが、次回にまわすことにした。《政治》より《オンナ》にかまけるのは古来、小説家の宿命であるが、しかし、『修身斉家治国平天下』と喝破した賢者もいることである。

もう一度。

諺を読みかえされたし。

毛髪引金や夜の箱や小さな死など

懈怠《けたい》に陥ちこんで空中分解を起し、寝床のなかでゴロゴロもぞもぞするほかには何をする気にもなれず、気力もないときには、辞書を読むことをおすすめする。よくできた辞書は白想で時間をうっちゃるには最適である。気ままに頁《ページ》を繰り、気ままにコトバを拾い、そこから起る想像としばらくたわむれたらいいのである。よくできた辞書には一人よがりの著者の大仰なたわごとや、思わせぶりなポーズや、威猛高《いたけだか》な説教などが何もなくて、ただ最短のコトバの説明だけして読者の想像力を目ざめさせると、あとはさりげなくそっぽ向いてくれる謙虚さにみちているから、何といってもありがたいのである。ただ一つ困るのは、味のある、いい辞書というものがめったにないことである。

某社の『米俗語辞典』は出色の出来栄えであった。キリキリと角《かど》のたった、泣いてない氷ばかりで仕上げたマーティニのように新鮮で、ピリピリし、しかもあちらこちらに深さが顔をのぞかせている。セックスや麻薬関係の隠語辞典は他に何種類もあるが、わが国で訳されたものとしては現在のところこれが最高だろうと思う。アメリカ本国で無数の俗語と隠語を採集するのは大変な仕事だったただろうけど、これを現代日本語にうつしかえるのもまた容易ならぬことだったはず。たとえば女性器や男性器の異名のおびただしさでは日米匹敵して競いあえるだろうが、麻薬となるとわれわれはにわかに苦境にたたされるのだから、全体として鬱《うっ》晴しの愉《たの》しさはあっただろうけれどしばしば朦朧《もうろう》の彷徨《ほうこう》の苦しみにも襲われる作業だったと察したいのである。

この種のコトバはたえまなく繁茂し、枯死し、かつあらわれ、かつ消え、公認と非公認の境界が朦朧として広大なので、何が何でも聞きこみに歩きまわらなければならないが、しかし、かといってそれだけでは何か困ることがでてくる。取捨の規準、選択の定義をどこにおくかがいちばんの問題なのだろう。しかし、マ、そのことはスペシャリストに任せるとして、たとえ川の泡のようであるとしてもこれら言の葉にはしばしば天才的閃《ひら》めきを感じさせられることがある。酒場や、裏町や、黄昏《たそがれ》にひそむ顔のない詩人、匿名《とくめい》の哲学者、論文を書かない科学者たちはいずれもちょっぴり酔ってきたときにチカッとくるのをすかさずコトバにしてしまうのだが、その素速さと正確さには居合抜きのようなものがあって、ただ恐れ入るばかり。

たとえば。

早漏のことを〝ワイアット・アープ〟と呼ぶあたり、さすがお国柄と思わせられるのだが、玄関口でおじぎして女を殺せないでコソコソ消えていく気の毒な男のことを早射ち必殺の名人にたとえたりするユーモアのセンスはなかなかのものである。この種のコトバはどこの国でもどうしても銃にたとえたものになりやすいのは当然のことだが、いくつもこれまでに聞かされたうちでは、やっぱりアメリカ産のが抜群に秀逸であるようだ。

早漏の話がでたのでもう一つ、二つ、つけたしておきたい。

西部劇で毎度おなじみのようにガンを速く抜くのにみなさんなみなみならぬ苦労をなさるが、引金《トリッガー》を軽くするのも考えなければならない。ガンは素早く抜いたけれど引金が重かったり錆《さ》びついたりしていては一巻の終りである。そこで、軽く軽くと苦心工夫を凝らしていって、ついに、指がちょいとさわっただけで発射するようになったのを〝ヘヤー・トリッガー（毛髪引金）〟と呼ぶ。これにひっかけて気の毒な男のことを〝ヘヤー・トリッガー〟と呼ぶのだそうである。すると、遅いやつのことをどう呼ぶかというと、これは〝ロング・フューズ〟である。フューズは導火線である。橋を爆破するのにパチパチと燃えるあの黒い紐《ひも》である。これまた西部劇。

五〇年代末期、六〇年代初期のパリの学生町では、学生たちがしきりに〝サ・ギャズ？〟とか、〝サ・ヴァ・タ・リキッド？〟などといって挨拶《あいさつ》しているのを聞かされた。キャフェで出会って握手がわりにそんなことをいいかわしている。〝ギャズ〟はガスのことだから、〝サ・ギャズ？〟といえば、直訳すると、〝ガスのぐあいは？〟となりそうだが、これは御鳴楽《おなら》のことではなくて、自動車からきている。

二つめの〝リキッド〟も直訳すれば〝液体〟だが、〝おまえの液体はいいぐあいか？〟と聞いて汗や、涙や、リンパ液や、血液や、胃液や、御叱呼《おしっこ》や、精液のことをたずねているのではなく——言外にちょっぴりこめているかもしれないが——、この液体はガソリンのことである。どちらもカーに関して派生したコトバであるのは時代である。その後、これらの隠語が永生きできたかどうか。何度もいったけれどついついためさなかったので、今度いったらためしてみようと思っている。

いろいろ聞いたなかでいちばん感心させられたのは〝夜の箱〟と〝小さな死〟である。〝夜の箱〟というのはバーのことで、〝小さな死〟というのは情事のあとでの眠りのことである。この二つのうしろには絶妙な知恵が感じられる。耳で聞いてもハッとするが、字に書いても鮮やかである。さきの〝ワイアット・アープ〟や、〝毛髪引金《ヘヤー・トリッガー》〟や〝ロング・フューズ〟には鋭くてしかもおおらかなユーモアがあるが、この二つにはしなやかで気品のある詩が発散している。鮮やかな飛躍と一点をピタリとさして狂わない正確ということではアメリカもフランスもみごとなものだが、隠語を聞く愉しみはこういうところにある。誰か一人がどこかでいいだして、それが何十人、何百人、何千人、何万人とつたわっていき、みんなを納得させ、感心させて、何のわだかまりもなしにやすやすと口へでてくるこの種のコトバの強力さには小説家はちょっと歯がたたない。民話や諺《ことわざ》とおなじである。個をつきながら澄明《ちょうめい》な普遍に到達するという至難の大命題を洒々落々《しゃしゃらくらく》とやってのけているといってよいほどである。

《夜の箱》と《小さな死》はそのままで短篇になれる。短篇の題にもなれる。その題にもたれかかるだけで何か一篇書けそうな気がしてくる。〝ギャズ〟や〝リキッド〟は使わなかったけれど、この二つはある作品のなかで私はすでに使った。しかし、署名のないコトバなのだから、著作権侵害や盗用で訴えられることはないのである。もしフランスの作家が私のところへきたら、わが国にもその種の無名詩人の秀作がいくつもあることを懇切丁寧に教えてあげ、無断使用を許可するつもりである。

たとえば。

《蟻《あり》の門渡《と》り》など。

たくさんの蟻《あり》が門を渡ると

一

「知らないです」

「聞いたことありません」

「はじめて聞きました」

　近頃（一九七五・二）の国会のピーナッツ論争の応答ぶりに似ているけれど、そうではない。前章に《蟻の門渡《と》り》というコトバを末尾に書いたところ、たまたま拙宅に来た若い人の何人かがそうおっしゃるのである。いずれも出版社や新聞社に勤めている人たちであるが、はじめて聞いた、はじめて読んだコトバだとおっしゃるのである。

　そこで、これは人体の一部の古い呼称だと、御説明申上げる。ちゃんとその部分には医学用語がついてるから話を聞いているうちに思いだすことだろう。これは後門から前門へいく間道のことである。その間道はごぞんじのように狭くて、疎林《そりん》がある。ときどき猛烈な藪《やぶ》になっている人もある。それを古人は《蟻の門渡り》と呼んだ。語源はわからないが、字面《じづら》では光景が眼に見える。門の敷居を蟻がよちよちと這《は》っていくと、敷居というものは狭いものだから、それを見て古人はかの秘めやかな間道を思いだしたのであろう。奔放な連想飛躍というもんである。しかし、ほかに解釈はあるのかもしれない。わかったら教えてほしい。『蟻、台上に飢えて、月高し』という句はこれからきたのではあるまい。

しかし、かのラブレーの『ガルガンチュワ物語』によれば、例の愉快で聡明な巨人は幼少の頃から利発だったから、早くも五歳のときに、『かみなどで、きたなきしりをふくやつは、ふぐりのうらにかすのこすなり』と詠《よ》んだそうである。そういうことがよくあるが、男女ともにこの間道はナニのときの悦《よろこ》ばしい急所であるから、疎林だろうとブッシュだろうと、日頃からよく手入れしておく必要がある。歓びの小径《こみち》が雲古だらけでは散歩がたのしめないではないか。

ウィスキーをさしあげておおむねそういうことを御説明申上げると、諸氏は納得され、おかげで面白くてタメになったといって、帰っていかれた。しかし、二、三日すると、ちょっと不安をおぼえたので、念のためと思い、吉行淳之介《じゅんのすけ》大兄に電話をしてみた。大兄は万人の知るとおり斯道《しどう》の大家だから、ときどき御高教を仰ぐことにしているのである。大兄のほうから電話がかかってくることもある。いつだったか、突然かかってきて、大陰唇と小陰唇はどう区別するのかネという御下問であった。大家にも似ない初学の疑問にびっくりしたが、上手の手から水が洩《も》れることはよくあることだし、初心忘るべからずというコトバもある。口でうだうだ説明するよりはと思い、手もとにあった北欧ポルノ、グランテカール（大股《おおまた》びらき）の開門紅、かの間道の茂みもまざまざと見えるメディカル・リアリズム（医学的リアリズム）のカラー写真集を何冊か、至急に書留速達で送った。きっと大兄はそのとき季節の替りめで鬱《うつ》症に陥《お》ちこむか、アレルギーに苦しめられるかしていたのだろうが、丞相病篤《じょうしょうやまいあつ》かりきといいたいところだった。

「……語源はよくわからない。辞書にはお医者の解説みたいなのがでてるだけだ。いまちょっとモノの本で調べてみたら、似た表現がいくつかあってナ、蟻の熊野詣《まい》り、観音詣り、開帳詣りというのがある。観音というのはわかるわナ。シラミも観音だが、女のアレも観音という。そこをめざしてたくさんの蟻が一列になって、ゾロゾロ、ゾロゾロ歩いていくさまだ。ちょっと地獄絵の諷刺《ふうし》の気味もあるナ」

「なるほど。それは想像できなかったなァ。観音詣りといいますか」

「おれの解釈では、ナニ、たわむれですがね。おけつの穴に蟻をおいてみたら、こりゃたまらないと、たちまちスタコラサッサとあそこを通って逃げだしていくさま」

「なんでや？」

「くさくてナ」

呵々《かか》、呵々と笑って大兄は電話を切った。どうやら今日は鬱でもなく、アレルギーでもないらしい。むしろ、かなりの躁《そう》である。

部屋にもどって飲みのこしのウィスキーをちびちびやりつつ、気ままな連想飛躍にふける。これはたわむれの連想飛躍で、語源の研究ではない。『蟻の観音詣り』というコトバはおもしろい。それが直接にあの間道をさす表現であるかどうかはさておいて、大兄の暗示するように、たくさんの蟻が一列になってゾロゾロ、ゾロゾロ、開門紅の観音様めざして歩いていくとなると、これはやっぱりオトコを憐《あわ》れんだ地獄絵の諷刺ということになる。大兄は斯道の大家だが、それはつまり、苦労人ということなのだから、字面を見るやたちまちピンときたのかもしれない。

なかなか洒落《しゃれ》た表現である。

ここで〝開門紅〟というコトバを、この稿では二度めとして使ったが、日本語ではない。中国語である。サイゴンのお隣りの中華街のショロンに私はしょっちゅうでかけて、華僑《かきよう》の新聞人や、実業家や、正体不明の知識人たちと筆談しつつ食事をしたものだったが、その某日に教えられたのである。英語やフランス語をまじえつつ話しながら石斑魚《いしぶし》の清蒸をつついたり、ハツカネズミが〝姿〟のままで入ったスープをすすったり、ときどきもどかしくなって紙きれに漢字を書いて交換しあったりするのは、悠々としていて、愉《たの》しいことだった。そういうある席で、何のはずみにか〝開門紅〟というイディオムを教えられたのだが、そのとき聞かされた原義では、門を大きくひらき、なかにしきりにチラチラと赤い色彩が陽動し、見るからに心浮いて、盛大で、めでたい光景だ。正月や、祝祭日や、そういうときに使うコトバであるとのことだった。北京音では、〝カイ・メン・ホン〟というのである。エロティックの含みがあるのかないのかを聞き落としたのが残念でならないが、ある作品のなかで私は数年寝かしたあとで使用し、ベッド・トーキングの一節に頂いた。

たくさんの蟻が一列になって開門紅めざしてブッシュのある狭い間道をころげ落ちるまいと努めつつ行進していく。これはおかしくて悲痛な光景である。鳥羽絵の作者や、病双紙の作者や、北斎や、ドーミエや、ロートレックなどに教えてやったら、暗い顔になって、そんなことはとっくに考えたよと答えるかもしれない。ニヤッとわらって軽く手をうつかもしれない。何日かたってから描《か》きにかかるかもしれない。ゴヤなら、ひょっとしたら、一匹ずつの蟻にそれぞれ十字架を背負わせるかもしれない。

この章の原稿料で吉行大兄を一夕、ワインつきのフランス料理店に招待することにしようか。仔牛《こうし》の咽喉肉《のどにく》、リ・ド・ヴォーの煮込みなど、いかが？

二

『谷神不死、是謂玄牝、玄牝之門、是謂天地根、綿綿若存、用之不勤』と老子はいう。小川環樹《たまき》訳によると、《谷の神は決して死なない。それは神秘な牝《ひん》と名づけられる。神秘な牝の入口、そこが天と地の（動きの）根源である。それはほそぼそとつづいて、いつまでも残り、そこから（好きなだけ）汲《く》み出しても、決して尽きはてることがない》。

老子は天地根源説をそう樹《た》て、万物生成の母なるものを〝玄牝之門〟と呼んだわけだが、このイデェは老子でなくてもあらゆる民族の蒼古《そうこ》のこころとあたまに根を張っていた。蒼古の時代でなくても、諸兄姉《みなさん》、五月に渓谷へ入ってごらんになるとよろしい。男ならぬ谷神の顔を見るか見ないかに、岩から岩へつたい歩くうちに、日光と、樹木と、むんむんの植生のいきれと、ほとばしる水音にこもったシューベルトの壮烈に昂揚《こうよう》した『鱒《ます》』の楽音に感染して、たちまち、知らず知らず、根が起きあがり、堅硬、かつ、熱血たぎるのをおぼえる。無邪気と淫奔《いんぽん》の清浄な混沌《こんとん》がわきおこって全身を占めるのをおぼえる。クサヤの匂《にお》いのしみついた駅前のマッチ箱みたいなバーにもたれて眼じりにイソシギの足跡をクッキリきざみこんだババアママにりだうだと地盤沈下を訴える日頃の憂愁をたちまち忘却して七転八起、ヌカサン、ヌルロクの十八歳を回復なさることであろう。そこで、その夜、家へ帰り、二千数百年も昔の中国の哲学者のパンフレットをひもとくと、一言一句、身にしみてくるはずである。たった五千余語のこの語録は辛酸をかいくぐって知ること多いために困憊《こんぱい》した年齢の人のためのものである。

わが国の山奥をイワナやヤマメを求めてうろつき歩いていると、過疎村のほりっぱなしのソバ畑のよこにある朽ちかかった農家の縁側でそのあたりの沢や谷の名を教えられるが、この名に艶《つや》っぽいのがおびただしくある。艶っぽくて、そして、絶妙な命名ぶりに思わず感じ入らせられるのが、おびただしいのである。民俗学のほうではそういう命名は昔の山嶽《さんがく》密教の荒法師たちによるものが多いと察しをつけているのだが、そんなことをべつに知らなくても、また、山嶽密教の母胎が道教であり、道教の原点が老子であり、老子が谷に玄牝之門を感知していたのだなどと知らなくても、ときに露骨、ときに優雅、しばしば痛烈な、また、ひねりにひねった牝恋いの命名ぶりには感銘させられもし、恐れ入らせられもするのである。

もう十数年もの昔、トニー・ザイラーが来日して《黒い稲妻》と騒がれていたちょうどその頃、私はスキーを勉強していて、志賀高原や蔵王やアチラやコチラへ冬になると、よく、でかけたものだった。ザイラー君が黒い稲妻ならさしあたり私はブナ平《だいら》で雪上の小便穴から小便穴へよたよたところげまわる黄色い稲妻というところであった。それでも一日よたってまわって夕方になって民宿へもどり、炉ばたにあぐらをかいて一杯やりだすと、あのスロープをどうチョッカッたの、このコブのてっぺんでどう回転したのと、マ、たいそうな法螺《ほら》を真摯《しんし》そのものの口調と思い入れで吹きまくり、逃がした魚、もしくは逃がしもしない魚を嘆賞する釣師の口調とそっくりになるのだった。

たしか、あれは志賀高原の奥の発哺《ほっぽ》だったと思うが、一日中よたりまわってクタクタになり、民宿にもどって炉ばたで茶碗《ちゃわん》酒をチビチビやっていると、すぐよこで女子大生らしいのが何人か、ペチャクチャしゃべっている。肘枕《ひじまくら》で寝ころんで、うとうとしつつ、その会話を聞くともなしに聞いていると、リンゴの頬たちは明日の計画を相談しているらしい。竜王というところを越えて、草津温泉へぬけるコースがあるらしい。それをやろうヨといって、しきりにハッスルしているのである。何でも途中に尾根めいたところがあり、朝早くだと雪が凍《い》てついてカチンカチンになっている。そこを越えさえすれば、あとは何とかなる。そこが急所なのだ。そこでこそ山スキーのテクニックがモノをいう。リンゴちゃんたちはそんな話をし、その難所のことを話しあいつつ、しきりに、〃蟻の門渡《と》り〃〃蟻の門渡り〃というのである。大きな声をだし、ほがらかに、発剌《はつらつ》と、そんな秘めコトバを口走るのである。

あまりに彼女たちが晴朗なので、とうとう私は炉ばたに起きなおり、茶碗酒をすりつつ、低い声で、一人にたずねてみた。

「……アノ、失礼ですが、その〃蟻の門渡り〃というところは、狭いんですか？」

「そう、そうなの」

リンゴちゃんは元気にうなずく。

「狭くて、細くて、ツルツルしてるのよ。とてもすべりやすいの。ことに朝早くなんか。雪がしばれてカチンカチン。アイスバーンよ。エッジをたてなきゃ、谷へころがりおちちゃうわ。一巻の終り。サムシング」

「そこはひょっとして、雑木林なんかあるのじゃないかな？」

「ある、ある。雪に埋もれてるけど、ポワポワ生えてるわヨ。よくごぞんじね。おじさん。ボサがあるわヨ」

「ブッシュというほどかしら?」

「ウン。それほどでもないけど、ボサはあるわね。そうね。場所によっては藪漕《やぶこ》ぎしなきゃなんないけど、でも、もう何人も毎日いってんだから、ちゃんと道はついてんのよ。シュプールが道になってんの」

口「安全かな?」

「先輩だっていけるわよ」

閉「その蟻の門渡りをこえたら、どこ?」

「温泉よ、温泉。これがまたサムシング。あたたかい、あたたかい温泉に入ってシバレた体をほぐすの。いいわァ。サムシング、サムシング」

口「よくできた話だ」

開「何がァ?」

「いや、マ。よろし」

おそらくまだキスもしたことのない、小さいけれどぽってりと肉ののった唇のまわりに青い果物の生毛《うぶげ》にそっくりの薄ヒゲを生やして、リンゴちゃんは勇みたち、眼を輝やかせて、仲間と、蟻の門渡りが、蟻の門渡りを、などと、夢中である。私は紙きれにその漢字を書き、東京へもどったらちょっと大きな辞書でひいてごらん、オモチロイよ、という。リンゴちゃんはきょとんとして、何だろ、これ、サムシングなどと、つぶやいている。

茶碗酒でうとうとしつつ、私はまたごろりとよこになり、疎林の〝ポワポワと〟あるあの狭い秘めた間道の光景を思いうかべて、拈華《ねんげ》微笑《みしよう》。

オスはメスを見捨てなかったが、しかし……

いつだったか、パリの学生町の安下宿で雑誌を読んでいると、アフリカのチンパンジーが《アリ釣り》をしている写真がでていた。野生のチンパンジーがアリ塚のまえにしゃがみこみ、手に棒を持って、あの、テレたような、得意なような薄笑いに似た顔つきをしているのである。その記事を書いているのは動物学者で、野生のチンパンジーを現場でずっと観察しつづけた実見記の一部が掲載されているわけなのだが、それによると、チンパンジーは棒きれをアリ塚につっこみ、しばらくしてそろそろとぬきとり、その棒についたアリをぺろぺろと舐めとるのだそうである。まるで子供が綿菓子かアメ玉をしゃぶるみたいな光景なのだが、ちょっと注意しておきたいのは、棒である。そこらにあるのなら何でもいいというのではなく、ちゃんと好みがあって、その好みの基準はまだよくわからないが、いずれにしても〝選択的〟に選びとるのだそうである。

壁紙には雨の地図がひろがり、ナンキン虫をつぶした古い褐色のしみがあちらこちらにつき、無数の男女の吐息や呻唸《しんねん》を吸いこんだ壁は荒《すさ》みに荒んでいて、部屋というよりは独房と呼ぶほうがふさわしいような部屋に私は寝ころんでいたのだったが、小さな笑いが声になって洩れた。チンパンジーが《アリ釣り》をするというのも思いがけなかったが、棒を選んでから仕事にかかるという一点で不意うちの親近感を抱かせられたのだった。これでは釣師も猿もまったく変るところがないではないか。私だって釣りにでかける前夜には何本かの竿《さお》のうちでどれにしようかと愉《たの》しい迷いにふけって選ぶのに悩むではないか。やれやれ。ヒトとケモノの差がまた一つ消えたようだぞ。ヒトは道具を製作し、使用するが、ケモノはそういうことをしないというのが永いあいだ決定的な両者の差であるとして議論や判断や定義の根拠になっていたのだが、どうやら崩れだしたようである。

ヒトとケモノの差として数えられるものにはいくつもある。たとえば戦争。たとえば文字である。ケモノは弱肉強食の掟《おきて》に従って生きているが、ヒトもそれとそっくりの行動を演ずる。しかし、ケモノはその日その日の飢えをみたすためにだけ獲物をあさり、けっして余計な虐殺《ぎゃくさつ》にふけらないものだという教訓がいまでもときどき説かれているようだが、ケモノだって食欲《しょくよく》以外の衝動で殺戮《さつりく》にふけるのはいくらでもいる。

カワウソがそうだし、イタチがそうだしと、ちょっと以前まで人家からあまり遠くない場所でよく見られた現象である。ハチもまた大量の虐殺行為にふけるようである。物凄《ものすご》い数の死傷者をだしながらそれが終ってみると彼我ともにあいかわらずの現実がもどってくるのを見て、ある人がトルストイに、いったいあのナポレオン戦争の意味は何だったのでしょうねとたずねたら、トルストイは、春になってハチの群れが大きくなって殺しあいをやるようなものですよと答えている。マルサスはこれをもう少し異《ちが》った口調と論点から説き、マルクスはそういうことに終止符をうつのだと叫んだが、あちらこちらの国が社会主義になってからの現実を事実のまま直視すれば、あいかわらずのていたらくというしかないようである。

ケモノは笑わないが、ヒトは笑う。ケモノは文字を持たないが、ヒトは文字を発明した。ケモノは火を使わないが、ヒトは火を使う。といったぐあいに、つぎつぎとヒトは差を数えつづけてきたわけだが、そういうことを数えれば数えるだけ、いよいよヒトとケモノの差がなくなっていくようなのでもあった。観察が精細になるにつれて〝類似現象〟と見られるものが彼我ともに数多く発見され、一時代は前時代の知らなかった謎《なぞ》を発見して判断に迷い、類推という思考法そのものが疑われはじめる。ヒトは核兵器の発明で最終戦争を予言から現実へとうつしかえたときに、超ケモノ、超ヴイールスとなったわけだが、放射能を裸で生きのびる能力から算定してみるとゴキブリのほうがお話にならないくらい強力なのだということも同時にわかり、かねがねケモノ以下ではあるまいかと感じていたのが一挙にゴキブリ以下に落ちてしまったのでもあった。

……ある生態学者とほろ酔い機嫌でそういう話をしていると、学者は、ウム、ウムと、各段で否定ともつかず、肯定ともつかずにうなずいていたが、チンパンジーの《アリ釣り》の光景の愉快さを思いだして酒を飲みだしたはずなのに、話がほどけていくうちに陰惨なことばかりかぞえたてる結果となり、いささか、私、うんざりして、だまってしまった。すると、博士は、こういうことをいいだした。

「……だから、ケモノとヒトの類似現象が多すぎてけじめがつかなくなっているのは、まさにそのとおりなんだ。ニホンザルのだす叫び声を分類したら小さなパンフレット程度の辞書ができるくらいだ。それくらいはもう採集してあるんだよ。目下のところ、ケモノとヒトのけじめは、これだってどこまで決定的なのか、確言はできないけどね、一つしかないんだよ」

「何です、それは」

「オスの行動さ。ヒトのオスはメスを見捨てなかった。移動、放浪、乱交、雑婚、離婚、いろいろなことはあったけど、ヒトのオスはメスを見捨てなかった。タブーだ、宗教だ、裁判だと、いろいろな外的規制で支えたということがあるけれど、とにかくオスはメスを見捨てなかった」

　学者はいささか思惟《しい》に熱が入りだすと冷めたいのにギラギラ光った、むきだしの裸眼になる反射を持っているが、いま、そういいながら、何やら沈潜しはじめ、体がまえかがみになるにつれて、眼がトカゲや魚のそれにそっくりの気味わるい裸眼になってくる。

「……しかし、ヒトのオスがメスを見捨てなかったことが巨大な現実をつくったのは事実ですが、恐竜や旅行鳩《ばと》のように滅亡していった民族もおびただしくあります。それに、どうやら生きのびられた民族だって、オスがメスを見捨てなかったためにケモノの知らない不幸をヒトのオスはやたらに背負いこんじゃってあえいでいるじゃありませんか」

「そこだ」

　ふいに学者は大きくうなずき、タバコの灰をテーブルに散らした。大きな、透明な荷物を投げだしたかのように彼の姿勢は吐息とともにさらにまえかがみになり、それはまぎれもなく苦痛のしるしと見られたが、奇妙なことに、冷めたい裸眼が、あるめだたない一瞬から、熱のある裸眼に変貌《へんぼう》した。そして、ふと、たちまち気弱そうな、優しいまなざしとなり、裸が消えて、学者は声低く

「そこだね」

とつぶやいた。

私、一瞬、同情しちゃったネ。

夕方男の指の持っていき場所

ジンという酒は西洋の焼酎《しょうちゅう》で、酒精《アルコール》を蒸溜《じょうりゅう》するときに杜松《ねず》の実をつめた罐《かん》を通過させて味と香りをつけるのだが、初期には蒸溜装置が幼稚だったからフーゼル油だの何だのがまじり、それがひどい悪酔をつくる原因になった。ロンドンの有名なジン小路は貧乏人が安く手早く酔っぱらいたいためにこの酒をガブ飲みしたところからそういう異名がついたので、この小路は、当時、ありとあらゆる犯罪の巣だとされていた。

だからジンはイギリス紳士のあいだではいまだに何やら安酒扱いをされ、黄昏《たそがれ》や食前にシェリーかマーティニかとたずねられたら文句なしにシェリーだと答えるのがほんとの紳士だとされている。そういう噂《うわさ》はよく聞かされるのだが、ロンドンの一流ホテルのバーでその時刻にそれとなく観察していると、シェリーよりもジン・トニックやマーティニの註文《ちゅうもん》のほうがはるかに多いような気がするのは、当節、ホントの紳士が少くなったからか。それとも、ホントのイギリス紳士はそんな時刻にそんな場所に登場しないからか。

ジン小路時代にくらべると現在は蒸溜装置がほぼ完璧《かんぺき》といいたい点にまで達したし、杜松実の扱いかたも研鑽《けんさん》を積んだものだから、お話にならないくらいの上酒にジンはなった。もはやそれはバクダンでもなければ二日酔の素でもない。かつてカクテル全盛時代には何百と数知れぬカクテルがつくられたものだが、生きのこったのは《マーティニ》だけだといってよろしいし、そのマーティニも今ではしばしばジン一本槍《やり》でつくるのだから、屈指の銘酒になったといってもよろしい。しかもお値段は他の屈指の銘酒とくらべてグンと親愛なんだから、眼が細くなる。これからは蒸暑い季節になるからジンを冷蔵庫で瓶ごと冷やしておけば氷なしでもそのままドライ・マーティニとしてグラスにつげる。その点は国産の焼酎でもおなじなんだが、こいつ近頃、度数がグッと低くてキックもなければダウン・ビートもないうえ、レッテルにイチゴだのウメだの、子供くさい画《え》があってやりきれない。やっぱり、ジンだ。でなけりゃ、ウォツカだ。

マルティニ・エ・ロッシというイタリアのヴェルモット会社がカクテルの流行にいちはやく目をつけてジンと組みあわせにして自社製のヴェルモットを売ることを思い

つき、そこで創案したカクテルに《マーティニ》という名をつけたのが起源だということになっている。しかし、スポンサーのホーレン草の罐詰会社の名前をみんなきれいに忘れ、ポパイだけがおぼえられてしまったのとおなじように、《マーティニ》も、それだけが独走、また独走し、無数の処方がつくられた。オックスフォード大学では学生にマーティニの議論をするなというお布令《ふれ》をだしたくらい。

ジン⅓に辛口ヴェルモットを⅔、それにビターズが二滴か三滴。これがそもそものドライ・マーティニの公式処方だったのだが、たちまちのうちに無数のヴァリエーションが発案され、みんなが口ぐちにオレのが、オレのがといいだして、世界のいたるところでパーティーが騒然となった。しかし、時代がたつにつれて、混沌《こんとん》から一つの主題がクッキリと顔をだし、いかにドライにシャープにつくるかが争われるようになった。だからヴェルモットをまぜることは次第に敬遠され、ある大学教授は冷やしたジンを入れたグラスを右手に持ち、左手でひとつまみの塩を肩ごしにうしろへ投げてから飲むといいんだといいだし、チャーチルはヴェルモットの栓をぬいてその匂《にお》いをかぐだけで満足したと伝えられ、といったぐあいになった。無数の無邪気な、ちょっとした〝儀式〟が試みられるようになり、とうとう、《完璧なマーティニというものはこの世に存在しない》という神秘の託宣がひねりだされた。議論をやめさせようとして誰かがそういいだしたのだが、サテ、みんなうなずきはしたものの、議論のほうはいよいよ……。

完璧なマーティニはまだ飲んでいないが、無数のいいマーティニは飲んだ。涼しい松の香りを鼻さきに感じながら見る見る無数の小さい水滴が霧となってグラスの肌にひろがっていく。だまってそれを眺めながら霧ごしに眺めたバイエルン・アルプスの、西ベルリン、クアヒュルシュテンダム通りの、マドリッドの、サイゴンの、香港《ホンコン》の、夏の、冬の、無数の黄昏の燦爛《さんらん》を、ただそれだけの記憶をつづって、いつか私は一篇を書いてみたいと思っている。

そのグラスのかなたにあったもの、ふちにあったもの、私の内部にあったもの。そして、たとえば、マーティニがこれくらい飽くことなく飲まれるのは極上の素材は無飾で演出するにかぎるけれど、ただしその単純には無量の深さをひそませておかなければならないこと。それこそがすべての至難の至境であること。森の苔《こけ》の香りや、革の手袋の匂いや、白木の家具が愛されるようにこの酒は愛されるのだと、何度もたわむれに、しかし確信をこめて考えこんだことなども。

十五歳ぐらいから私は酒とタバコになじみだしたのだから、かれこれ三十年間、浸ってきたことになる。黄昏になると潮がさすように避けようなく手はのびて、瓶やグラスをいじり、たまゆらの安堵《あんど》を滴下しつづけてきたわけである。梶井基次郎《かじいもとじろう》のいう〝不吉な焦燥〟をそれでほんのひととき鎮《しず》めたり、そらしたり、しばしばかえって火を燃えあがらせて狂騒に走ることもあった。白昼は私には胸苦しく、荒涼とし、手のつけようがないものだから、黄昏に点滴すると、うまいぐあいにいったときは、古なじみのシャツのようにしっくりした、体にぴったり沿っていながらしかも気にならない、まったく着ていると感じられないような夜のなかへすべりこむことができた。ペンが道具ではなくて指の一部と感じられ、園芸家の指が湿った土のなかで誤つことなく植物の根をまさぐりあてるように言葉をさぐる。そのような灯と夜が、たまにはあってくれたのだった。

けれど、今週は三日つづけて胃部が痙攣《けいれん》したり、背中の腰の上部が鈍痛でひきつれたりした。五時間つづくこともあり、三時間つづくこともあった。去年にもあったことだが、それまでは鼻毛のさきほども知覚したことのない兆しである。アニマルなみだったのが人なみに堕ちたらしいのだ。永いあいだ不吉な癇《かん》持ちだったのが、そこへ癪《しゃく》がとりついて、陰険でおどおどした癇癪持ちになりつつあるらしいのだ。おかげで酒を警戒してこの数日一滴も飲まず、黄昏になっても指の持っていき場がないので、いよいよ落着かないのだ。

一滴も飲まずに書いてみたらこんな原稿になった。グラスをとってからペンをとることに慣れた指でペンだけをとって書いてみたら。

言葉はできなくも　鼻はみごとにきく例

アメリカにランダム・ハウスという高名な出版社があるが、そこのバーンステイン社長が来日し、たまたま招かれて昼食をいっしょにしたとき、クノップ社のストラウス氏の噂《うわ》さがでる。ランダム社とクノップ社は同系列で、資本が共通していて、いわば兄弟会社ということになる。

ストラウス氏はクノップ社の幹部の一人で、たいそうな親日家であった。日本文学の翻訳・出版ということになると、いちいち自分で読んで納得したものでなければ許可をださなかった。敗戦後からこの三〇年間に日本文学はかなり外国に知られるようになったが、ストラウス氏の功績は大きかった。

クノップ社が出版したとなると、右へならえでドイツやフランスの出版社も出版し、翻訳にあたってはしばしばクノップ版を底本にすることが多かったから、氏がドアをひらいたようなものだった。その積年の功績にたいして氏は昭和46年に菊池寛賞を贈られたが、昨年、惜しくも鬼籍に入られた。

はじめて氏と知りあったのは三島由紀夫邸でだったが、それからは来日されるたびに会って、食事をしたり、酒を飲んで雑談したりしてたのしんだものだった。アメリカの出版人、それも第一線の幹部などという人物を他に一人も私は知らないので、ユーモアや警句をたのしみつつも、興味が深かった。重役にしては氏はいつもひどくざっくばらんな服装をし、ライターは古い、くたびれたジッポ、タバコはあまり上等でないシガリロ（細巻葉巻）だった。飲み物はトマトジュースにウオツカを入れたブラッディー・マリーか、ドライ・マーティニというところだった。

若いときには画家になろうと思ったことがあるらしくて、パリ留学中に住んだパッシー地区のことをよく懐《なつか》しそうに語ったが、庭いじりとカメラいじりが趣味で、写真をよく見せられた。文学の鑑定力は一流であったが、写真はそれにくらべると、アマチュアのホビーをあまりでないようだった。

氏は日本語が読みもでき、話すこともできたが、どうやらつかえつかえだったし、ぎくしゃくとして途切れがちだったが、ホテルでも酒場でも、いつでも本を片手にし、いってみると薄暗いなかでマーティニをちびちびとやりつつ、悠々とした姿勢で読んでいた。文学について氏が厚めの唇から洩《も》らす感想はいつも正確であり、しばしば痛烈であったから、その点の疑いはないのだけれど、日本語そのものが覚束《おぼつか》ないので、しばしば内心、ためらいを抱かせられたものだった。

しかし、あるとき新宿のバーで落ちあうことになり、約束の時間にいってみると、いつものように悠々端然とすわって読みつつ、飲みつつをやっていた。それは吉行淳之介《じゅんのすけ》の本で、たまたま私は二、三日前に読了したばかりだったから、どこがいいと思うかとたずねてみた。すると氏はだまって本を繰ってある頁《ページ》をひらき、葉巻を持ちかえて、太い指で、ココデスといっておさえた。それが私の記憶と、ほとんど二行と狂わず一致していたので、内心たじたじとなった。さすがと思わせられる鋭敏さであった。

たしかに日本語はたどたどしかったけれど、松阪牛を食べたり、串《くし》カツを食べたりしながら、氏がよちよちとしてはいるけれど底深くネッチリとした口調で、川端康成、三島由紀夫、谷崎潤一郎など、諸氏の諸作について洩らす意見は闇夜《やみよ》の町角で閃《ひら》めく匕首《あいくち》のように鋭かった。

この人には特異な嗅覚《きゅうかく》があった。地下一メートルの闇に生えるトリュッフ（西洋松露）を地表で嗅《か》ぎあてる豚や犬の天才にそっくりの狂わなさがあった。この程度の日本語でこんなに深く読めると知らされると、なるほど、さすが、さすがと思わずにはいられなかった。

氏がよく謙虚だけれど自信満々に語ったのは若いときにアンドレ・ジイドを掘りあてた例だった。ジイドがアメリカでほとんど無名だったときに若いストラウス氏はいち早く買って翻訳・出版したのだが、売行きのほうはひどいもので、年かかっても十六冊（ひょっとしたら六十冊かも――）しか売れなかったが、それでもずっと買いつづけた。だから後年ジイドが大作家になって、みんなが眼を注いだときには、全版権がクノップにあった。これがクノップと私のやり方なんだ。買うまではあくまでも慎重にあらゆる方角から検討する。しかし、一度買ったとなると、われわれはその作家を一生買いつづけるんだ。

会うたびにこういう話を聞かせられていたものだから、私の作品の一つが同社で翻訳・出版されると決定したとき、氏はまっさきに手紙をくれて、冒頭にいきなり、『おめでとう』と書いてきたが、私としては試験に合格させてもらった満足感のほかに、千軍万馬のギャンブラーにプラスチック札をおいてもらったルーレットの目の一つになったような気持が濃かった。これで今後氏に切らすことなく張りつづけてもらえるらしいとわかりはしたけれど、そうなればなるで新しい不安というものもでてくるのである。しかし、文学というものは、書くほうも、出版するほうも、ギャンブルなのだ。それも両面待ち、三面待ちという手の使えない、いつも一点張りの、のるか、そるかの張りかたしかできない賭《か》けなのである。それたらつぎを狙《ねら》うしかないが、それもまた一点張りでいくしかないのである。

氏が故人となられてから売れもしなければ儲《もう》かりもしない日本文学を出版しつづける、得難い気魄と志と親愛が失われ、ドアも窓もニューヨークで閉じられたように感ずる状況がつづいていたのだが、ランダム・ハウス社ではどうやら今後バトンをひきついで乗出してくるらしい気配がバーンステイン氏の言葉のはしばしに匂《にお》っていたので、ひどい二日酔いの泥のなかでもがきながらも、昼食にはちょっぴり食慾《しょくよく》がでてきた。いくらか会話がたのしめるようになってきた。

ニューズ・ウィークの東京支局長のクリッシャー氏がお得意の地獄耳ぶりを発揮して日本の出版界の常習であるカンヅメという奇習を説明したので、その奇習のエキスパートである私が、若干の補足をした。そして、バーンステイン氏に、アメリカではどうやってるのですとたずねたら、氏は微笑して

「契約書にサインしたあと神様に祈ります」

と答えた。

多勢と無勢か外套《がいとう》を剝《は》ぐか離すか

原作者がさほどの〝志〟をこめて書いたとは思えないのに、時代がたつにつれて名声が空にまでとどくようになって版をかさねる書物というものがときどきあるが、アイザック・ウォルトンの『釣魚大全』もその一つであろう。十七世紀に出版されたこの本は永い間、版をいくらかずつかさねはしたものの、とくに騒がれることはなかったようだが、どういうものか十九世紀に入ると、俄然《がぜん》求められはじめ、重版また重版ということになって、著者に印税を払わなくてもよくなった出版社をむやみにホクホクさせた。釣りの本がこの世紀に入って読まれるようになったのは、産業革命がはじまって生活がやたらにあわただしく、いそがしく、セチ辛くなったためではあるまいか、と考える説がある。

ウォルトンがこの本を書いた時代は、政争、疫病《えきびょう》、大火などがあって、人びとはたいていの他の時代とおなじように血相変えて右往左往していたはずだが、彼はそれらいっさいに背を向けて川岸にすわりこみ、ひたすら釣りに没頭し、その経験から、静謐《せいひつ》、閑貧、孤高の愉《たの》しみを説きつつ、ミミズをどうしたら永保ちできるかとか、ウグイは小骨が多いけれど料理次第ではうまいものなんだということなどを、そこはかとなく書きつらねた。穴場、餌《えさ》、魚の習性、擬餌鉤《ぎじばり》の作り方、日光、微風、鳥の鳴声など、よしなしごとを思いつくままに書いただけで、むつかしいことは何ひとつとして書かなかった。自分は二度結婚して九人の子供をつくったのだけれど、そのうち生きのびられたのは男の子たった一人だったという悲傷も、ついにひとことも洩《も》らさなかった。文体はのびのびしているけれど簡潔、素朴そのものである。しいていえば歌を歌としない発想だということになるだろうか。

おそらく後世になってからの出版社の思いつきではあるまいかと思いたいのだが、この書物は戦争や恐慌《きようこう》があるたびに売れるという名言がある。事実としてそのとおりだったらしいのだが、一度そういう名言ができて流布《るふ》されると、さらに水が水を呼ぶという事態が発生して、いよいよ名声が高まる。

わが国にイギリス文学が導入されるようになってから今日までに岡倉、下島、平田、谷島、森と、五氏の訳がそれぞれの時代に出版されたが、初版そのものによる訳はなく、すべて流布本の第五版によってである。しかしどの訳本も『風とともに去りぬ』

のように売れたという話は聞かない。

このうち私が持っているのは昭和十一年の平田禿木《とくぼく》訳、昭和十四年の谷島彦三郎訳、昭和四十五年の森秀人訳の三種である。三種をそれぞれ行を追って照合したこともなく、またそのうちどれかを原典と照合しつつ読んだということもないので、気ままな散歩者としてときどきチラホラと散読するにすぎないわけだが、いくつかのたまたま眼についた異同のうちの一つをあげてみる。

『春秋社思想選書』の一冊として出版された谷島彦三郎訳によると、第五章で乞食《こじき》の一団が街道で、多数からお鳥目をもらうのと無数からもらうのとではどうちがうかという議論をしている。一人がおなじことだというと、べつの一人が、イヤちがうという。なぜなら、〝敵は多勢〟、〝味方は無勢〟ということがあるように〝多勢〟と〝無勢〟ではまるでちがうんだという。すると、また一人が、無数からお鳥目をもらうほうがはるかにやさしいさ。なにしろ無数は数なしなんだから、そのままほっておけばいいんだと主張する。それを聞いた、またまたべつのが、バカいっちゃいけない、ほっといて銭がもらえるかと巻きかえす。

これが、平田訳と森訳ではまったく違っていて、外套を剝《は》がすのと離すのとどちらがやさしいかという議論になっている。一人がどちらもおなじことだというと、そんなことはない、それじゃ結ぶのとほどくのとおなじかねというやつがあり、外套を離すのはやさしいことだ、ただほっておけばいいのだからというやつがでてくる。しかし、ほっといてどうして外套が離せるかねと巻きかえすやつもでてくる。とどのつまり決着がつかないので、酒場へいって話をつけようということになるのだが、その酒場の名が谷島訳と平田訳では『待ち伏せ屋』、森訳では『落ち合い屋』となっている。私としては《多数と無数》論争のほうが面白いのだが、《外套》論争はまったくこれと次元が異なる。谷島氏の拠《よ》った底本とあとの二氏の拠った底本とが少なくともこの点ではまったく異なっていて、その相違ぶりは句読点のちがいとか、一語、二語のちがいという校正のミスによって生じたという性質のものではなく、一語をめぐっての訳の相違という性質のものでもない。《待ち伏せ屋》と《落ち合い屋》は一語をめぐっての訳の相違だが、《多数と無数》という英語と《外套》という英語とではひどい相違だし、かりにそれを誤訳したとしても、その後の議論がまったく異なるのだから、これはどう考えていいのかわからなくなる。谷島訳は昭和十四年で、平田訳はその三年前に出版されているのだから、訳者は自分のとくらべて読んでいたにちがいあるまいと思いたいところだが、それでも自分の訳のほうが正しいのだとしたのなら、底本そのものに相違があったということか、訳者の奔放な創作癖のためだということになりそうである。無名の下訳者を使っていたのだとすれば、その先生にとんでもない愉快な創作癖があったのだ、ということになりそうである。だとすれば、その無名先生はなかなか面白いアタマの持主だったといえそうであるが……。

しかし、平田訳も谷島訳もどうやら底本は初版ではないらしい。平田訳は〝竹友藻風《たけともそうふう》氏から寄せられた、ブラック社複写の小型袖珍本《しゅうちんぼん》の初版と、佐藤春夫氏の好意で借覧中の、第四版を校訂《こうてい》刊行した、ナンサッチ・プレスの豪華版が机上にあるので、些《いささ》か意を強うしている次第であるが、訳文の筆は普通の流布本に倣《なら》って、第五版に拠った〟というものである。谷島訳には底本が何版によったのかは記されていないから、流布本だったのだろうと推察したいところである。

かねがねこういう次第でアタマをひねり、考えあぐねていたところ、京都の神学者で釣師でもある人がたまたま初版本の複写を図書館で発見し、いっさいこれによって逐語訳し、明治以後はじめてこの奇書の初版本訳がわが国で読めることになりそうだと耳にしたので、今日さっそく新幹線に乗って、京都へいって聞いてこようと思う。

乞《こう》御期待。

ウォルトンが厚化粧を落とすらしい

日曜日。

11時すぎに東京駅の新幹線ホームで『旅』の藤原君、石井君と落ちあう。京都へいって神学者の杉瀬祐氏とウォルトンの『釣魚大全』初版本をめぐって対談をするため。杉瀬氏は対談のまえに賀茂川の上流でアマゴ釣りをちょっとやってみてはと提案して下さっていて、それは妙案だと思うのだが、ここしばらく夜ふかしがつづいて私には体力と気力、ことに気力のほうがひどく地盤沈下している。

しかし、ホームにやってきた石井君を見ると釣装束で、右手にフライ竿《ざお》など持ち、どうしてもやらせようという魂胆らしい。青森の田代高原、下北半島の太平洋側、酒田の突堤のスズキ釣りと、かつて連戦連敗の苦杯を喫し、そのあといろいろと消去法で原因を考えた結果、どうやら彼と私のコンビがいかんのではないかと結論を析出したはずなのだが、またまたジンクスに挑もうというところらしい。車内で彼のカビの生えたリールにフライの糸をほぐしほぐし巻きつけたら、仕上がったとたんに泥のような憂愁と眠りに吸いこまれてしまう。

京都駅でおりるとタクシーでホテルに向うが、私のアタッシェ・ケースには貴重文献が三冊入っていて、対談のための重要な資料だから、また、ほかには何も荷物がないから、部屋の予約だけしてそのままタクシーに。賀茂川をちょっとさかのぼった、ある町の一角で釣装束で武装して待っていた杉瀬氏をひろい、雲《くも》ケ畑《はた》に向かう。ここはすでにクマのでる杉林の小村で、自動車が通れるだけの道はついているけれど、両側の山肌は急峻《きゅうしゅん》で、杉また杉。渓流はいかにも可憐《かれん》な日本の渓流だが、水はゆたかで、ザラ瀬、落ちこみ、深ンど、いろいろとチャーム・ポイントがつづく。

しかし、今日は日曜日だからアマゴは未明のまずめどきから攻めつづけられたに相違ないし、狭い谷のあちらこちらでアユ師がゴロ曳《び》きをやっていて、こうひっ搔《か》きまわされたのでは到底、期待が持てない。河原へおりてフライ・キャスティングの練習をする。剣道で申せば木刀の素振りというところである。鉤《はり》はよくポイントに入るが魚は姿も影も、頭も閃《ひら》めきも見えない。

雨もじゃぶじゃぶ降ってきたので店仕舞いとなり、しきりに恥じて申訳ない、申訳ないという杉瀬氏をなだめつつ京都市内へもどり、青畳のお座敷に入って対談をはじめる。氏は同志社大学の女子大部で神学を説いていらっしゃるのだが、かねてより釣りについては冷静な熱狂家。それも、コイ、フナ、マスなどの淡水魚からクロダイ、スズキ、アイナメと海水魚も嫌うことなく攻め、アメリカ留学中はミシガン湖のパーチ、全米どこにでもいるブラック・バスと、探求心の赴くままの八宗兼学のファナティックと見受けた。

この人、某年、某日、フトしたことから大学の図書館でウォルトンの『釣魚大全』初版のファクシミリ（複写版）を発見する。氏の調査によると、この静穏な奇書がはじめて日本に紹介されたのは明治17年2月、丸善商会出版の『百科全書』第5巻。以後、紹介、註解《ちゅうかい》、抄訳、全訳、すべてを含め、竹友藻風、岡倉由三郎、飯田道彦、戸川秋骨、平田禿木《とくぼく》、谷島彦三郎、下島連、小沢準作、森秀人、十指にのぼるとのことである。明治、大正、昭和、昭和後半、要するにこの〝近代〟一〇〇年を通じてこの書は忘られかけては訳され、忘られきってはまた訳され、いずれも小部数ながら間断なく三代を生きぬいてきた。

シェクスピアやドストイェフスキーは、時代とともに入れ替りたち替りして訳されつづけてきたが、老子がイギリス人になって釣りをしていいたいことをいってるようなこういう書物としては、稀有《けう》の待遇をうけてきたといってよいだろうと思う。

これは、たしかに、意想奔出と呼びたくなるわが一〇〇年の翻訳界の混沌《こんとん》にある絶えることない一細流といいたい。それは細流にはちがいないけれど、どんな疾風怒濤《しっぷうどとう》期にも静穏と閑雅に憧《あこが》れを抱く出版人と読書人がいたという一証左なのだと思う。

ところが、それはそれとして、この書の十七世紀の初版は羊皮装のポケット版で、釣りの哲学書で詩集でありつつ同時にハウツー・ブックでもあったから、釣師のポケットに入れられたまではいいけれど、河岸、草むら、旅館、あちらこちらへ忘れ捨てられてしまい、すっかり、稀覯本《きこうぼん》になってしまった。

ウォルトンは一六五三年、六〇歳のとき、この書の初版を出版し、第二版、第三版とかさねるにつれて書きたしや削除をやったので、後版は初版とひどく異《ちが》ってくる。ふつう流布《るふ》本になっているのは第五版で、前述の邦訳のすべてが流布本によるものと推定され、初版本から起したと明記したものは一冊もない。初版本と流布本の相違は、初版本では釣りの素朴で穏やかな、宗教的・道徳的つつましやかさが謳歌《おうか》されていたのに、第五版以下では83歳の老ウォルトンの饒舌と感傷がくどくなり、説教癖がでて、厚化粧のようだと、本国の通《つう》に批評されている。私たちは一〇〇年間、この厚化粧版からの訳を読んできたわけである。しかもその初版にしても、釣りにくわしく、昔の英語に深く聖書の知識に長じ、なによりも、よほど釣りにうちこんだ日本人でなければば、という条件がある。

だから。

同志社大学の図書館にその初版本の完全複刻版を売りにきたのは京都の洋古書商らしいと杉瀬氏は見当をつけているのだが、それ自体が一八九六年刊行のモノなのだから、こういう本がどうして日本に漂着したものなのか。それを空想するだけで愛書家の運命を描いたアナトール・フランスの名作『シルヴェストル・ボナールの罪』に匹敵するような珠玉名編が書けるかもしれないと思わせられたりする。私は山の湖や渓流のルアー釣りにいささか身銭を切って、サケ科目のマス族とイワナ族についてちょっぴり見聞の雨と風を味わったが、『釣魚大全』の初版本にはまるで無知。そこに多く引用されてあるらしい聖書からの引用句にもまるで無知。だから、明治以後一〇〇年たってやっと本命の初版本の完全複写版から起されるこの奇書の翻訳にはまったく無知の新鮮さで接することができるだろうかと思う。何といってもこれは第一頁《ページ》をひらくとき、白い窓がふいにひらくような感動をおぼえるものと期したい。これは戸外、室内を問わず釣りと文章に心を焦《こ》がす人にとってはここ一〇〇年間の事件といってよろしいだろうと思う。

ウォルトンが厚化粧を落とすのだ。

君は不思議だと思わないか？

用談がすんで部屋をでてから階段の踊り場あたりにさしかかってから、ア、そうだ、あれをいうんだったと思いつく後知恵のことを《エスプリ・デスカリエ》と申すが、いつかマーティニのことを書いたときにもそれがあった。いま思いだしたので、忘れないうちに書きとめておこうと思う。

そのとき書いたようにマーティニはもっとも単純で、それゆえもっともむつかしく、もっとも倦《あ》きのこない、唯一《ゆいいつ》のカクテルといってもいいもので、《完璧《かんぺき》なマーティニはない》という神話的托宣がつくられるくらいである。そこで、では、その微妙な飲みものにつける親友には何がいいか、サカナは何にするかということを前回に書きおとした。それをいま書いてみようと思うのだけれど、何百杯となくあちらこちらで飲んだあげく、オリーヴの実がナンバー・ワンだということになった。

例の細長い瓶に入ったオリーヴの薄塩漬けである。あれの塩味は、はんなり、ほんのりして、舌をくたびれさせず、すするたびに酒を新鮮にしてくれる。マーティニのなかに沈めてもよく、小皿に盛ったのを一個ずつ妻楊枝《ようじ》に刺してポツポツ食べるのもよろしい。氷をタオルにくるんで手早く金槌《かなづち》で砕いたのを鉢に入れ、そのうえに盛るのも、よく冷えてよろしい。辛口の白ぶどう酒の親友としてもこれは一番である。うまいフランス・パンの皮もいいもので、倦きがこないが、それに匹敵するといえようか。

オリーヴの瓶詰には何種類かある。グリーンの実から種をえぐりとってそのあとへ赤いピメントの小片を入れたスタッフドというの。これには国産品もあるが、なかなかの出来栄えで、量産品の外国製のよりずっと味がこまかい。グリーンはグリーンでもピメントを入れないで種をのこしたままのもある。それから、ライプ・オリーヴといって、熟して茶色になって、いささか比喩《ひゆ》が露骨すぎるが婆《ばあ》さまの乳首に色も大きさもそっくりというの。これも種入りと種抜きの二種ある。わが国ではほとんど見かけることがないけれど、これは味が枯れていて、慣れると何となくやめられなくなる。

冷えきって無数のこまかい滴《しずく》に蔽《おお》われたマーティニのグラスは霧のなかの北方の湖のように見えるが、そこにオリーヴの緑と赤が沈んでおぼろに輝やくのを眺めてぼんやりしているのはいいものである。このたまゆらの放心、白想のくつろぎは何といってもありがたい。来しかた行末のことを形なく想ったり、別れた恋人の後姿を思いだしたり、何でもないのにいつまでも忘れられない光景や心象や言葉や人のまなざしを喚《よ》び起して観察するのもいい。

そうしながら私は何百回となくこの小さなオリーヴの実にどうやって形を崩さずにピメントをつめこんだのだろうかといぶかしむ。オリーヴの実から種だけをソッとえぐり抜く。そのあとの穴へあらかじめ切って細片にしてあった赤いピメントをおしこむ。これを一個ずつ手でやるというのなら何の疑問もないけれど、おそらく機械でやっているにちがいない。とすると、それはどんな機械なのだろうか。その牧歌的な機械のことをアレコレと想像してたわむれるのである。オリーヴをつまみあげるピンセットとピメントを刺してつっこむ妻楊枝が何十本となくチマチマカタカタとはたらいているところを想像したりする。これはいつまでたってもとけない謎《なぞ》で、マーティニを飲むたびに怪訝《けげん》に思わせられるのだが、その道の専門家にたずねることもしないし、工場へ見学にでかけることもしない。こういうかわいい謎は謎のままでいつまでものこしておきたいと思う気持もある。

マーティニを飲むたびにオリーヴがそういうわけで謎として登場するが、タクシーに乗ると、そのたびに一つの謎があらわれる。これまたいつまでたってもとけない謎である。ライターだ。これまでに私は数えられないくらいライターを失ったが、そしてそれはたいていタクシーのなかだとあとになってから考えたいのだけれど、ついに一個も拾ったことがないのだ。誰に聞いてもライターをタクシーのなかで落としたらしいと答えるのに、その数はおびただしいものなのに、これまた誰もライターを拾ったと答えるのがいない。国産、外国産を含めて毎年毎年おびただしい数のライターが製造されるが、失うやつがいなかったらそうはたくさん売れないはずと思われるのに、私も友人も誰一人として拾ったやつがいないのである。タクシーのなかだけではない。列車、駅、待合室、空港ロビー、レストラン、料亭、飲み屋、屋台、公衆便所、ライターの落ちていそうな場所はいくらでもあるが、ついに一個も拾ったことがない。私が落とすばかりである。よほど私は運が悪いのだろうか。ツキがないのだろうか。

これが妙なのは、日本だけではなく、外国でもそうなのだ。外国でも私はソレとなく眼を光らせ、トイレへ入ったら右の眼で壁の落書を読みながら左の眼ですかさず光り物が落ちていないかとくまなく眺めまわすことにしているのだが、やっぱり拾ったことがない。謎はどこまでいっても謎である。ライターには虫のように羽が生えていて、持主のポケットから解放されたとたんに、さっさとどこかへ飛んでいくのだとしか思いようがない。あまり落としてばかりいるので近頃では私は五〇〇エンまでの安物を使うか、マッチを使うことにしたけれど、いったいこの奇現象はどう解したものか。そのうちデニケン先生か生態学者にでもたずねてみようかと思っている。

オリーヴはマーティニのたびに、ライターはタクシーやトイレのたびに深遠な謎として登場するが、食事のたびに登場する謎もある。割箸《わりばし》である。一億をこえる人口の全日本で一日に一度だけ使って捨てられる割箸を集めてみたらどれくらいの材木の山になるだろうかと気になってしかたないのだ。それを一年にしてみたらどれくらいの山になるだろうか。十年間の分ならちょっとした山脈になるのじゃないか。地球の資源はもう限界ギリギリなんだとか、山も海も喘《あえ》ぎに喘いでいるんだとか、モノを大事にしろとか、名論卓説はゴマンと読まされ、聞かされるのだが、割箸について、食事のたびに一回きりで食器を捨てるのは日本人だけだといってお叱《しか》りになるインテリにはついぞ一人も出会ったことがない。これは世界でも稀有《けう》の奇習だと思われるのだが、この奇習のためにシベリアやアラスカやカナダの森が裸になった分だけ酸素が発生しなくなるはずだから、われわれはお箸で地球を剝《は》ぎつつ緩慢に窒息しつつあるのではないか。

どう思います？　あなた。

無邪気は鈴なき癩者《らいしゃ》

しばらくぶりで京橋の『つるや』に立ち寄ってみると、毛鈎《けばり》に使う鳥の羽や獣の毛などがおびただしく陳列されているのにおどろかされる。北米、南米、アフリカ、その他、ほとんど全世界の鳥の羽で毛鈎に役立ちそうなのは、ことごとく集められている。アメリカの毛鈎業者から輸入したものだが、その多彩な華麗さには眼を奪われる。アメリカの業者がどうやってこれだけ多種の鳥の羽を集めるのか、それをこまかくしらべたら面白い博物誌が書けるかもしれない。

ニワトリやシチメンチョウなどのように飼育できる鳥なら疑問はないけれど、野鳥となれば一羽ずつ攻めるしかないのだから、ハンターにたのんで肉は食べても羽はのこしといてくれと、日頃からクドクドとＰＲを怠らないのだろう。なかには肉はまずいけれど羽が釣鈎になるからといって、狙われる鳥もあるかもしれない。

かつては帽子のためにシベリアのテンが狩りたてられたり、女のスカートをふくらませるためにクジラが追いまわされたりしたのだから、マスのために命を落とす野鳥がいても不思議ではあるまい。福田蘭童氏は志賀直哉氏のヒゲを毛鈎に使ったことがあるそうだから、ホモ・ルーデンスはとめどがない。

台湾のガ
インドのカラス
アフリカのダチョウ
南アフリカのオオハシ
カナダのシチメンチョウ
日本のクジャク
アイルランドのハクチョウ
中国のキンケイ
ヘブリディーズ諸島のカモ
イギリスのニワトリ
ベンガルのオンドリ
フランスのカワセミ

アマゾンのマコー

これだけの鳥のあちらこちらの羽をあしらって一本の毛鈎に仕立てたのがある。サケを釣るための毛鈎で、〝ジョック・スコット〟と呼ばれる名作だが、もうかれこれ三〇〇年近く製造、販売されつづけている。かつて領地に陽没することなしといわれた大英帝国時代に、一人の釣師が船酔いをまぎらすために航海中こしらえたのだとされているが、植民地という植民地をことごとく失った現在でも、この毛鈎はやっぱり作られつづけ、買われつづけている。東西どこでも名匠や名作の苦心譚《たん》というものは読んで倦《あ》きることがないが、こういう毛鈎の話を、窓外に雨音を聞きつつうつらうつらと読んでいると、心まことにのびやかになる。

しばらくぶりですと声をかけて五十嵐《いがらし》老があらわれ、茶をだしてくれる。羽毛のみごとなコレクションを眺めつつそこはかとなくよもやま話にふけっていると、棚に内外の釣りブックの新刊がずいぶんたくさん並べてある。どうやら見本ではなくて売るためらしい。もともと老は頑固の凝り性で、そのうえ探求心がつねに活性状態にあり、気の向くまま思いつくまま、即座に実践するという傾向があるが、釣具屋をしながら書店までやりだしたとは知らなかった。男子三日見ざれば刮目《かつもく》して待つべし……

老は苦笑して頭を掻《か》いた。

「いえネ。これも苦しい話でしてね。近頃はどこへいっても魚が少い。人が多い、川がきたない、岸はゴミだらけと。そこで、私のところへくるお客さんがすっかり愛想つかしちゃって、家で寝ころんで人の書いたものを読んでるほうがいいとおっしゃるんです。それで、こうやって釣りの本をおきましてね、ナニなんですが、これがまたバカにできない売れ行きなんです。釣道具屋で鈎より本が売れるようになっちゃあ、世も末ですワ。うれしいような、なさけないような心境です」

「推理小説やスパイ小説が売れるのは、自分でやるよりフトンのなかでぬくぬくしながら、人のやった話を読むほうが楽しいからだというんだよ。そういう説がある。当然の話でね」

「うちのお客さんは名人クラスが多いんですが、そういう人たちが愛想つかしちゃっているんですね。川が人より可愛《かわい》いだけに、それが汚されたとなるとがまんできないんですね。いっそ家で本でも読んでいようかってことになるんです。私もアユ狂いですけどネ、今年は宿で温泉に入ったきりでした。竿《さお》は入れませんでしたよ」

「今年のアユはどうなの？」

「イヤハヤです」

「というと?」

「昔を知ってたらお話になりませんや」

「友も毛鈎も?」

「まあネ」

老は放蕩《ほうとう》息子のことを聞かれたみたいに鼻白み、にがにがしげに小指をちょっと曲げて頭を掻いた。その頭蓋骨《ずがいこつ》には贅肉《ぜいにく》が一片もついていず、まばらな髪が精緻《せいち》に配られているが、骨そのものはどんな夕陽の直射を浴びても不撓《ふとう》不屈のようである。ここ十年ほどまったく変貌《へんぼう》していないのが奇異なことに感じられるが、ひょっとしたらこの人は十八歳のときからこうだったのかもしれない。

『つるや』のこういう紳士《しんし》客のように、室内にいて本を読みつつ遠い渓谷に思いをいたして、チビチビと飲んだり、昔の大釣りの記憶にとろかされてしまったり、誰かやってくればたちまちシャッキリとなって真摯そのものの顔つきで法螺《ほら》を吹いたり、子供っぽさと辛辣《しんらつ》のこもごもまじる対話を展開して黄昏《たそがれ》を迎える人びとのことを、《アームチェア・フィッシャーマン》というのである。肘掛椅子《ひじかけいす》にすわった釣師、ということ。

この愉《たの》しみがまたやってみるとなかなかのもので、うんざりしている相手の顔色をうかがいつつ、淡白を演じてみたり、ときにはケレンの七味をふりかけてみたり、自身を棄《す》てつつ賛えるという、至難の口述にふける。オフ・シーズンや場荒れのときには、どうにも避けられない、芸術の魔力である。サケの毛鈎釣りを一度もやったことがないのに、台湾のガ、インドのカラス、アフリカのダチョウ……などと、しちくどく指折りかぞえてみせてこういう原稿を書くやつの心の渇きもかなりなものなんである。もしこれが誰かに伝染して、その誰かが発熱して、女房、子供をうっちゃらかしてアラスカへとびだしていったとなれば、すなわち、無邪気とは鈴なき癩者のことだということになる。

深淵《しんえん》もあるのだわ。

遊びには。

買ってくるぞと勇ましく

仕事場をつくって、そこにたれこめ、もっぱら自炊にたよって暮しはじめてから若干になる。一年たったとか、二年たったとか、年でかぞえるよりは月でかぞえたほうが早いぐらいの時間しかたっていないから、〝若干〟である。真性というよりは仮性である。そのうえ、ときどき女房がやってきてキッチンを支配するから、いよいよ仮性である。

仕事にいきづまって朦朧《もうろう》となりながらも気力と体力にゆとりがあるとき、台所にもぐりこんで妙な料理をこしらえたり、皿を洗ったりするのは気散じにいいものであることがわかった。これまで私は腕の上下はともかくとして、とにかく〝プロ〟のつくったものを食べるだけですごしてきた。そしてその味がいいの、わるいの、ワカッているの、いないのと、批評を下すことですごしてきた。つまり、ある国文学雑誌の誌題を借りて申すと、〝解釈と鑑賞〟にふけってすごしてきたのである。それを座談会で喋《しゃべ》ったり、作品に書いたりはしたけれど、ひたすら解釈と鑑賞だけだった。自分で台所にたって火にフライパンをかけたり、食べたあとでそれを洗ったりなどということは、思いもよらぬことだった。ましてや、ショッピング・カーをおしてスーパーへいったり、魚屋や八百屋の店さきで、あくまでも自分が料理するものとして光沢や艶《つや》の観察にふけるなどということは一度もしたことがなかった。

一週間に一度、スーパーへ買出しにでかけることにしているが、これがなかなかの鍛錬と用心を必要とするものであるということが、ようやく、いくらか、呑《の》みこめてきた。この仕事場の周辺にはラーメン屋もなければトンカツ屋もないし、ピザ・ハウスもなければマクドナルドもないから、どうしても料理は自分で作るよりほかなく、当然のことながらスーパーへいくしかないのである。このスーパーというヤツがなかなかの曲者で、ついついドヒャーッと買いこむ仕掛になっている。

べつにCMを流しているわけでもなく、マイクで訴えているわけでもない。強制もなく、威迫もない。プラスチックの買物籠《かご》を腕にかけて、ただブフブラと歩いていくだけのことなのだが、どこかに何やら目だたない仕掛が仕組んであって、ついつい余分に買いこんでしまうようになっている。

たとえばダ。

今日は一丁、スキヤキでやったろかと思う。そこで出がけにメモをとってみる。砂糖や醤油《しょうゆ》はすでに買いおきがあるから、買わなくてもよろし。肉と、ネギと、シラタキと、豆腐である。メモするまでもない。ショッピング・カーを持っていくまでもない。晩年の永井荷風みたいに下駄《げた》ばきで買物籠だけ持っていけばいいのだ。物を買うというのは、やりつけてみるとなかなかに愉《たの》しいことであって、女が夢中になる心理が何となく呑《の》みこめてくるのだが、それがたとえネギ一束であっても、何やらエラクなったような気がする。お客は王様だとはうまくいったもので、金を払うヤツと払われる、または払わせるヤツの関係をズバリといってのけている。これが現代の日本ではしばしばメッキ物の定言であることはアタマで承知しているつもりだが、私のようなショッピングのアマチュアはついつい甘くひっかかってしまうのである。

蛍光灯がついて、冷房がしてあって、だだっ広くて、どこのスーパーへいっても、ア、これだとその場でわかる一種独特の匂《にお》いがスーパーにはただよっている。ここはおかみさんたちの体育館であり、円型競技場であり、しばしば美容院でもあれば、ときには精神病院でもある。

それが、わが『スーパーたまや』では入口が野菜や果物からはじまり、ときにはそのあたりにハイビスカスやバラの鉢植えが並べてあって、こないだはハイビスカスが四五〇エンだったものだから、安イと思ったはずみにオデン種だけを買いにきたつもりなのについ手がのびてしまったが、そのあと、乳製品だ、罐詰類だ、調味料だ、お菓子だ、トイレットペーパーだと山積みの棚の列また列である。そこをしずごころなく歩いていくうちに肉とネギとシラタキと豆腐だけを買うつもりだったのが、ついつい視線の止まるままに手がのびて、甘塩ザケの切身、ラッキョの瓶詰、フリカケ、蜜《みつ》豆《まめ》の罐詰、とってかえしてホーレン草一束、二列前進してソバのだし汁の瓶詰……若い女の陽炎《かげろう》のようなこころにも似た、とらえようのない買物となる。合計すると、ドヒャーッとなる。まとめて買物袋に入れてみると、スキヤキの材料は余分のゴタゴタのなかにかくれて見えなくなってしまう。まるで、細部に念を入れるあまりに主題が稀《き》薄《はく》になった小説みたいである。

　スーパーへいくということ、そこで買物をするということ、それがどだい生れてはじめての〝初体験〟だったものだから、はじめのうちは張切った。丈夫一式、踏んでも蹴《け》ってもこわれそうにない、車輪の四つついたショッピング・カーを買いこみ、毎度毎度、買ってくるぞと勇ましく家を出たものだった。

　そのうちドヒャーッと買いこんだはいいけれど、ついつい食べきれないで残していくうちにキューリにはカビが生え、キャベツは尻《しり》からグズグズと色が変って腐りだし、捨てるたびにモッタイナイ、モッタイナイとこころが痛む。戦争中に少年時代を抱かせられた私はどこまでも無駄を見るとこころが痛んでならないのである。これがあまりに度重なるものだから、カーをやめて、ふつうの買物袋を持っていくことにした。網の袋である。

それからもう一つ。ドヒャーッ効果にたいする単純強力な抑止策だが、お金を余分に持っていかないことである。二〇〇〇エンなら二〇〇〇エン、それポッキリ、ポケットにねじこんで出かけ、目的の物だけを買うべく、スーパーに一歩踏みこむや、わき目もふらずにスタスタとその棚へ直進することである。これがなかなかにがい経験を数多く積まないことには実践できないことなのであって、たいてい失敗する。出発にさきだっては二〇〇〇エンをしかとにぎりしめ、今日はトイレットペーパーと甘塩ザケの切身だけだぞ、どんな事物の讃歌にも誘惑されないぞ、わかったナと、三度も四度も思いきめ、買ってくるぞと勇ましく、家を出ていくのである。たまにこれが成功すると、何やら一種、ついぞ四十五歳になるまで味わうことのなかった強い感情をおぼえるようになった。シテヤッタワイということばになる感情である。それがあたたかい湯のようにわいてきて全身にほのぼのとしみていくのだ。

ショッピング・カーは？
猫の砂入れになった。

エラクなりたかったら独身だ、スキヤキだ

どの出版社のどの全集と、あえて名ざすまでもないので、任意のと申し上げておくが、その、任意の、手もとにころがっている全集の一冊をとりあげる。そしてその巻を埋めた著述家の——哲学者でも作家でもいい——生涯についての略歴を読んでみる。すると、何頁《ページ》も読まないうちに、いや、しばしば、何行と読まないうちに、その人物が独身であったと知らされるのである。独身であるか、準独身であるかだ。

それと同時に、ちょいちょい、脳梅毒かテンカンかの業病持ちであったことも教えられる。エライ人は、どうやら独身か、業病持ちか、そうでなかったら独身であると同時に業病持ちであった。らしい。と知らされる。日曜の昼下りに、諸君はそういうことをちらと読み、畏服《いふく》と同時に、オレはどちらでもないナと思いかえして、不満と安堵《あんど》をおぼえる。

自身の一片を集中して〝妄想〟という憑依《ヒステリー》状態にまで持っていかないことにはモ

ノが書けないから、どうしてもエライ人は独身か準独身の状態を選ぶよりほかなくなるのだが、イザ、やってみると、これがなかなか楽ではない。掃除とか洗濯とかのほかに、新聞屋さん、牛乳屋さん、トイレットペーパーの交換屋さん、ゴミとりさん、さまざまな人びとが、やってくるか、音高くゆるゆると通過なさるか、音なしにサッサと通過なさるかする。いちいちそれをとらえて、起きていく、お金を払う、ゴミ罐《かん》をさげて走る、オジサァーン、待ってェと叫ぶ。これら、叫びと囁《ささや》きのうちで、いちばん面倒で厄介なのが食事である。

三度三度、メシをつくってオカズをつくってというのが——そのあとに皿を洗ってというのがつく——わずらわしくてならないので、私は一日二食にすることにした。朝はコーンフレークスに牛乳をかけたのを、しゃぼりしゃぼりガサガサと匙《さじ》ですくって食べる。これは正気では食べられたシロモノではないのだけれど、昨年、ピューリタンの病院で寝起きするうちに教えこまれたのである。手術の痛苦の経験でもないかぎり、こんなあじきない朝飯ッてあったものじゃないが、人間、何にでも慣れられる。慣れたらさいご、妙味がでてくる。しゃぼりしゃぼりガサガサを毎朝繰りかえしているうちに、一種微妙な味わいを、コーンフレークスに私はおぼえるようになった。しかも、この箱のいちばん底にはプラスチックのドナルド・ダックちゃんなどが入っていて、昔のグリコのオマケとおなじだが、これを一箇ずつコレクトしておくうちに、いまではずいぶんの数となった。

　コーンフレークスに牛乳というのは、いかにも勤勉と禁慾《きんよく》主義と素朴を感じさせられる食事だが、反面、とことんズボラでいけるというありがたさがある。ドンブリ鉢にコーンフレークスをあけて、それに牛乳を注ぐだけである。擬音語で書けば、ガサガサというのと、チャボチャボというのと、たった二語ですむ。台所で洗うとなると、ザアザアの一語ですむ。こんなあっけない〝料理〟のくせに慣れれば、慣れからくる親しみと滋味がプラスされるのだから、エライ人になりたかったら朝飯はこれにかぎるよ。ガサガサ、チャボチャボ、ザアザアの三語ですむんだからネ。おまけにポパイだの、キューピーだの、ミッキー・マウスなどがついてくるんだから、毎度、遠い日、懐《なつか》しい季節の回想にふけることもできようッて。

　朝はそれですみ、昼はヌキメシでいくとして、晩はどうするか。何かいいズボラ料理はないものか。一回、鍋《なべ》を火にかけてコテコテと作ったら、あとは材料か調味料をポンポンほうりこんでいくだけですむような、そのような簡単でうまい料理はないものかと、考えていくうちに、ポ・ト・フ、ブイヤベース、ブルギニヨン、ボルシチ、シチュー、中華菜のあれこれ。かつて食いまくった南船北馬の記憶が、むらむらワラワラと群になってでてくる。そのときどきの窓に射《さ》していた日光のたたずまい、男の眼の沈んだ輝やき、女の眼の陽炎《かげろう》のような燦《きら》めくうつろい、遠い調理場での人声と物音、戸外の風の音、ひとつひとつの〝場〟についての回想に、ついつい、ふけりたくなる。

しかし、それは〝文学〟であって、キッチンではないから、私はからみつく蔓草《つるくさ》をはらいのけるようにして、スキヤキだ、スキヤキと思いつめ、買出しにでかけるのである。スキヤキの鍋には、何といっても南部鉄の鉄鍋がイッチだという説がある。はじめにザクをイタメて、つぎに肉を入れるか。肉をイタメてからザクを入れるか。割下を入れるか入れないか。それぞれについて、精細をきわめた論があり、私も知らないわけではないけれど、いまはそんなことをいってられない。私のつくるのは〝料理〟ではないのだ。腹につめるだけの原料《スタッフ》でがまんするしかないのである。

そこで、ステンレス鍋でジャージャーとヘットを炒《いた》め、乱切りのネギをほりこみ、肉をほりこみ、醬油《しょうゆ》をチョビリンコ、砂糖をチョビリンコ、ついでシラタキだの、豆腐だのをいい気になってほりこみ、煮えるまでウィスキーをチビチビやりながら、本を読む。日本酒のときにはお余りをポチャン。ぶどう酒のときもお余りをポチャン。ビールもポチャンとほりこむ。すべて酒と味噌《みそ》は肉を柔らかくし、匂《にお》いを消すのにイッチいいと教えられておる。

　できたのをウィスキー、日本酒、ぶどう酒、ビール、焼酎《しょうちゅう》、手もとにありあわせのイッパイでやって、初回はそれで満足。

　二回めの翌日は、お余りの肉とザクをほりこんで満足。三回めはお色直しで火にかけるだけで満足。四回めはご飯にブッかけて牛丼《ぎゅうどん》でいく。五回めは生ウドンを買ってきてほりこむ。六回めはお余りのご飯をほりこんでオジヤ。雑炊である。このときは卵などを張ったりする。

　この間、香辛料だけはやたらに買いこんであるので、七味、山椒《さんしょう》、シナモン、タイム、ブラック・ペッパー、ピメント、それぞれ一品ずつを若干ふりかけて、どれがいちばんあうかと、錬金術風の探究にふけるのだが、まだ究極の答えはでていない。スキヤキ鍋も、三日、四日かかって火にかけなおして、お色直しをつづけていくと、さいごにはオカユともネコのゲロともつかぬ、一種異様な混沌《こんとん》に到達し、朝眼がさめて台所へいって蓋《ふた》をとったら、思わずタジタジとなる。しかし、ここでひるんではいけないので、ガスのスイッチをひねり、できるまでうなだれて本を読む。

　エラクなるのは。

　しんどいデ。

中年男のシックな自炊生活とは

一

ハンバーグのことだが。

これはもともとが、ざっかけな料理である。わが国のオデンやヤキトリが屋台料理であるような、そのようなモノである。オデンやヤキトリも材料に凝りだせばとめどがなくなって、ふと気がつくととんでもない高級料理になりすませるが、ハンバーグやホット・ドッグもおなじことで、原材料の肉をアアダ、コウダといいだしたら、たいへんなことになるだろうと思う。事実、高級ホテルやレストランのメニュにも、ときどきこれは進出して名をつらねているが、チェスナットの木目の豪華に沈潜した壁板にかこまれた部屋では、ちょっと註文《ちゅうもん》する気になれない。

赤や黄や青の原色が看板やパネルに氾濫《はんらん》しているバーガー・ショップのハンバーガ

ーは、灰褐色のパルプを嚙《か》むようなものなのだが、やっぱり〝時代の唄《うた》〟みたいなサムシングがどこかにあるらしくて、食べ慣れると、それなりの味なり、懐《なつか》しさなりが舌にきざまれてくるから、不思議である。パリやローマのような食都でも、こいつらの進出と氾濫を食いとめられないのだから、バカにしながらも、根は深いらしいナと認めざるを得ない。ヤングもオールドも、ガソリン・スタンドで油をカーに注入してもらうようなぐあいに、店へ入っていって、スカシたポーズで立食いにふける。

一九六八年頃のサイゴンは、明けても暮れてもアメリカのどこかの州都と化した観があって、チュドー通りを野戦服姿のアメリカ兵の肘《ひじ》やM—16銃の台尻《だいじり》と接触しないで散歩するのが困難なくらいだった。バーガー・ショップが何軒もでき、いついってもドアがハチきれるくらいの満員だったが、そのうちの一軒、やや静穏な店に、よく私は夕方になると、かよったものだった。

そこでいきずりのチャーリー（アメリカ兵）に教えられたところでは、うまいハンバーグを食うにはコツがあるということだった。

①肉がジューシー（おつゆたっぷり）でなくっちゃいけない。

②メリケン粉が入りすぎるとナンバ・テンだぞ。

③あまり火で焼いてはいかん。
④生焼けのバーガーを片手にし、もひとつの手にタマネギをにぎって、交互にかぶって食うんだ。

店のおっさんはヴェトナム人だが、いちいちすばしこい眼と口で、焼きかたは、とたずねる。そこでこちらはその眼と口につられて〝ミディアム・レア〟と、鉄火の速さで答える。ややあってでてくるのは、ほとんど生肉そのものといいたいようなヤツで、ためしにナイフで切ってみると、白い皿へ生の肉汁がとろりと流れ、赤インキを流したようである。肉の刺身といいたいところである。タルタル・ステーキだ。それをしゃくって口へ入れつつ、玉のままのタマネギをもらってアングリと嚙みつくと、野蛮だが鮮烈なチカチカの汁が口いっぱいに走る。モグモグと嚙んでいると、なにやら壮烈な素朴をおぼえるのである。一種、勇壮の気をおぼえ、ガッデムとつぶやいてあたりを睨《ね》めまわしたくなってくる、というぐあいであった。

わが国のハンバーグは、立食いでやっても高級レストランでやっても、いちいちビフテキなみに焼きかたをたずねてくれない。そもそもそんな質問を客にするということ自体が、テンから忘却されておる。たいていでてくるのはコンガリと焦がして焼いたヤツで、その歯ざわりは、平たくノシた肉団子といいたいところである。つなぎのメリケン粉がたっぷりと入っていて、肉そのもののジュースを吸ってしまい、嚙んでみると、モクモクとしていて、あじきない。

切っても白い皿に赤い血がたらりと流れるなどということは起こらない。魚の刺身にあれだけ血相変えて新鮮を争う日本人が、肉となるとまるで幼稚園の給食なみなんだから、不思議である。きまってそこへ正調ブラウン仕立てのソースがねっとりドロリとかかるから、いよいよ生肉の妙味が失せてしまう。

一九六九年であったか。

西ドイツをあちらこちらと、一夏、リュックサック一つで流れ歩いたことがあったが、澄明《ちようめい》な懈《け》怠《たい》の日日のなかで、某日、昼寝のさめぎわに新聞で〝ハンバーグ裁判〟という記事を読んだ。新聞は、たしか、《フランクフルター・アルゲマイネ・ツァイトゥング》ではなかったかと思う。小生のドイツ語の読解力は、赤錆《あかさ》びも赤錆び、正体が消えるまでに腐朽してしまっているが、たどりたどりゆっくり読むと、コラムぐらいはなんとか呑《の》みこめる。そこで、シュタインヘーガー（ドイツ焼酎《しようちゆう》）の宿酔《ふつかよい》の頭をしぼりしぼり一語、一語、たどってみると、こうだった。

ハンバーガーはドイツではもっぱら〝ドイッチェ・ステーキ〟と呼びならされてい

るが、そのファンの一人が、ある料理店をその筋へ訴えてでたというのだ。その店の名物のドイッチェ・ステーキが、どうやら、メリケン粉をまぜすぎていて、肉の味をそこなうまでのところへきている。肉の味がしなくて、粉の味がする。これはゴマカシだというのである。そこで、看板に偽りありといって、堂々、裁判所へ訴えてでたというのだ。いっぽう、訴えられたほうのレストランのおっさんは、まッ赤になって怒り、冗談もほどほどにしてくれ、私は伝統主義者なのだ、真のドイッ人なんだ、その私がドイッチェ・ステーキをメリケン粉でごまかすなんて、いいがかりもいいところだ、判事さんも検事さんもぜひ一度、御来店のうえためしてみていただきたいと、これまた堂々、反論する。

この裁判の成否を知らないままに、私はアフリカの戦場へいってしまったのだが、どうやら、〝ハンバーグ〟といおうが〝ドイッチェ・ステーキ〟といおうが、このモノにはメリケン粉をあまりまぜてはいけないらしいナということ、うっかりするとそれは裁判沙汰《ざた》になるぐらいのものであるらしいナということが、アタマに入った。サイゴンのバーガー・ショップの味も生血、生肉、生タマネギの純粋無雑のそれだったと銘記しているものだから、いよいよ、ナルホドと思いこむにいたった。ハンバーグは団子にしてはいけないのだ。ツナギのメリケン粉は極微量にしなければいけない。

こいつは、いわば、肉のニギリメシだ。そのもの自体を味わわなければならない。そういうものであるらしいのだ。

　これがアタマに入った。

　そこでキッチンに立った。

二

　諸兄姉《みなさん》は少年前半期、後半期、青年前半期、後半期と、それぞれの段階をたっぷり味わって、秋の果実と、おなりになる。青年前半期と後半期においては、アパートなり下宿なりにおいて自炊やら外食やらし、〃独立〃なるものの愉《たの》しさと侘《わ》びしさをすみからすみまで体につけてから、つぎの段階へとエスカレート、またはデスカレートなさる。

　自炊の面倒な人は毎日毎日、駅前食堂にかよって蒼白《あおじろ》い蛍光灯の下でアジ定食、トンカツ定食を食べ、冬になれば、垢光《あかびか》りのしたフトンに顎《あご》を埋めて、マンガを読みつつお眠りになる。シャツはともかくとして、パンツの汚れたのはひとかためにして紙袋につっこんで、ゴミ箱に捨てる。それも目立たぬようにするなら大きな駅へいって、人でザワザワするなかでゴミ箱へさりげなく捨てるのがいいという知恵を、体につけていらっしゃる。

もっとシンプル・ライフを望む人は、はじめから紙パンツを買っておいでになる。さらにシンプラー・ライフをめざす人は、ノーパンにジーパンとくる。

しかし、小生は初春のツボミからいきなり秋の果実となったのである。物心がようやくつきはじめた年頃で、フト気がついてみると、駈落《かけお》ち・結婚・世帯持ち・出産というぐあいであった。それも貧乏のどん底であったから、楽ではなかった。アジ定もトン定も知らなくてすませられたが、そのかわり、ブタのしっぽなどを一本一〇エンで買ってきて、親子三人で食べたものだった。これは、しかし、なかなか味なもんだということを申し上げておきたい。

そういう次第だから、パンツを駅のゴミ箱に捨てる知恵と経験には出会えなかったし、台所でフライパン相手に悪戦苦闘をかさねるということもしたことがなかった。いつぞやオツユを作ってみようと思いたって、アアダコウダとやっているうち、とうとう大鍋《なべ》いっぱいに得体の知れない醬油《しょうゆ》汁をでっちあげてしまったことがあり、以後はオツユであれ目玉焼であれ、実技についてはヒタと沈黙することとなった。およそ二十五年か二十六年、そうでありつづけたものだから、昨年、念願の仕事場をつくってその台所にたったときは、いささか昂揚《こうよう》したネ。

ハンバーグからまずいこうときめ、豚と牛の挽肉《ひきにく》をウンと買ってきて、いそいそとフライパンをとりだした。これが恐しいヤツで、パリのマドレーヌ寺院のそばにある主婦の店で買ったのだ。ノルウェー製とくる。オムレツをどんなに下手にやっても焦げつかない、もし焦《こ》げたらタダでとりかえますというふれこみなのである。何がどうなってそうなってるのかは聞き洩《も》らしたが、その店のオバサンは自信満々であった。分厚くて、重くて、丈夫一式、頑強無比である。

これをドンとガス七輪にのせ、シャツの袖《そで》をめくりあげて、挽肉を豚半分、牛半分ずつまぜ、タマネギの乱切りを入れて、ウンウンいいつつこねた。小生のアタマにはサイゴンのバーガー・ショップの生肉同然のものや、フランクフルトのハンバーグ裁判のことがシカと入ってるから、××先生のテキスト・ブックにはパンを牛乳に入れてトロンとさせたのをまぜなさいとあったが、頭から無視した。ハンバーグにマゼモノはいかんのだ。裁判所へ訴えられるのだ。タルタル・ステーキの要領でいこう。卵の黄身ぐらいはよろし。要はこねてこねてこねまくるこッた。すると、肉からねばりがでてきて、ちょうどいいのだ。豚半分、牛半分。ドイツ・ソーセージならボックヴルストというところ。〝合挽き〟を〝逢《あい》びき〟とかけたが、どうダ。

卵の黄身を一個分ほりこんで、ボールでウンウンいってこねているうち、そのあいだ可視または不可視の、容姿ととのったのや半ちぎれのや、さまざまの思惟《しい》、格言、イマージュが明滅出没して、気散じとしては、はなはだ愉しかった。どんどんこねまくっていると、そうだ、アイルランドにはコネマラという奇妙な名の町があるが、その近くではすばらしいマスが釣れるとのことだなどとも閃《ひら》めいたりしたが、何やら逢びきはねっとり、トロンとしてきた。

そこへ粗挽きのコショウをパラパラふりこみ、もう二、三度こねまわし、ペタペタとたたいて、平べったい団子にした。ガスに火をつけ、丈夫一式のマドレーヌをあたため、サラダ油をまんべんなくひき、テラッと光ってブツブツいいだしたところへソッと団子を入れ、蓋《ふた》をしてから、ウィスキーをちびちび。待つあいだ、そこはかとなくよしなしごとに思いふけった。ホドはよしと見て蓋をとってみると、団子先生は油のはじけたつ泡のなかにすわりこんでそろそろ熱くなり、表皮が生肉からキツネ色に変わりかかっている。オレの好みはミディアム・レアであったナと思いだし、なにげなくひっくりかえしにかかると、はしっこからポロポロとくずれる。オヤと思ってつっこむと、またくずれる。これはいけない。ソロソロやってたのではみなくずれてしまう。ここは一発、エイヤと一挙動でいくべし。

そこでエイヤッとつっこんでポンとひっくりかえしたら、そのとたんに先生は全面崩壊をひきおこし、一挙に団子から鍋いっぱいのソボロと化してしまった。一瞬こだわってオ、ラ、ラとフランス語でつぶやいたが、セ・トロ・タール（おそすぎる）。半焼けの奇妙なタマネギまじりのソボロができてしまった。クソッと、今度は直下《じきげ》に日本語でつぶやき、思惟の体系を一瞬にくずして二の陣を張り、腹に入ったら、団子もソボロもおなじことだわサと、思いきめた。

火を消して、ウィスキーをやめてビールにかえ、スプーンで鍋からじかにソボロをしゃくって食べてみたが、これは食べるというよりは呑み下すといったほうがよかった。肉そのものが古いのだろうか、生焼けのくせに赤い肉汁がいっこうにタラリとこぼれてこないのだ。ただ口のなかでモカモカにたにたとするだけで、鮮烈でとろりとしたところのある野蛮の妙味がまるでない。

そこでパンの耳を切ってからマスタードをこってりとぬり、サンドイッチにしてやってみたら、どうにかこうにか舌に乗る。それだって、どことなく、いや、いたるところ、肉でできたパルプの粉といった舌ざわり、歯ざわりである。

おまけにマドレーヌの底には焦げつかないというふれこみのはずなのに、ガジガジとこびりついているものがある。ずいぶんたってから、彼女の尻は丈夫一式の分厚なんだから、火のまわりかたにムラがあり、よくよくこってりと全身に熱がまわってから作業にかからねばならないのではないかと察しがついたが、人女総身に火がまわりかね、ということか。

独身とは。

むつかしいもんなんだナ。

三

大阪から東京へ引っ越してきた舌がさびしがるものはたくさんあるが、その一つがクジラである。罐詰《かんづめ》のクジラの大和煮とオバケ（さらしクジラ）とベーコンはたやすく手に入れられるけれど、それ以外の物は料理屋もないし、材料の入手も困難である。東京のクジラ料理屋でおぼえているのは渋谷の道玄坂にあるのが一軒きりで、ほかにもあるとは風聞に聞いたことがないし、うまいもの案内にもでていないようである。

クジラの肉とコロ（脂肪層の煎《い》り殻）は、昔から関西の細民の冬の人気料理だった。水菜（京菜ともいう）の霜をうけた頃のといっしょにして、鉄の浅鍋でグツグツ煮るのである。醬油や味醂《みりん》で味をととのえるコツはスキヤキそのまま。秘事、秘伝など何もない家庭料理である。クジラもトドも海獣独特の匂《にお》いを肉に持っているので、子供のときから食べ慣れるのでなければ、東京の人にはちょっと敬遠されるだろうと思う。

知床半島の羅臼《らうす》の町には《日本でたった一軒のトド専門料理店》と看板にうたいあげた店があって、トドの肉を鉄板焼で食べさせてくれるが、やっぱりクジラとおなじ匂いがする。この匂いは罐詰の大和煮にするとケロリと落ちるが、不思議である。

クジラの料理法をよく知っているのは、関西圏から以西であろうか。下関の人もなかなかよく知っていて、ちょいとした料理店では〝ひゃくひろ（百尋）〟といって、腸の湯引きの冷めたくしたのを辛子酢味噌《すみそ》で食べさせてくれる。それからトンと離れて東北の釜石あたりでも、やっぱりおなじものを〝ひゃくひろ〟といって、おなじ料理法で食べさせてくれる。〝ひゃくひろ〟は腸一般の古い俗称だが、こんな古語をいまだに使っているあたり、ちょっとうたれる。おそらく、下関も釜石も昔からクジラがよく陸揚げされたので、こんな異味の開発ができたのであろう。これは大阪や京都でもあまり聞いたことのない料理である。

クジラの肉で最高なのは、何といっても〝尾ノ身〟だが、さすがにこれを知っている人は東京にもちょいちょいいらっしゃる。捕鯨船の母船の食堂で食うのが一番だと、よく故きだ・みのる氏に吹きこまれたものだが、これは南極まで出張しなければならないので、当分がまんすることにする。いい熟《う》れかげんのこの肉を刺身にして、ショウガ醬油でやると、淡白なのでおどろくほど食べられる。

馬の最高の肉の刺身にそっくりのところがあって、なるほど、陸にいるか海にいるかはべつとして、御先祖様は同族だったんだなと、にわかに思いだしたりする。だったら馬肉をミンチにしてタルタル・ステーキにするぐらいだから、クジラもさぞやと、想像が走る。うまいぜ、これは。キット。

さらしクジラは東京で買うと白いだけだが、大阪や京都で買うと、ふちに細い、黒い皮をきっとつけるようにしていて、見た目にとてもシックである。これも辛子酢味噌でやると、涼しくて、ヒリついて、夏のビールがいくらでも飲める。

関西の人はこれを一片か二片、赤味噌の味噌汁に入れるが、べろべろトロトロしていて面白い。この部分をさらして、脂《あぶら》ぬきしないで生《なま》のかたまりを塩漬けにしたのがベーコンだろうかと思う。戦後の焼跡時代には、脂肪分が何もないものだから、争って食べたものだった。唇のまわりについた脂を舐《な》めると、舌も体も枯れに枯れ、渇きに渇いていたものだから、とろんとしたねっとり味が無限の滋味と感じられたものだった。

久しくこれから遠ざかっているが、あるとき網走でバーになにげなく入ったらオツマミにでてきたので、思わず胸をつかれたことだった。疼痛《とうつう》のような飢えに苦しめられて部屋をころげまわった、あの頃の叫びと囁《ささ》やきがむらむらとよみがえってきて、茫然《ぼうぜん》となってしまった。

　大阪でもともと〝オデン〟と呼ぶのは田楽のことで、東京でふつうにオデンと呼ぶものは〝カントダキ（関東煮）〟と呼ぶのが、私などの少年時代の習慣だった。なぜこれを、いつ頃から〝カントウダキ〟と呼ぶようになったのか、いずれ冬になったら道頓堀《どうとんぼり》の『たこ梅』へでもいってたずねてみようと思う。

　このカントダキにコロを入れて煮ると、ダシにぐっと深さと厚さがでて、コクが濃くなる。オデンにコロを入れるのが、大阪の正調のカントダキの妙諦《みょうてい》かと思う。コロというのはクジラの厚い脂肪層から熱で脂をぬいたあとのダシ殻なのだが、脂はまだこっくりとのこっている。これを干して板のようになったのを水、または米のとぎ汁に一夜ほど浸して柔らかくし、短冊に切って、カントダキに入れるわけだ。買うときのコツはなるだけ白いの、白いのと選ぶこと。黄いろかったり、茶っぽかったり、黒いゴマ粒をふったようになっているのは下物である。

　カントダキ屋も洒落《しゃれ》た店になると、このコロの最上品だけをたっぷりの汁でとろとろコトコトと煮たのを、だしてくれる。コツはダシそのものにあるが、ちょっとクジラの脂とは思えないくらい上品に、ふっくらと仕上っていて、感じ入らせられる。あるとき京都の名だたる小料理屋が、お手前のオカズとして食べているのを、一片か二片もらって驚嘆したことがあった。そこでコツをたずねてみると、コロを火であぶり、ちょっとキツネ色に焦げがついたところで、火からおろして短冊に切る。あとは深鍋にダシをたっぷり入れ、トロ火でコトコトやること、それだけのコトどすと、教えられた。

これならやれそうだと思ったので、数寄屋橋の関西系のデパートの地下食品売場へいき、なるだけ白いの、白いのと、選んで買って帰った。そして、いわれたままに火であぶり、ちょっと焦げ目がついたところで短冊に切り、深鍋にダシを張ってコトコト。三〇分か一時間おきにダシをつぎたし、つぎたしして、その日はまるまる一日をコロのために消費したのだったが、夕方頃にできあがったのを召し上ってみると、テンでだめだった。おそらくダシそのものに、プロとアマのどうしようもない、大差があったのだろうと思う。

こんなモノは料理のうちにも入らないのだけれど、書も画もプロのいたずら描きとアマのいたずら描きとでは手のつけられない差がレキレキとでる。それに似たことだったのだろうと、肝に銘じたことだった。単純ほどむつかしい技はないのである。技を技としない妙技というのは、つくづくむつかしいことである。

種において完璧《かんぺき》なものは種をこえる

もう、秋か。

ランボォならそうつぶやく日々となった。晩夏の猛《たけ》りが何もなく、ジャボジャボと雨がつづいて、それがあがってみると、日光の淡さも、膚《はだ》の朝夕の冷めたさも、すっかり季節は秋のなかにすわりこんでしまっている。

夏そのものも今年は何やら奇妙で、ほんとにカンカン照りの酷暑の日は十日あったかどうか、というようなものだった。のべつびしゃびしゃと雨がつづいたり、冷えこんだりで、途中からこの下痢をやめて精悍《せいかん》な猛暑を発揮して巻きかえしにかかったかと思える日もあるにはあったけれど、三日ももたずにへたってしまった。そしてまたしても下痢である。われらが不満の夏は、顔をしげしげと覗《のぞ》きこむゆとりもなしに消えてしまった。

終末業者は何やらたのしそうな口調で、破滅を書いたりしゃべったりしているが、私は猫背になって、古いパイプでも磨くことにする。しばらくほったらかしてあったので、火皿にはカビが生え、金環が錆び、角《つの》の吸口が干割《ひわ》れかかっている。

このパイプはフランス製なのに〝ＳＴＡＲ〟と英語の銘が入っているが、私の持物になってからかれこれ二十五年になる。それ以前に友人の父上が愛用しておられたのだから、もう三十年か四十年はたらいていることになるが、しっかりしたもんだ。ステムがシカかカモシカかの角でできているが、吸口が私の歯のためにえぐれて切れそうになっている。けれど、とりかえることはしないつもりである。このまま使いつづけるつもりである。火皿が炭化してボロボロになってしまうまで、吸いつづけるつもりである。

本が一冊出るたびに、ささやかな記念としてパイプを一本買うことにしたり、諸外国をさまよっているときにふと目についたお値頃をその旅の記念に買ったりして、かなりの数になった。しかし、ほんとに好きになれるパイプはごく少い。手にも、歯にも、眼にもしっくりとなじみになって、分身となれるパイプはめったにないものである。しばらく使ってイヤになったらほかのにかえ、何年間もほったらかしにしてカビの生えるままにしておくが、すると、某日、ふと思いだしてとりだし、久しぶりに火を入れてみると、ふたたび地味な魅力がじわじわとにじんできたりする。裏切り。放《ほう》蕩《とう》。軽薄。気まぐれ。いい気。パイプは何もいわないからありがたい。ただ自身であることに満足しているかのようである。花に似ている。

シガレットはタバコの葉といっしょに紙を燃やして吸いこむが、パイプは葉を燃やすだけだから、何といってもうまい。

火皿に指でタバコをつめこむときにちょっとしたコツがあって、御飯をたくみたいに、はじめシッカリ、中マルク……といったぐあいにつめる。つめすぎると火が消えるし、ゆるいと散ってしまう。ここんところでたいていの人が、慣れるまでにパイプを捨ててしまうのだが、要はひとりでにおぼえこむしかない。マッチ一本でつけた火がさいごまで保《も》って、葉がひとかけらのこらず灰になってしまうと、ちょっといい気持のものである。何か一仕事をやり了《おお》せたあとのような、うつろな快感がある。たかがパイプ一服におおげさな、とおっしゃる向きは、一度やってごらんなさいナ。

戸外で吸えば戸外の味があるし、人前で吸えば吸うでそれなりの味がある。けれど私は、パイプはやっぱり室内のもの、独居のためのもの、白想や沈思のためのものだと、思っている。雨の日、室内にちょっとお湿りがあるとき、窓ぎわで本を読みつつパイプをちびちびやると、芳烈、重厚な香りが、いつまでも身のまわりにたちこめる。しばらく本に熱中してパイプを忘れ、ふと気がついてとりあげる。火皿には残熱しか感じられなくて、吸口もすっかり冷めている。しまった、火は消えてしまったナと思って、スパスパやってみると、思いもかけずひとすじ細い糸のように煙りがたちのぼって、また香りがひろがる。こういうときのささやかな愉《たの》しみは忘れられない。何か文章を書いてうまい句読点がうてたような愉しみである。そして句読点というものは、しばしば、本文とおなじくらいむつかしいものである。

海泡石《メアシャウム》はパイプの女王と呼ばれるが、傷がつきやすいし、割れやすいし、汚《し》みがつきやすいので、左手だけのキッドの手袋をはめて吸う。イスタンブールとウィーンがこのパイプの名所で、店の窓にはすばらしい白皙《はくせき》のパイプと手袋が並べてあったりする。

アメリカの農民はトウモロコシの穂軸を圧搾《あっさく》してパイプに仕立てたが、これはもともと二、三回吸って焦《こ》げたらポイと捨てるパイプであって、宝石並みのお値段のつく芸術品ではないのである。しかし、そういうものだとわかってはいても、ちょいと洒落《しゃれ》てみたい気持もあるから、アメリカのトウモロコシ屋は頭をひねったあげく、〝ミズーリ・メアシャウム〟と銘うって売り出した。いいアイディアである。逆立ちしたソフィスティケーションに、素朴なユーモアと何やら痛い皮肉がくっついて、ふと笑わせられて手がのびる。

何度か私も使ってみたことがあるが、タバコをふかしているはずなのに、トウモロコシの焦げる匂《にお》いがたってくるのは困る。

イタリア人の設計技師にとって、高級スポーツカーは動く彫刻であり、動く家具であって、噴水を芸術に仕上げた唯一《ゆいいつ》のヨーロッパ人種としての伝統にいかにもふさわしいが、デンマーク人のパイプ・アーティストにとっては、パイプは煙る彫刻である。一本ずつ手作りのその名品を見ていると、流れる線の美しさ、バーズ・アイ、バーズ・ネスト、クロス、ストレート、フレーム、それぞれの木目《グレイン》のみごとな昂揚《こうよう》と澄明《ちょうめい》、奇想と整序、ショウウインドーが視線で穴があくぐらい見とれたくなる。

ブライアーの根塊は、文字通りの盤根錯節であるから、名品といえるほどの作品は何百本に一本か、何千本に一本しかとれないはずと思われ、お値段を見ていつもタジタジとならされる。宝石並みのお値段のこういう名品を焦がして、ヤニをつけていいのかしらと、空恐しくなりそうである。こういう名品になると、火を入れるのがもったいなくなり、そのままテーブルにおいて、木目のたわむれを眺めるだけで満足したほうがいいのじゃないかと思えてくる。つまり、もう、そうなると、それはパイプではないのである。

種において完璧なものは種をこえる（ゲーテ）、とか。

昔一升瓶が禿頭《はげあたま》を往復した

わが国の大きな都市の変貌《へんぼう》ぶりとくると、めちゃくちゃなものであって、猛烈な精力を方角も企図も思考もなしに、ただ刺激のままに発揮するから、日頃はすっかり慣れたつもりでいるけれど、何年かおいてから古い場所を新しい眼で見にでかけると、ただ茫然《ぼうぜん》となるばかりである。高架のハイウェイと巨大地下街が作られつつあった頃の大阪をまったく知らずに、あるとき、久しぶりに帰ってみたら、ミナミでもキタでもうろうろするばかりであった。地下街に入ったら、出口も入口も見当がつかなくて、立往生したことである。たまたま東京生れで東京育ちの人といっしょで、この人は大阪のことを何も知らないのだが、私が通行人をつかまえて道を聞いてばかりいるものだから、とうとう呆《あき》れて、あんた、ほんまに大阪出身かいネと、妙なアクセントの大阪弁でたずねたほどだった。

先日、何人かいっしょになって、人形町界隈《かいわい》にある有名な牛肉の老舗《しにせ》へ食事にでかけたところ、二十数年前に毎日毎日通勤していたはずの界隈なのに、まるではじめてさまよいこんだ町のようであった。水天宮、人形町、蠣殻町《かきがらちよう》、茅場町《かやばちよう》、このあたり一帯は足でおぼえたはずなのに、久しぶりにいってみたら何が何やら、海が桑畑になったのか、桑畑が海になったのか、という変化ぶりである。

しかも住民諸氏が、癖も習慣も汚《し》みも影もぬきでそれをやったものだから、どこの町ともまったくおなじ顔になってしまい、早い話が、東京の一角とも、博多の一角とも、盛岡の一角ともけじめがつかないのである。あらかじめ覚悟はしていたものの、ただぼんやり眺めるだけで、おどろきも感じず、さびしさも感じられない。

昔、このあたりの裏通りには黒い運河があり、夕方になると腐った東京湾からひどい潮がさしてきて、毒ガスがたちこめたようになる。五時をすぎてから茶碗《ちやわん》でウィスキーをちびちびやっていると、その鼻さきにまで悪臭が迫ってきて、やりきれなかった。オートバイ屋やラーメン屋や名刺屋などが軒をならべるなかに、わが《世界の名酒》の東京支店があり、それはただの木造モルタル張りの二階建で、誰かがトイレに入ったら御鳴楽《おなら》、御叱呼《おしつこ》、雲古、いきみ声、ことごとくの気配が戸ごしに聞かれそうな家であった。毎日、私は腐った酸のような二十歳代の憂鬱《ゆううつ》をもてあましつつ、欠け茶碗でウィスキーやジンをすすりすすり、右から左へ宣伝文句を書きまくり、仕事にひまができると、ズボンの尻《しり》にポケット瓶を入れて、寄席を聞きにでかけた。てらりと垢光《あかびか》りのする、水虫の匂《にお》いのする薄い座布団《ざぶとん》を一枚もらい、それを二つに折って腋《わき》にあて、肘枕《ひじまくら》でだらしなく寝そべって、ポケット瓶をちびちびやりつつ、落語を聞くのは、わるくなかった。クーラーなどという物はまだその頃登場していなかったから、夏は扇風機で風をつくるのだが、前座のメダカ連中の手のつけようのないお噺《はなし》のバカバカしさ、たいくつさ、ウィスキーの酔い、水虫の匂い、そこへあかあかとつれない西陽が容赦なく射《さ》しこんで、わが憂愁を完成してくれるのだった。

おきまりどおりにエエ、オセンにキャラメルと呼んでまわるおばはんの風貌と姿勢は、さしあたり、繊維ならからっぽのドンゴロス、魚類なら古池のナマズといったところだったが、それもまたわが憂愁に不可欠の点景なのだった。赤ちゃけて毛ばだった古畳に寝そべって、オセンをかじりつつウィスキーをすすると、汗でシャツがぐしょ濡《ぬ》れになった。世間のやつらが立ってうろちょろしている時刻に、この小屋ではぞべりと薄羽織をひっかけてすわりこんで、一席のオソマツを入れかわりたちかわり、ぐだぐだとぶつやつがあり、それをまた寝ころんで盗み酒でとろとろウトウトしつつあくびまじりに聞いているやつがあって、すでにその頃、苦くして無為なるパックス・ジャポニカの懈怠《けたい》は、貧しいなりに爛熟《らんじゅく》していたわけである。

そこいらに寝たり起きたりして聞いているのは、銭湯帰りの町内の御隠居、猫背の保険の外交員、腹巻きだけ勇ましいヤァさま、やせこけたヒモ、いずれもメダカ連中の生煮え噺にうんざりしながら、それをそのまま故《ゆえ》だもあらず匕首《あいくち》として自身に擬している気配もあり、まなざしはけわしく、かつ、朦朧《もうろう》としている。

ごぞんじのように江戸落語には上方落語のイタダキがたくさんあるが、私は東京へでてきてまだあまり時間がたっていなかったから、ときどき子供のときに聞きなじんだ上方の噺が箱根を越えてからどう変奏されているかを知るのは、懈怠に体をゆだねっぱなしになってはいてもそれなりに耳のたつことだった。それらの変奏を、私なりにうとうとトロトロしつつまとめてみると、江戸の笑いはウイットであり、乾いていて、閉じており、しばしばさびしくもあり、効果としては上半身での微苦笑であることが多かった。上方の笑いはユーモアであり、感性であって、濡れており、開いていてにぎやかで、浮揚し、全身で笑わせようとたくらむ。しばしばたくらみよりは無手勝流の即興で翔《と》びたとうとする。どちらが上質であるかはもとより論外。好みの選択である。人それぞれの好みである。

どうあがいたところでメダカはやっぱりメダカなのだが、しかし、その頃の連中は古風に作法通りに演ずることに専心していたから、現在のテレビで毎度目撃させられる、芸人の自己宣伝のアホらしさとイヤらしさだけはなかった。この点での幼稚園の学芸会みたいな民度の低さは、当時、そんな小屋でもまだ兆していなかったと思うので、その種の毒だけは浴びせられることがなかった。

見るともなく見ているうちに、ギャンブルと奇術は単純であればあるだけ面白いのだが、水をなみなみとみたした一升瓶をつるつるの禿頭にのせ、うなだれてちょいちょいと頭をふってじわじわ後頭部まで持っていき、それをまたちょいちょいじわじわもとの位置まで、一滴の水もこぼさずにもどす芸を見せられたときには、思わず体を起こしてすわりなおしたものだった。口をへの字に閉じたその老芸人の無言の行には唖然《あぜん》、茫然《ぼうぜん》、愕然《がくぜん》とさせられたものだった。西陽も憂愁も忘れて、一瞬、つくづくと眼をこらして見惚《みと》れたものだった。

水天宮、人形町、馬喰町《ばくろちょう》と、地理を何も知らない運ちゃんにうろうろはこばれるままにはこばれつつ

「……そんな寄席があった」

と呟《つぶや》くと

「それは売られて銀行になりました」

という声があった。

君は屋根へのぼって鍋《なべ》を叩《たた》かねばならない

約二〇年前。

一九五〇年代の某年。

某日。未明に北京市民は起きだして、一人のこらず屋根へのぼった。そして、鍋、釜《かま》、洗面器、ドラなどを手に手に持ち、いっせいにガンガンぼんぼんと叩《たた》きはじめた。何百万人かの全市民が一人のこらずなんだから、その騒音はちょっと想像がつかない。スズメは眼をさまして空へ飛びたつが、この鳥は空中を長時間飛ぶことのできない鳥だから、すぐおりようとする。しかし、あちらでは張《ちょう》がガンガン、こちらでは李《り》がぼんぼんだから、どこへおりることもできず、ふらふらになってしまう。北京の町はずれの一角に空地があって、そこだけはガンガンぼんぼんがなくてひっそりしている。何万羽か何十万羽かのスズメがいっせいにそこへ逃げこむ。それを火焔《かえん》放射器で一挙に抹殺した。

これは五〇年代のその年に、実際に北京でおこなわれた事件である。その年、スズメは害鳥だから、シラミや南京虫《ナンキンムシ》とおなじように抹殺しなければならない、ということになったのである。そこで党は得意の人海戦術で、こういう集団ヒステリーを演出したわけだが、なるほどスズメは稲の穂をついばむ害鳥かもしれないけれど、同時にイナゴその他の害虫も食べてくれるのだから、益鳥でもある。それをこうやっていっせいに抹殺してしまったものだから、自然の連鎖の鎖が一つ完全に姿を消し、たちまち混乱が発生した。翌年は虫害だけがのさばってひどい不作となり、農民は、またいつものように、うなだれて空腹を耐えるしかなかった。

私の友人の一人が当時、北京のホテルに泊まっていて、この事件を目撃した。茅台《マオタイ》酒に酔ってぐっすり眠りこけていたところをいきなりガンガンぼんぼんでたたき起こされ、さてはまた革命かと、窓ぎわへかけつけてみたらこの騒ぎ。いそいで廊下へでて、通りがかりのボーイに身ぶり手ぶりでたずねてみると、ボーイが紙にスズメ退治だという意味のことを書いてくれたので、やっとそれとわかった。あらためて窓ぎわへもどってみると、無数の人間が屋根にのぼって、一心不乱にガンガンぼんぼんをつづけ、すでにフラフラになったスズメが窓ぎわをよちよちしている。羽根を垂れたスズメは飛ぶことも跳ねることもできず、酔っぱらいのような足どりで窓の出ッ張りを歩いた。

一九六〇年に中国へいき、帰国してしばらくしてから、その友人が訪ねてきて、以上の挿話を話してくれたのである。聞いたときには唖然《あぜん》、呆然《ぼうぜん》、しばらく口がきけなかった。いかにも中国人のやりそうな徹底と辛辣《しんらつ》がうかがえ、どこやら奇想天外のユーモアもある。しかし、また、べつの眼で眺めると、アジアの農業国における全体主義の本質が、まざまざとその異様な顔をのぞかせてもいるエピソードである。

もし君がそのとき北京市民であったとしたら、どうするだろうか。君は毛沢東の論文を日夜学習させられ、党は絶対に過《あやま》ちを犯さないのだと教えこまれ、党の方針と決定に絶対に反対してはならぬと知らされているので、たとえスズメは害鳥でもあるが益鳥でもあるのだから、それを集団虐殺《ぎゃくさつ》して〝清掃〟したらどえらい被害が生ずるぞと承知していても、鍋を片手に、未明に屋根へのぼらなければならないのである。もしそうしないで家にひきこもって寝てたら、たちまち隣近所の同志たちに吊《つる》しあげられるか、人民警察に密告されるかである。

同志たちは〝反革命分子〟を摘発したい正義心からか、あるいは君がシャツを一枚多く持っていることにたいする日頃の隠微な嫉妬心《しっとしん》からか、密告を何とも思っていない。何とも思っていないばかりか、国民として、党員としての義務だとさえ思っているのである。君自身もそう思っているのである。

『革命とはパーティーの席で議論にふけることでもなければエッセイを書くことでもない。それは銃を手にしてやる純然たる暴力行為なのである』

実践を説く毛主席は、きわめて当然のことながら、そう書いている。君が日本人であれば、パーティーにでて議論するか、エッセイを書くか、読むかしているだけですむけれど、中国人であれば、それは反革命行為であり、日和見《ひよりみ》主義者であり、肯定的分子の顔をした否定的分子だということになるのである。

アアもコウもいってられない。君は誰よりもまっさきに屋根へのぼって、誰よりも激しく鍋をたたかなければならないのである。その結果、スズメがいなくなり、その結果いろいろのことが起こり、イナゴがふえ、その結果、米がとれなくなって飢えにのたうちまわらなければならなくなっても、火を見るよりハッキリとそんなことがわかっていても、絶対口にだしてはならないのである。

北京原人以来の、神農氏以来の、無限の〝農〟と〝政〟と〝人〟についての経験と洞察をつみかさねてきたはずの国において、こういうことが白昼、いや、未明から発生する。政治はつねに試行錯誤の悪夢の迷路だが、それにしてもひどすぎる話である。あれだけの老熟したはずの国でも、若いイデオロギーにとりつかれたら、若い過ちを犯してしまう。イデオロギー、信仰、体制、それぞれの年齢によってそれぞれの年齢にふさわしい過ちが発生する。繰りかえされる。とめどなく繰りかえされていく。変われば変わるほど、いよいよ同じだ。

日本人は、異国の指導者の言や動について、パーティーにでて議論したり、エッセイを読み書きして拍手を送るなり、罵《ののし》るなりしていたらすむ。しかし、熱狂してか、黙々としてか、屋根へのぼって未明から鍋をたたいた人のことは論じられることもなく、思いやられることもなく、その翌年この人びとが味わうことになった塗炭の苦悩もまた論じられず、思いやられない。全体主義国では、頂点で一ミリ狂うと、下部では何万キロという狂いになる。その狂いと亀裂《きれつ》は、途中で抑制されることなく突っ走ってしまい、気がついたときには大陸を二分、三分、四分するほどの激震となる。地軸にヒビが入るほどの激震となる。似た条件をあたえれば似た反応を起こすのが、ヒトという動物の条件なのだから、日本人だっておなじ条件下におけば、似たような集団狂気を演ずることだろう。

15年たたないと中国のことはわからないか？

一九六〇年代の初期には、わが国の外貨の蓄積が現在とくらべてお話にならないくらい少かったので、海外渡航が容易ではなかった。許可のおりる優先段階があって、小説家などはいちばん後回しになった種族ではなかったかと思う。渡航を申請しても、外務省で果たして許可をしてくれるかどうかわからないので、イライラして待たなければならなかったし、許可がおりたところで外貨は一人当たり二〇〇ドルか五〇〇ドルが限度だったから、アチラへいってもせいぜい御《お》叱呼《しっこ》をしてまわるのが精いっぱいのところであった。

それでも私は、何でもいい。〝外国〟へいってみたかったから、他のどんな手段も使えないという理由から、外国から招待の誘いがくると、いそいそと跳びついたものだった。主として社会主義国だったが、二年ほど、中国、東欧、ソビエトと、作家同盟の招待で呼ばれるままにでかけた。東欧とソビエトへいけば帰途にパリへいけるというのが、最大の魅力でもあったし、どんな形でもいい、〝日本脱出〟は物心ついて以来の少年期後半からの私の、どうしようもない〝夢〟であった。何だってかんだって、ドッカへいってみたかったのだ。

そこで、中国作家同盟の招待に応じ、野間宏氏を団長として、亀井勝一郎、竹内実、松岡洋子、大江健三郎の諸氏を一団とする文学代表団の一員として、羽田から出ていった。ちょうど安保闘争のときだったから、広州、上海、北京、大学、工場、人民公社、どこへいっても〝熱烈歓迎〟のスピーチ、またスピーチであった。夜になると、ホテルでは宴会につぐ宴会、茅台酒《マオタイ》の乾杯また乾杯だった。

明けても暮れても〝ファントイ・メイティコツイ（反対美《アメリカ》帝国主義）〟と〝コンサンタン・リンタオシャ（共産党領導下）〟の二語につきるのだが、作家同盟へいって作家と話をしても、人民公社へいって農民と話をしても、つまりは『人民日報』の論説の無限増幅であった。作家も農民もけじめがつかないし、外務大臣も民族資本家もけじめがつかないのだった。私は日記をつけて、その日その日、誰と会って何を聞かされたかを、翌朝の宿酔《ふつかよい》で忘れていない部分だけを記録するのに心せかれた。

自分の訪れた国のことについて、帰国後に書物でいろいろと学ぶという方針が私にはあり、あとになってから、アレはアアだったのだろうか、コレはコウだったのだろうかと想像してたわむれたり、反省させられたりが、おびただしいのである。中国のときもそうで、帰国して一息ついてから、古代民話集を読んだり、『紅楼夢』を読んだり、Ｅ・スノウやＡ・スメドレーのルポを読みかえしたり、というぐあいであった。中国側は自分たちの見せたい物を見せ、聞かせたい意見を聞かせるだけの方針だったから、何ひとつとして〝欠陥〟や〝矛盾〟は語られることもなかったし、見せられることもなかったのだが、いくらかあとになってから、どうやらこの年は五〇年代末期の〝三年飢饉《ききん》〟であったらしいと見当がついた。

それも具体的なことは例によって何もわからないが、毛沢東が空腹のあまり〝ベルトの穴を二つ、つめた〟という伝説が流れるほどのものであったらしいと、察しがついた。それぐらい苛烈《かれつ》な飢餓が都市と野と山にあったとは、ついぞ私はさとることがなかったのだ。彼らが見せようとしなかったから、知らなかったのだ。毎夜毎夜、私は大宴会で御馳走《ごちそう》を食べ、乾杯を繰りかえし、ベッドに倒れて前後不覚だったのである。

この〝三年飢饉〟は私の知るかぎり、物凄《ものすご》い天災だったとわが国には伝えられるだけで、具体的にどれくらい物凄かったかということは、新聞、雑誌、週刊誌、単行本などどれにもまったく書かれていなかった。ときたま中国研究家や新聞記者から洩らされることが、酒場や飯店であったけれど、それも口ごもり口ごもりだったし、暗示的に語られるだけだったから、とうとう何もわからなかった。

古今東西、あらゆる〝天災〟にはかならず〝人災〟が加わって被害が増幅されるのが鉄則だから、どんな〝人災〟があったのかを知りたいと思うのだけれど、何も知らされなかった。今になって人民公社制や大躍進政策が苛烈な失政であったとされているけれど、当時のわが国の中国報道では、どこでも、〝好《ハオ》〟、〝好〟の氾濫《はんらん》であった。

中国共産党が北京に入城して以来、一貫してそうだったのである。

それが昨今、ことごとく中国人によってくつがえされ、裏目、裏目となってでてきた観がある。マイナスを全部集めると一挙にプラスになるというポーカーの手があるけれど、その逆である。プラスを全部集めたのが、今になってマイナスに転化しつつあるのだ。

夏「まず三年続きの天災です。これは悲惨でした。私は当時北京という恵まれたところで、恵まれた職場に勤めていましたが、それでも1961年冬には同僚の70%が浮腫《ふしゅ》にかかり、多くの人が、肺結核や慢性肝炎になりました」

ハンソン「栄養失調だね」

夏「周恩来総理は私たちに、仕事は半日だけにするよう、そしてなるべく運動をやめるように言いました。このような困難なときに、中国に階層というものができてきたわけです。一般の人民は、一カ月300グラムのお肉の配給しかありませんでした。あとは野菜です。油も一カ月300グラム。だからスープを作ったら、あとはおハシでこうやって油を一滴二滴落として味つけするだけでした。たくさんの女性が、お腹に赤ちゃんがいても、産むことができませんでした。一つの家庭が、食べもののために仇敵《きゆうてき》同士のようになってしまいました」

10月28日号（一九七六）の『週刊文春』のイーデス・ハンソン女史の対談で、夏之《かし》炎《えん》という中国人が、淡々とそう述べている。この人は匿名《とくめい》のライターだが、元は中国共産党の正式党員であった人物らしい。『文藝春秋』に毛没後の政権争奪を想像で書いたフィクションの第一回が、細部の正確さで評判になりつつある。

当時の中国大陸での悽惨《せいさん》な窮乏ぶりは、台北や香港にかなりつたわっていたのだけれど、例によってわが国の大新聞は抽象に熱中して具体を忘却する姿勢から、まったく箸《はし》をつけようとしなかった。十五年もたってからやっとその一端が洩《も》れはじめたというところである。それも『文藝春秋』がこの人をキャッチしていなかったら、さらに五年、十年、顧みられることもなく、瞥見《べっけん》させられることもなかったのではあるまいかと想像する。

今後も中国の報道については、十五年待ってからでないといけないのか。

池における攘夷《じょうい》と開国の論

一

ブラウン・トラウトというのは、たしかドイツが原産地のマスで、〝ブラウン〟、〝ブラウニー〟、〝ジャーマン・トラウト〟などとアチラでは呼ばれている。字の通り茶褐色がかった体色をしているけれど、そのときどきの棲《す》む場所によって色が変わる。淡黄色になることもあり、ほとんど金色といってよい体色になることもある。猛烈な闘志の持主で、鈎《はり》にかかると水を蹴《け》って跳躍し、左右に疾走し、釣師の心臓が口までとびだしてくる。

このマスがドイツからアメリカに輸出された昔、〝害魚〟だといってたいへん憎まれ、非難された。昔からアメリカに棲んでいるマスの卵や小魚を食い荒すからというのである。事実このマスの食性からすると、それは正確な観察であり、批評である。

しかし、もう一歩すすめて冷静に考えてみると、アメリカ在来種のマス、たとえばニジマスだが、このマスだって他のマスの卵を食べるし、小魚も食べるのである。食うものがなくなれば、ニジがニジの卵を食べるし、幼魚も食べるのである。とくに飢えなくても、彼らは平然として共食いをやる。

これはすべてのマスやイワナやサケについていえることである。とくにブラウンだけがそうなのではないのである。そういうことが解説され、理解されていくうちに、いつとなくブラウンが〝害魚〟扱いされることがなくなった。ばかりか、この魚のゲーム・フィッシュとしての精悍《せいかん》な魅力が知られるにつれて、大歓迎されるようになった。ニジマスはアメリカのロッキー山脈あたりが原産地のマスであるが、今では全世界に移殖されて繁殖している。日本では養殖池でさかんに飼われて、あべこべにアメリカへ輸出するほどになっている。この魚を〝害魚〟扱いする人は一人もいない。しかし、冷静に観察すると、この魚は肉食魚で、食慾《しょくよく》はかなりしたたかなものだから、他の魚の卵、小魚、カエル、ネズミ、ミミズ、羽虫、何でもパクパク食べるのである。

さらにもっと凄《すご》いのはライギョである。これはアジアの淡水のテロリストといってよろしい。北方産のと南方産のと二種あるが、東南アジアではその風貌《ふうぼう》からして〝スネーク・ヘッド（蛇の頭）〟と呼んでいる。巨大なのになると、ちょっとした大人の太腿《ふともも》ぐらいにも大きくなる。寄生虫がいるので、焼くなり煮るなりしなければ危険だけれど、よく食べられる。ちょっと脂《あぶら》のあるこの魚のプリプリした白い肉を熱いお粥《かゆ》に入れ、香菜《シャンツァイ》をそえて、フウフウ吹きながらすするのは、忘れられない魅力である。

この魚も外地から日本へ入ってきたのだが、目のまえをよこざるやつは何でも食べちまう。羽のあるもの、鱗《うろこ》のあるもの、うごくもの、もがくもの、何にでも襲いかかるのである。ある湖で、にわかに小魚が狂ったように小川をさかのぼってくるのに気がついて前方を眺めると、その小川が湖へそそぎこむ口のところにこいつが一匹、ゆうゆうと潜水艦のように浮いているのが見え、ナルホドと思わせられたことがある。日本へ入ってきてかれこれ四〇年か五〇年になるのではないかと思うが、一時は猛烈に繁殖して、日本じゅうの淡水魚という淡水魚が根こそぎ絶滅されると騒がれたけれども、いつとなく飽和点に達して、いつとなく後退がはじまり、今ではべつにとりたてて騒がれることもなく、ナマズとおなじぐらいの扱いをうけて、他の日本産淡水魚と何とか共存しているようである。

こうして眺めると、ブラウン、ニジ、ライギョ、ザリガニなど、外国からやってきて日本に棲みついて、とうとう土地の魚となってしまった魚は、何種もいるわけである。とくにそれらの魚は〝害魚〟だとして罵《ののし》られることもなく、排斥されることもないようである。近頃しきりにブラック・バスが〝害魚〟として騒がれているが、魚類学者のなかには、在来種の日本産淡水魚の生態系が乱されるのではないかと恐れて、警告を発する人がある。学者としては当然の憂慮を述べておられるのだと思うし、私は魚類学者ではないので、専門家としての発言は控えたいと思う。この魚は釣りのゲーム・フィッシュとしては、とくにルアーやポッピング・バグやプラスチック・ワームなど、生餌《いきえ》釣りのほかにさまざまなテクニックがたのしめるので最高の魚だし、食べるとなると、その肉は淡水魚としてはトップを争う美味だといえる。

この魚が〝害魚〟とののしられるのは、その猛烈な食欲と、旺盛《おうせい》な繁殖力、および、高地、低地、南、北、どこでも棲めるたくましさのためであろうかと思われる。ライギョの猛烈さにくらべてもさほどヒケをとらないのではあるまいかと思われるくらいの大食いで、食用ガエルを丸呑《の》みにしたり、湖を泳ぐカモの仔《こ》にとびついたりする写真が、アメリカの本によくでている。しかし、この魚のためにアメリカ全土のフナ、コイ、ハヤ、エビ、その他さまざまの淡水魚が根こそぎにされたり、全滅したという話は、チラとも聞いたことがない。他に、ナマズ、パイク、ウォーライ、マス類、イワナ類など、肉食魚の種類と数ではわが国よりはるかにたくさんのギャングが南にも北にも棲みついているのに、そういう話は聞かされたことがないのである。つまり、アメリカの淡水域が広大で、栄養がよく、こういう肉食魚と草食魚が共存できる条件にあるからなのだろう。

おそらくわが国でも、ブラック・バスが他の魚と共存さえできたら、その判断がしっかりとたてば、さほど〝害魚〟として白眼視されることはないのではあるまいかと、私はおぼろながら、眺めているのである。池、湖、ダム、川などにプランクトンがよくわいて、ブラックの餌《えさ》になるワカサギや川エビなどがうんと繁殖するようなら、ブラックはむしろその集団を間引いてくれるのだから、ワカサギなどは一匹一匹の個体が従来よりは大きくなるはずなので、これはワカサギ釣りをたのしむ人にもよろこばれるところだと思いたいのである。

そして、魚も植物も、新種は在来種を駆逐して乾いた草原の火のように一時、大繁殖するのだが、しばらくたつと極点に達してから後退がはじまって、やがておとなしく在来種と共存するようになるという原則に照らして考えると、ブラックの繁殖力が恐れられるのは、かつてのライギョとおなじように、そうそう長年月のことではないのではあるまいかと思いたいのである。ポルノが歓迎されるのは解禁後ホンの一年かそこらにすぎないというのと、ちょっと似たところがある。

むしろライギョやブラックが悠々と泳いでいる川や池は、それだけ栄養がいいのだということの何よりのシンボルとさえなるはずである。むやみに見慣れぬ外来魚を排斥して〝攘夷《じょうい》〟論をブツまえに、じっくり、観察と時間をかさねたほうが、オトナなのではありますまいか?……

二

知人の一人が某大新聞社に勤めているが、御多分に洩《も》れず釣狂である。この人は山師で、渓流の深奥部のヤマメやイワナしか攻めないのだが、この十年ほどのうちに大層な変化が起こった。ヤマメを自宅の池で飼ってみようと、発心したのである。自宅は都内杉並区にあるが、その小さな庭にまず井戸を掘り、つぎにヒョウタン形の小さい小さい池を掘り、池のまわりにツツジ、ドウダン、ボケなどを植えて、池に涼しい影ができるようにした。

山で魚を釣ると〝ブク〟を使ってはるばる東京まで持って帰って、池に放してやる。毎日生きのいいドバミミズを掘りに付近の空地にかよって、餌として放りこむ。イワナやヤマメは貪欲《どんよく》だけれど狷介《けんかい》で敏感な魚だが、倦《う》まずたゆまず繰りかえすうちに慣れてきて、ミミズにとびつくようになる。しかし、この魚たちにとっては餌もさることながら、大敵は水温である。山奥の清冽《せいれつ》な水温を都内の戸外で作るのは、晩秋、冬、初春の頃はまだしも、夏になると不可能である。たえまなく井戸水を注いでやると同時に、魚にも慣れてもらわなければならない。魚がのぼせて死んでしまうと、黙って釣竿《つりざお》をかついで山へいく。飲まず。打たず。買わず。ただこの清歓だけがこの人の灯である。

釣りを知らない人のためにちょっと説明しておくと、〝ブク〟というのは小さなモーターで空気ポンプを動かす仕掛で、たいていの釣道具店で買える。山で釣った魚をビニール袋に入れ、水を入れ、そこへこの〝ブク〟の管をさしこんでおくと、たえまなく新しい空気が水に送られ、何とか東京まで魚を持って帰ることができるのである。一見したところでは子供の玩具《おもちゃ》みたいな道具だけれど、結構重宝がられて、あちらこちらでひそかに活躍しているようである。〝ひそかに〟というのはつぎに説明するが、この小道具が〝ブク〟と名がついたのは、活動中たえまなく空気を送って水のなかでブクブクと泡音をたてるからであろう。

前項に書いたブラック・バスはもともとわが国では芦ノ湖だけにしか棲んでいず、しかも県条例で県外持出しは禁じられていたはずの魚なのだが、この数年のうちに、いつのまにやら、あちらこちらの池や、湖や、ダム湖や、川に出現するようになった。それも東京周辺の諸県のみならず、関西から九州にまで出没するようになったのである。魚が空を飛ぶはずはないから、いつのまにか誰かさんが芦ノ湖のブラックの幼魚を（おそらく）手網でしゃくいとって（おそらく）、ビニール袋に入れ、自動車にのせ、そして（おそらく）〝ブク〟を何個も働かせて、東名高速を黙々と薄笑いしつつ、疾走したのであろう。その誰かさんは、おそらく若い人で、ルアーやフライの釣りに静かなる熱狂を感じている人たちではあるまいかと推測する。

ここ数年間のうちに、ときどき見ず知らずの若い人がやってきて、ブラックが叱《しか》られて困るのだけれど、どうしたもんでしょうと、相談を持ちかける。どのケースもみなおなじで、誰がブラックを放流したのですかとたずねると、ふいに若い眼がうろんとなって焦点がなくなり、それまで元気にしゃべって開閉していた口が、ヒタと閉じられてしまうのである。

これは北海道の釣師と話をしていて、よほどおたがいの関係が深くならないと、そしてよほどウィスキーが入らないと、聞かせてもらえないが、ホンマスやアキアジ（サケ）のルアー釣りが話題になったときに見うける表情と、まったくおなじである。彼らをうらやんだりおだてたりして、ホンマス（サクラマス・ヤマメが降海して川へもどってきたもの）は鈎にかかるとハイ・ジャンプして闘うのでそりゃあすばらしいけれど、アキアジは図体《ずうたい》がでかいだけで川のなかをかけまわりはするけれど、ジャンプしないからつまらないという感想を吐かせる。吐かせるだけ吐かせ、語るだけ語ってもらってから、低くひとこと、それは密漁じゃないの、と呟《つぶや》いてみる。そのときに若い眼はふいにうろんとなり、若い口はヒタと閉じられるが、その気配がブラックのときとまったくおなじである。密漁と放流と、やることはあべこべだが、こころはおなじであるらしいのである。スリと刑事の眼がおなじであるように。といったら叱られるか。

ブラックは、氷の張る湖にも南のとろりとあたたかい池にも棲める。さほど水深がなくてもいい。かなりの汚水にも平気である。餌にはワカサギだろうとカエルだろうと、動くものなら何でもいい。鈎にかかるとすばらしいジャンプをし、水しぶきたてて闘争する。そして美しい魚である。食べてもみごとな味がある。こう何拍子もそろった魚だから、若い人たちに愛され、憧《あこが》れられ、たちまち眼をつけられて、神奈川県から全国へ、ブクブクとひそかな音をたてつつはこびだされてしまったものらしい。繁殖力が旺盛なものだから、たちまち増えだして、あちらこちらで論争、騒動、てんやわんやが発生したらしい。いまも発生しつつあるらしいし、今後もしばらくは発生しつづけることであろう。

ブラックがやたらに警戒されるのは、はじめて品川沖に三隻《せき》の黒船を望見したときのヤマト人たちがヒステリーをひきおこしたのに似ているが、開国論者もすでにこの魚については大正時代からたっぷりと経験を積んだのがいる、という点が違っている。芦ノ湖である。この湖では大正年間の赤星氏の放流以来、すでに五十年、ブラックを飼い、ほかの魚を何種も飼って、平和共存ができることを実証している。ワカサギ、ニジマス、ブラック、カワエビ、それぞれが一つの、さほど大きくもない湖で共存でき、たがいにむくむくと育っている。しかし、それには条件があって、この湖水の栄養がよくて、プランクトンがよくわき、それを食べる魚が大きくもなり、増えることもできるからこそ、他の肉食魚もまたその魚を食べて大きくもなり、増えることもできるのだということ。また、湖畔に孵化場《ふかじょう》が設けられていて、毎年、補給を絶やさないでいること。こういうことである。

これらの条件がないところでは、ブラックの大食いがむやみやたらに恐れられて、罵られるわけである。それだって前項に書いたように、ブラック以上のテロリストのライギョがもう五十年近くも野放しになっているのに、誰も何もいわないじゃないかという事実があることを思いあわせれば、騒ぐまえに腰をおろして研究にかかられてはどうかしら、と思うのである。もし日本の淡水に、この魅力ある・貪欲だが気まぐれでもある・すばらしく闘いすばらしく美しい・しかも食べておいしい（日本人に訴えるにはこれがポイントだが——）、この魚が他の魚といっしょに共存できるものなら、こんな愉しいことはめったにないのである。いずれは〝ヘラ池〟とおなじように〝ブラック池〟という釣堀ができるようになるのではあるまいかと、私は、おぼろに推測しているのだが……。

酒瓶のなかに植物園がある動物園がある

去年（一九七五）であったか、中国産の珍酒を二種もらった。一つは人間の胎盤を酒に浸した『胎盤補酒』で、もう一つは田ンぼに棲《す》むネズミの胎児を浸した『田鼠仔《でんそ》酒』であった。二つとも陳舜臣《ちんしゅんしん》氏からもらったのだが、しばらく家へくる人びとをキャッといわせてたのしむことができた。大層なモッタイをつけてちびちびと半杯ずつ、一杯ずつ、ふるまっているうちに、二本ともからになってしまったが、ネズミ酒のほうは瓶底に二〇匹ほどたまっているので、ついでのことにと食べてみたが、味や香りはとっくに酒にとられてしまっているので、何やらゴムを嚙《か》むようだった。どれもネズミの胎児だから、毛は生えていず、眼もできていず、小皺《こじわ》のあるブタの仔《こ》といった形をしている。

今年（一九七六）、某月某日、神戸の『海皇《ハイファン》』という中国料理店へいったところ、ここの料理は〃海鮮〃（海の魚介の新鮮なもの）専門で、水槽からピチピチとタイやハマチをすくいとって、中華風の刺身にしたのや、生きたエビを紹興酒《しょうこうしゅ》につけるおどり食いなどが、名物になっている。中国料理は、野菜であれ肉であれ、絶対にといってよいくらい生食をしないから、刺身は珍しいし、なかなか悪くないので、箸《はし》がよくすすむのである。友人とおしゃべりしながらつついていると、人民服ではなくて中山服を着た店の若いマスターがあらわれて、丁重に御挨拶《あいさつ》。恐縮して挨拶を返していると、じつは自分は陳舜臣の友達で、こないだネズミと胎盤の酒をさしあげたのは私である、本日は光臨頂いてまことにうれしいから、ロイヤルゼリーとタツノオトシゴの酒を進呈いたしましょう、とおっしゃるのでいよいよ恐縮。

あらわれた二つの瓶。一つは『蜂皇胎補酒』、これは上海産。もう一つは『海龍酒《かいりゆうしゅ》』、青島《チンタオ》産である。さきの二つにしてもこの二つにしても、いわゆる薬料《やくりよう》酒、日本でいう薬味酒であるから、痛風にきくんだとか、アチラの地盤沈下が食いとめられるんだというようなことをいいつつ飲む酒だから、酒そのものの味や香りは第二の議論であろう。ロイヤルゼリーを酒に仕込んだほうはおとなしい、やわらかい、おっとりした舌ざわりのもので、北欧のミードによく似ている。北欧ではぶどうがとれないから、昔から蜂蜜《はちみつ》をベースにして酒をつくる習慣があって、〝ミード〟と呼んでいる。ポーランドで飲んだ『ヴァーヴェル』というのもこれの一種だが、なかなか気品があってよろしかった。タツノオトシゴのほうもおとなしい、やわらかい酒で、レッテルを読まなければ、それだとは気のつかない味だし、舌ざわりである。

南軒酒美青梅熟
華夏肴佳玉粒香

いつか西ベルリンのクァヒュルシュテンダム通りの中華料理店の壁に、そう大書した対聯《ついれん》を見つけたことがある。料理はひどいものだったけれど、その字を眺めて箸をはこんだものだった。たしかに華夏(中国)は美味の国、美酒の国である。

この国の人びとは、料理であれ酒であれ、政治であれ、よろず徹底的にやらずにはいられない伝統が昔からあるようだが、薬味酒やリキュール類も百花斉放、百獣争鳴といいたいにぎやかさである。花であれ実であれ、トカゲであれゲンゴローであれ、何だってかんだって、触目ことごとく酒にほりこんでみるのである。レッテルを眺めていると、酒瓶のなかに植物園があり、動物園があるといいたくなってくる。ほんのちょっと酒にされる植物を見ただけでも、ブドウのほかに、キンモクセイ、サンザシ、キイチゴ、リンゴ、ハマナス、パイナップル、レイシ、レモン、オレンジ、アオウメ、トマト、ヨモギ、ハス、リュウガン……。

動物としては、トラの骨、シカの角、トカゲ、ゲンゴロー、タツノオトシゴ、キノボリトカゲ、たくさんの種類の毒ヘビと無毒ヘビ、スッポン、ネズミの仔《こ》、クマの掌《てのひら》、ニワトリ、冬ごもりのガマ、いきあたりばったり、かたっぱしから、醸《かも》すなり、干すなり、煮るなり、しぼるなり、砕くなりしての探究と実践である。毎度のことながら、この旺盛《おうせい》さと奇想天外ぶりには脱帽のほかないので、一本ずつ、じわじわと味わって攻めていこうと心がけているのだが、なにしろ品数が多いので、これからさき何年もかかる。

すると、最近、中国から帰ってきた知人が人に託して、これは酒ではないけれど、『鹿茸精《ろくじょうせい》』なるものをとどけて下さる。シカの角のエキスである。小さな瓶に透明な液が入っていて、スポイトがついている。説明書を読むと、このスポイトで10滴から40滴吸いあげ、お湯にとかして、毎日三回やれとある。やったらどうなるかというと、腰や膝《ひざ》の痛みが消えるし、全身に精気がみなぎって、肉がひきしまり、健忘症がなおり、神経衰弱が消え、何よりかより『性机能低落』にズンと利《き》くとおっしゃるのである。シカの角は昔からあの国では高貴薬と目されていて、これの入った酒には、虎骨酒、参茸葯酒、全鹿酒、鹿筋補酒、その他、いくらでもある。ことごとく補酒である。

サポートする酒である。プーチューと読む。プーチュー。その字を眺め、スポイトを眺め、一頭のシカが誇らしげに岩の頂上でそりかえっている画を眺めているうちに、やれやれ、オレもとうとう、何もいわないのに人からこんなものを差入れされるようになったかと、御好意をありがたく思いつつも、何やらわびしくなってくる。
マ、しかし、指導者の顔が天安門上で変わるたびに、つまり魯迅《ろじん》の言葉を借りると城頭に大王の旗が変幻するたびに、ドラや三角旗を手にして広場へくりだして、拍手、喝采《かっさい》、デモ行進などをしなければならないのだから、そのことを考えあわせれば、健忘症を治すのにはシカの角がいいだろうか、それとも冬ごもりのガマがいいだろうかと、一心に探究にふけっている人びとというものは、いささかユーモラスではあるけれど、まことにのびのびしていて、愛らしいところがある。どこかしら、ちょっと、帝力を無視した不撓《ふとう》の気配がかいま見られるようでもある。しかし、研究が進みすぎて、ほんとに健忘症が治ったら、昨日までの城頭の大王を今日は黒暗暗の悪漢だといって罵ることができなくなるから、いっぽうではそういう目的と用途のための酒も研究しておかなくてはなるまいと、考えられるのである。おそらくもうちゃんと、できているのであろう。

神は細部に宿り給う

芸らしい芸を何もしなくても、いわば存在そのものが作品だといいたくなる役者が、減少の一途をたどっているような気がする。たとえばシュトロハイムとかジャン・ギャバンという名で代表されるような役者である。この二人などは、画面に顔をだしただけで全画面が一変したものである。一瞬、透明なさざ波のようなものがすばやく画面のすみずみにまで走り、光、影、大道具、小道具、すべてがよみがえるのだった。

ずっと昔、たまたまパリの映画雑誌を読んでいたら、監督のデュヴィヴィエがインタビューされて、ルイ・ジューヴェとジャン・ギャバンを比較し、「ジューヴェは偉大な芸術だが、ギャバンは偉大な自然だ」と答えたことがある。両者をソツなく顔をたててやるそのエチケットぶりにというよりは、評語のあまりの的確さにすっかり感心してしまい、その後はギャバンの映画を見るたび、あの段つき鼻やデクデクの頬肉のうごきに見惚《みと》れたものだった。

暴力シーンは何といってもアメリカ人がうまいが、フランス人はベッドのシーツの皺《しわ》を芸術に仕上げる。ギャバンという人は、タバコを吸ったり、モノを食べたりすると天下一品で、思わず真似《まね》をしてみたくなる。それが少年時代や青年時代ならともかく、いい年の中年になってもそうなのだから、芸の力というものはおそろしい。いつだったか、原題を『殺人者の時代』というのではなかったかと思うが、ギャバンがビストロの主人になる映画があった。

もとの市場（レ・アル）の界隈《かいわい》にある小さな料理店の名料理人で、肉団子（だったと思うのだが――）を作らせると天才だということになっていて、大臣級のおえらがたの食いしん坊が台所へ入りこんで、頭をつきあわせて鍋《なべ》をのぞきこむシーンがあった。湯気がもやもやたちのぼって、画面から熱と香りがそのまま流れてきそうであった。見ているうちにたまらなくなり、映画が終わると一も二もなく、館をとびだしてフランス料理屋へかけつけ、肉団子、肉団子といったが、メニューにないといわれ、しぶしぶブルギニヨンを食べて納めたものだった。

シュトロハイムはいつも光頭の蛸《たこ》入道だが、ただならぬ眼技の名優で、爬虫《はちゅう》類じみた冷めたい精力の匂いをただよわせ、傲然《ごうぜん》たる気品と貴い頽廃《たいはい》を演じると素晴しかった。ロンメルを主人公にした作品はいくつもあるけれど、彼がロンメルを演じたことが一度あり、それ以後のどのロンメルよりも抜群であった。イギリスの女スパイが女中に化けて朝食の盆を持って部屋に入っていくと、ロンメルがベッドに体を起こしていて、頭板にもたれ、女からコーヒー茶碗《ちゃわん》をうけとって一口すすり、「男が朝一人で目をさましたところへ女は入ってきちゃいけない」といって、ハエ叩きをとりあげて、いきなりピシャッとハエを叩《たた》きおとす。それで女は恐怖でとびあがり、部屋から逃げ出すのだが、ギョロ眼と、光頭と、後頭部にいつものことながら猛烈な〝牡《おす》〟がただよっていて、いまだに眼にのこっている。

映画屋さんはシュトロハイムをロンメル役にすることを思いついたとき、思わず膝《ひざ》をうち、これ以外に考えようがないと思いこんだに相違あるまいし、まったくそれはそのとおりだったのだが、シュトロハイムがロンメルを演ずると、ナチスが負けるとはどうしても感じられなくなってしまうのだった。あまりの適材適所は、かえって逆転の効果になってしまうという好例であった。

最近、久しぶりに『大いなる幻影』を見る機会があったけれど、これがギャバンとシュトロハイムの組合わせである。無削除版がわが国で上映されるのはこれが最初のことだから、張り切ってでかけたわけだが、率直にいって、昔、夢中にさせられた削除版と比較して、さほどの本質的な相違や違和を感じさせられなかった。あちらこちらをハサミで切りとられながらも、この作品はアリアリと本質をつたえていたのだと思う。一発や二発の下腹への打撃で腰を砕かれることがなかったわけである。それくらい、これは名作だったのだと思わずにはいられない。この映画が作られた時代、その頃のヨーロッパの雰囲気というものをアタマで考えてみれば、朦朧《もうろう》としたイデオロギー闘争の苛烈《かれつ》と、沈滞と錯迷と解体の極の情念と、いっぽう〝東〟ではスターリンの眼も口もあけていられない地獄、〝西〟ではナチスの褐色シャツの大行進、アジアでは日中戦争の阿鼻叫喚……〝硬〟と〝軟〟があちらでもこちらでもからまりあってのたうちまわっていた時代のはずなのだが、よくこれだけ超党派の、澄明《ちょうめい》な、素朴と精妙の融合した作品が作れたものだと、感心せずにはいられなかった。

ギャバンとシュトロハイムは、眼のまばたきひとつひとつまでを計算しぬいた自然さで、楽々と演じていて、あっぱれというしかなかった。また、ワキ役が一人一人、みんなみごとで、これは近年の諸国の映画が急速に失いつつある魅力である。

この映画のなかで、背骨を折ったドイツの貴族大尉になるシュトロハイムが、コニャックを飲むのに上体を一挙に起こして一口で飲み干す演技をしてみせるが、昔、これに見惚れたものだった。オレもああやって飲んでみたいと、何度思ったか知れなかった。『霧の波止場』で脱走兵になったギャバンが、海岸の埋立地の掘立小屋で、大きなパンをポケット・ナイフで切りとっては頬張るシーンにも見惚れたものだった。神は細部に宿り給う、というのがいっさいの表現活動を支配する鉄則の一つであるが、シュトロハイムやギャバンのような名優は、あまりあっぱれすぎて、ときどき、細部だけしか演じていないのではあるまいかと思わせられることがある。

つまり役を完全にこなしているという評語が、こういう演技にあたえられるわけだが、そうなってくると、戦争と平和という大テーマが忘れられて、役者の酒の飲み方だけを記憶するという見方をしたって、いっこうにさしつかえないわりである。だからといって、その映画の価値はいっこうに変動しないのである。ワン・カットすら記憶にとどめられない映画を、私は少年時代から何十本見てきたことか。いや、もうとっくにそれは何百本という数字にさえなっていることだろうと思う。

何も映画だけにかぎったことではあるまい。

自然は三十五歳をすぎてから

朝晩かまわず、どこにいても本を読む癖と、黄昏《たそがれ》になればどこにいても酒を飲まずにはいられない癖。この二つの癖はどうにも克服できそうにない。他のいろいろな癖で努力の結果あらたまったか、努力以外の要因であらたまったものはいくつかあって、かぞえることもできるのだが、どうやらこの二つの癖は、いつまでたってもあらたまりそうにない。

自分が作品を書いているときは、発熱状態にあって過敏だから、他人の文学作品を読むのは危険で、ついみんながエラく見えたり、影響をうけたり、盗みたくなったりする。だから運動選手が試合前や試合中に減量にはげみ、極度に食事に用心深くなるように、私もこの期間に読む本については用心深くなる。文学がかったものは一切遠ざけ、アトランチス大陸や、ＵＦＯや、鳥獣虫魚について書かれたものしか、身近におかないようにする。ときには本を読まないで、中華料理店のメニューを眺めて数時間、または一日をすごすこともある。これは想像力を養うのにいいし、一日も早く仕事を上げて食べにでかけたいと焦《あせ》りが生じて、それが刺激となってくれるかと思いたい。

アトランチス物はずいぶん読んだ。これはいくら読んでも、誰が書いても、発端は例のプラトンの数行きりなのだし、他に確証は何もないのだから、どこまでいっても仮説また仮説あるのみ。

近年はデニケン先生が世界のあちらこちらを飛びまわって、写真をそえて、異星人が人類の生みの親または育ての親であったという説を書きまくっている。何しろこの時代には、大いなる仮説を広げたり縮めたりする愉《たの》しみがすっかりなくなってしまったので、この先生の本は新刊がでるたびに買って読むようにしている。アトランチス物よりも豊富な写真とデータがついているところが相違点で、そこが愉しみの焦点の一つなのである。やっぱりこの先生の仕事も、最初の一冊がいちばんよくできていて、あとのになるほど水っぽくなっていけないが、マ、がまんすることにする。

酒についての好みなり飲みかたなりが年齢とともに変わっていくように、書物の好みも変わるものである。近年、小生は仕事がなかなか仕上らないから、鳥獣虫魚の本ばかり読む結果になっているが、そうばかりでもないように思う。三十五歳という精力の頂点を十年前に通過して、四十五歳の中年になってしまった今、いささか風霜《ふうそう》をくぐり、情念、妄執、衝動、体力など、全分野で十年前とは状況が変わってしまったわけだから、三つ子の魂百までということはやっぱりのこっているとしても、アレやコレやの変質、変貌《へんぼう》は避けられないところである。

本を読む量はあまり変わらないけれど、質が変わってきたということはいえるのである。たとえば以前なら退屈でしようがなかったダーウィンの『ビーグル号航海記』など、久しぶりに読みかえしてみると、じわじわと滋味や磁石がでてきて、頁《ページ》から頁へひきずられ、とうとう最後まで読んでしまった。〝自然〟についての描写が、眼にしみこむようになってきたといえる。以前だって〝自然〟について書かれたものは大の好物だったのだけれど、酒をグラスで飲んだり、液として飲んだりする癖が、滴《しずく》で飲むように変わる、そのような変わりかたで、単語や、余白や、句読点を読むようになった。たとえばここに本邦未訳だけれど、E・グレイの『フライ・フィッシング』というソッケない題の本があるが、これは一生を毛鉤《けばり》でマスを釣ることに費してきたイギリス人の外交官の自伝である。右の眼は冷めたく、左の眼はあたたかく、〝歌〟を歌としないで書きつづった、淡々とした名文である。

その一節に、ある年の夕方、ふとふりこんだ毛鉤がどこへ落ちたか見えなくなる、という箇処がある。知らず知らずのうちに年をとって眼が見えなくなっていることを、その一瞬にさとらされるわけである。その黄昏以後、グレイ卿は二度と竿《さお》を持って川岸へでていかなくなるのだが、この箇処にある男の悲痛さを、以前はグラスで味わったのに、近頃の私は滴で味わうようになっている。以前は悲愴《ひそう》を感じさせられていたのに、近頃は夥《おびただ》しいプラス・アルファをおぼえて悲愴を感じさせられるようになった。本を手に持って頁をひらいたままで、茫漠《ぼうばく》とよしなしごとに思いふけっている自分を発見するようになった。

W・ベイツの『アマゾンの博物学者』、G・ホワイトの『セルボーンの博物誌』、C・ダーウィンの『ビーグル号航海記』など、近頃の私がいずれも滴で味わった諸作だが、これに、何年かに一度きっと読みかえすようにしているE・グレイの『フライ・フィッシング』とH・ウィリアムソンの『鮭サラの一生』を加えたい。これらはいずれも男性文学で、筋肉質の無飾の文体でしばしば書きつづられているが、イギリス人の随筆文学の伝統にはそれを至上の美徳とするものがあるようだ。この点についてはは専門学者にいつか会ってたずねてみたいと思っているが、深みのある単純、芸でない芸、無味の味が、伝統として貴ばれているように見える。そこへたどりつくためには、爛熟《らんじゅく》を通過しなければならないけれど、まだまだ私には遠いと思えること。これはいつかの回に書いたと思うので、ここでは繰り返さないのである。

グレイ卿《きょう》は、伝えられるところでは、絶世の美貌《びぼう》で、その妻となった人も絶世の美貌だった。若い頃、この二人が腕を組んで静かにパーティーの大広間に入っていくと、満座の全員が思わず息を呑《の》んでしまったそうである。卿はマス釣りのほかにバード・ウォッチングも趣味とし、イギリスの山野に棲《す》む野鳥の声はことごとくいいあてて誤たなかったとか。アメリカからお忍びでこっそりやってきたルーズベルトを、田舎の駅でグレイ卿が出迎え、その一日、たった二人きりで野をさまよい、鳥の鳴声を聞いてすごしたが、ルーズベルトもまた一流のナチュラリストだったから、二人の耳と意見は一羽の差もなく一致したと伝えられている。夕方になって、グレイ卿はルーズベルトをふたたび駅まで送り、それが最後となったかもしれない手をふって汽車を見送った。

こういう挿話が滴となって体内にしたたり落ちるようになるには、やっぱり三十五歳をすぎてからでないと、無理なのであろう。こころの渇きがテロリストのそれでなくなってしまわないことには、滴の音が耳に入らない。オッサンにならないと聞えない音というものもおびただしくあるのだよ。

ボクチャン。

歳末茫々《ぼうぼう》　コドモとオトナ

いよいよ〝師走《しわす》〟の頃となったけれど、薄暗い書斎の万年床にもぐりこんで、鼻と手だけフトンからだして読書するだけ。とろとろと読み、うとうとと眠り、目がさめると肩をのりだしてオカキに冷め茶。いつか読もうと思って目につき次第に買いこんでおいた本を上から順に乱読であり、書淫《しょいん》である。

子供のときもおなじようにコタツやフトンにもぐりこんで本を読んだが、山中峯《みね》太郎《ろう》の『亜細亜《アジア》の曙《あけぼの》』に眼と心は夢中になりながらも、耳は軒をかすめていく木枯しの音や、空で鳴るタコの唸《うな》りなどを聞いていた。師走の頃になると、おとなたちがざわざわと家のなかを駈《か》けまわり、御用聞きがしきりに出入りし、おしつまってくれば餅《もち》つきの音があちらこちらで聞えはじめて、そこはかとない新鮮な不安と歓《よろこ》びで、とてもジッとしていられなかった。凩にも家にも、すべての音にヒリヒリするような躍動があったものだった。

大阪の子供たちは〝べーごま〟のことを〝バイ〟と呼んでいた。〝バイ〟は〝貝〟であろうか。巻貝の形に作った小さな鉄のコマに糸を巻きつけて投げると、ブンブンまわるが、カチンカチンとはじきあって、場外にとびだしたのがとられてしまう。ゴミ箱にゴザの切れっぱしをのせ、まんなかをたわませ、チョイと水をうったりしてから熱狂がはじまる。

浅黒い顔をした沼田クンなどというのがいて、これは凄腕《すごうで》の名手であり、どうにも歯がたたなかった。垢《あか》でまッ黒になった糸を、ペロリと舐《な》めてから巻きつけにかかるのだが、そのバイはどれも凄い唸りをたててかけまわり、群がるコマをかたっぱしからはじきとばした。沼田クンはブリキ箱にギュウギュウいっぱい戦利品を入れて持ち歩き、みんなに見せびらかし、一箇もくれなかった。

江村クンというガール・フレンドをいつもつれて歩いているのだけれど、江村クンはクルクルクルミちゃんとかアヤとりなどは大好きだけれど、汲取口《くみとりぐち》がツンツン匂《にお》う路地裏で、男の子がゴミ箱のまわりに群がってわめきあうのは見るのもイヤだった。路地の入口まで沼田クンについてくるけれど、そこでグッド・バイと叫んでどこかへいってしまうのだった。

沼田クンは、また、朝鮮ゴマの名手でもあった。これは日本ゴマとちがって、オイモを切ったような形をし、芯《しん》が下にだけ出ていて、上に出ていない。紐《ひも》はコマの胴に巻きつける。叩《たた》きつけるようにして投げると、ゆらゆらと回転する。そこへ紐を叩きつけ、しばきあげるのだが、紐は竹の棒につながっているから、鞭《むち》である。鞭でピシッ、ピシッと叩きつけるわけだ。するとコマは唸りを発して回転しはじめる。速度が落ちてゆらゆらしだすとまた一発、しばきあげると、ふたたび回転しはじめる。日本のコマは倒れるたびにいちいちとりあげて糸を巻かねばならないが、朝鮮ゴマは鞭をあてさえしたらいいのである。いつ、どうやって、どれくらいの強さでひっぱたくか。そこに、なかなか容易でないコツがある。沼田クンは、バイも朝鮮ゴマも、よろず叩きつけたり、しばきあげたりすることにかけては、町内四つぐらいに名声とどろいた名手であった。

師走はうれしい冬休みとなるが、悩みがないわけでもなかった。本の又貸しである。Aクンから借りた本を読んでからBクンに貸して、お返しに何か一冊借りる。山中峯太郎を吉川英治と交換する。ところがBクンの貸してくれた本がじつはBクンのではなくてCクンのであり、CクンはBクンからキャラメル三個をとりあげて貸したのだとわかるが、Cクンがいま読んでる高垣眸《ひとみ》もじつは南洋一郎二冊とふりかえにしてDクンから借りたものである。みんながバイ、メンコ、センベイ、キャラメル、ビー玉、何やかやのめいめいのお宝をカタにして本を借りて、貸して、それをまた貸して、借りて、というぐあいにやるものだから、ときどき本が行方不明になると、大騒ぎになる。誰の本を誰に貸したかをよくおぼえておきながら、いま読んでる本をいつ返せといわれるかにおびえつつ読まなければならない。

沼田クンはこういうことにかけても抜群の辣腕《らつわん》をふるい、他人の本を又貸ししてどんどんカタを徴収し、よごしたり、破ったりするとすかさず威迫してビー玉を徴収し、そのビー玉で誰かから新しい本を借り、その本をさらに誰かに又貸ししてビー玉を徴収し、というぐあいであった。彼は悪童だったけれど、一方たいへんな勉強家でもあり、記憶力抜群でもあったから、のべつ他人の本をめまぐるしく回転させながら、一冊も蒸発させることなく、どの本もみな無事に回収した。独特のカンを持っていて、本が消えそうになるとすかさず出かけていき、まだ途中までしか読んでないとか何とかいってさからっても、きっと取り上げてしまう。そういうときのナダめたりスカシたりは、まことに上手だった。コマを叩いたり、しばいたりのほかにそういうことにも抜群に長じていた。彼の黒い、丸い眼を夢に見て、何度私はウナされたことか。

木枯しの音もタコの唸りも聞えず、ゴミ箱をかこんだ子供たちの喚声も聞えない。銭湯の帰りに手拭いをふったら凍《しば》れて棒のようにたつという寒さも、近頃は聞かない。

正月になって私はどこへも年始の挨拶《あいさつ》に出かけず、また誰も訪れてこず、ただ家にたれこめて本を読むだけだが、そういう習慣になってから、もう二〇年余になる。年賀状も久しく書いたことがないのである。私の一年には久しく季節もなければ挨拶もなく、祭日もなければ休日もない。句読点のない、とめどなく長ったらしい、どこで切れるのか見当のつかない、主語が何であったかもわからなくなった文章のような暮しである。いつ死んだともわからずに死ぬのかもしれない。

死につつあるとさとることもなしに死ねたらこれに越したことはないけれど、こんな句読点のない生でも、そのときだけはどうやらピリオッドを自分でうつことだけはさせられるような気がしてならない。そのあとは葬式も何もいらない。近頃死んだ某国の役者のように、焼いて粉にして海へまいてくれとだけいいのこしておくようにする。どこかにいる沼田クンもそんなことを考えているのではないだろうか。一度会って話しあってみたいと思うのだけれど……

橋の下をたくさんの水が流れた

さて。

読者諸兄姉《みなさん》。

これは二年間の週刊サンデー毎日連載をまとめたものだが、ゆえあってこの章で終ることになった。「ゆえ」というのは事情がある。こういう短い随筆は短文とよばれる性質のものかもしれない。あるいは雑文ともよばれるらしいが、短いわりに大変苦労する。一回に書く分量は七枚であるけれども、三十枚、あるいは五十枚書くのも、七枚書くのも、苦労は同じなのである。一回は一回なのだから、そこがむずかしい。

運動選手は試合のあるなしにかかわらず、のべつランニングをしたり、縄跳びをしたり、ボクサーならシャドー・ボクシングをやったりして、贅肉《ぜいにく》がつかないように努力しなければならないけれども、そして絵描きは、トイレと食事を除いたら絶えず手を動かしてデッサンをやっていなければいけない。小説家も同じで、なんでもいいから、いつでも文章を書いていることがいいのである。ペンの切先にインキのカスがたまるようではいけないのだ。

というわけで、こういう短文を私は書き続けてきたが、これ以上書きつづけると、私の元金に食い込むことになる。つまり小説を書くための材料、イメージ、エピソード、そういう私の朦朧《もうろう》とした頭の中にしまい込まれているものに、手をつけて書かなければならなくなる。この二年間に書いてきたものは、創作メモの欄外余白にあるものだった。それは私の小説のために使うイメージを元金とすれば、それから分泌された利息みたいなものである。その利息がここで尽きた。小説に書くネタをここで書いてもいいのであるが、そうするといざ本番の小説のときに二度の御用をつとめさせることになる。いい寿司屋の職人は、いや、いい寿司屋じゃなくてもこれは常識だが、シャリにはりつけたネタをはがして、次の客のシャリにはりつけるというふうなことはしないはずである。小説家にも、自分自身と読者に対して新鮮とナゾを保っていなければならない義務がある。これ以上やると、私は元金と利息をともに食いつぶしてしまうことになるので、惜しまれながら去るのである。

しかし、利息の水増しはしないように努力したつもりだ。水で割って飲んだ方がうまい酒もあり、生《き》で飲んだ方がうまい酒もあるが、私の好みはすべてを生で飲むのが趣味である。だから書くものについても、その配慮をした。それがどこまで書かれたかはよくわからない。自分で書いたものは、二年か三年風にさらしてから、夜中にこっそりとり出して読むという私のクセがあって、自分の書いたものが発表された雑誌や本が並んでいる本屋の前は、恥しくて通りにくい。二年も三年もたってみんなに忘れられ、偉い批評家にも忘れられ、妻にも忘れられたころ、夜中にひそかにとり出して読んでみて、なかなかいいではないか、などとつぶやくのである。

この一年は、他の一年と違っていただろうか、同じだろうか。変わったことがあっただろうか、なかっただろうか。あるようでもあり、ないようでもある。ロッキードだ、灰色だ、玉虫色だ、黒色だとかいう色彩問題が日本社会をにぎわした。しかし選挙をやってみると、あれだけ悪漢の行状が天下に知らされわたったのに、それがまた十何万票もとったりしている。そのほかにあばき立てられるべきはずのもっとたくさんの悪漢がひそんでいると知らされているのに、その悪漢がかならずしも瓦をめくられて、陽の下にさらされたということにはならなかった。自民党は過半数を割ったとしょげているが、新自由クラブは国民の期待を集めて大飛躍したと称している。しかし保守系ということでみれば、この二つは一つの根の二つの花で、やはり保守全体としては、過半数を上回っているわけのものではないかと思う。

国民の政治意識が常識として動いたのは、この選挙ではあるまいか。はなはだ意味があるのは、自民党が過半数を割り、共産党がめっきり落ち、公明党が伸びた。このあたり、なかなかちゃっかりしているのではないか。悪漢をのさばらしておる国民の常識が疑われると叫ぶ「賢者」も多いが、しかしこのちゃっかりさには、いささか辛《しん》辣《らつ》なものを感じさせられる。

基本的にいって、有権者は大きな変動をいま求めていないのではないかと思う。変動によって得るものよりも、失うものの方が多いというふうに感じているのではないかしら。昔から悪徳がはびこるだけでは、世の中には大きな変化が起こらない。悪徳は火薬ではあるけれども、導火線がいるのだ。その最大のもっとも強力な導火線は空腹である。お腹が空《す》いていることである。国民の過半数がお腹を減らして、餓死線上をさまようか、そのあたりにあって悪徳が世にはびこれば、導火線に火がついて火薬庫が爆発する。

しかし日本には、導火線はいまないのだろう。日本人はみんなお腹がくちくなっていて、夜はおとなしくテレビをみて寝ていたいのだ。戦後三十年間の生活のあわただしさや胸苦しさを考えてみれば、それも非難はできない。落ちつきたがっているという気持ちはよくわかる。

私の感じでいくと、60年代の反動なのかどうなのか、左へ振れた振子が右へ振れるという現象なのではないかとも思うが、今後しばらく世界は、社会主義国も自由主義国も、全体としては保守の方向に動いていくのではないかという予感がある。しかし予感であってこれは予言ではない。

ともあれ私は、小さな説を書いているので、小説家と呼ばれる種族である。もう胆のうもない。髪の毛もそろそろ。いろいろ気になることばかりがふえる年であった。これ以上大きなことをうかうかと浮足立って考えていると、小さな説が書けなくなるので、私は書斎にもどる。しばらく皆様の前から姿を消します。二年たったらもどって来いとの約束があるので、二年たったら新しいネタを用意して、カムバックしたいと思うが、生々流転《るてん》、予定はすべて未定である。マ、橋の下をこの二年、たくさんの水が流れ、泡のような私の文章も流れていった。既往は問わない。私はこれから床屋へ行って、風呂《ふろ》に入って、わが園にもどることとする。

解説

谷沢永一

開高健が同人雑誌「えんぴつ」の仲間に始めて姿を現わしたのは、昭和二十五年二月十九日、第二号の合評会当日である。時に満十九歳、大阪市立大学法学科に籍を置く自称〝贋《にせ》学生〟時代、それでも当時はまだ詰襟《つめえり》の学生服を着用に及んでいた。進行係の紺崎朝治が、珍しい姓の読み方に当惑し、あのォ、ヒラタカさんでしょうか、と言いかけるや否《いな》や、ジロリと睨《にら》みかえした開高健は、右手に握りしめたパイプの吸口を勢いよく相手に擬し、誰もが今まで聞いたこともない甲高く地響きする声で、カァイコオです、と一声わめいた。約十年後、丸谷才一および井上光晴と並べ、文壇三大音声の見立てが行われたと仄聞《そくぶん》するが、二十歳前後における開高健の声量は、後年とは比較にならず噴射の衝撃が強烈であった。うるさ型の文学青年どもが、一挙に気勢を削《そ》がれたのは言うまでもない。

それから終刊までの一年余、合評会でもその後あちこち流れて行くガヤガヤ放談でも、話題を出しては論争に持ち込む牽引車《けんいんしゃ》の役割を、開高健は悪戯《いたずら》っぽく楽しんでいた。「えんぴつ」は奇妙に理屈っぽいのが集まっていて、それでなくても戦後期の時節柄、左翼系の公式理論が空気のように充満し、生来よほど柔軟な個性でも、語彙《ごい》と文脈では進歩派定型の塩漬けを免れぬ時代相、それが期せずして開高健に、絶好の演習場を提供したのである。あやしげな歴史の必然性論をふりかざす、可憐《かれん》な暗誦《あんしょう》型の論客が、誘いに乗ってつい勇み足の断言に走ると、一寸《ちょっと》マテ、ソラ、オカシイデェ、間髪を入れず足許《もと》へ手裏剣が飛ぶ。理論信仰の空洞を衝《つ》く、開高健お手製の実感論法は、純真な社会科学かぶれが今まで出会った覚えのない、下から抉《えぐ》った人間性観察の閃《ひらめ》きに発していたから、相手は死角を衝かれて立ち往生、常に一瞬の絶句を招いた。抗《あらが》いようのない適切無比な例示と、桁外《けたはず》れにユーモラスで辛辣《しんらつ》な比喩《ひゆ》とを駆使して、ゆっくり敵を追いつめる憎たらしさ。理論家たちは歯噛《はが》みする思いで、及ばずながら何度も陣容を立て直し、果てしなき攻防戦が続けられたのである。

最初は私の父の家で、細々と始められた合評会も、六畳一間では収まりきれぬ盛況を迎え、五月二十一日からは中之島へ進出、中央公会堂の小会議室を借りた。富士正晴らの「VIKING」や谷田昌平らの「青銅」は、高級喫茶店の予約席で優雅に開催しているらしかったが、こちらは粗茶だけの質実剛健、コーヒーやケーキに使うカネがあれば、あとでドブロク及び焼酎《しょうちゅう》をという、動乱期の経済学であった。しかし安く飲める店では客の回転が早く、いくら厚顔《あつかま》しい連中でも、お喋《しゃべ》り座り込みは許されぬ。その我々にうってつけの、無料サロンが遂に見つかったのである。

梅田阪急百貨店の東側、近年とりこわされたが航空ビルという、当時はかなりモダンに見えたビルがあった。その地下の梅田グリルは至って商売気がなく、ズイと入って奥深くの暗闇《くらやみ》に座を占めると、どうしたわけかどのウェイトレスも、最後まで注文をとりにこない。最初の一回は僥倖《ぎょうこう》を感謝し、首をひねりながら忍び出たが、次第に図々《ずうずう》しく恩寵《おんちょう》に甘え、十何人もが〝螢《ほたる》の光〟まで一晩たっぷり、フリーで議論し続けるのが常となった。水一杯飲まず別に渇《かわ》きも意識せず、たとえば福田恆存《つねあり》の『藝術とはなにか』が出たばっかりだったのを各自一冊ずつ前へ置き、三時間も四時間もの間、一体なにを談じていたのか、今となってはもはや細部を思い出し難い。福田恆存が、「文学におけることばのもつてゐる現実とは、その表象が対応してゐる実生活の現実ではなく、実生活にはない、ことば自身にのみ属する、イメイジとそれをはこぶリズムとであります」と書いているのに、どうしても我慢できないリアリズム派と、彼等の固定観念をあの手この手でゆさぶる開高健との応酬は、さすがに快刀乱麻とは義理にも言えず、手探りの行きつ戻りつではあったが、評論的思考を内側から脚部から読む鍛練として無上であった。

遥《はる》かのち富士正晴は私に酒を注ぎながら、「いっぺん本人に聞くつもりやが、開高はなんで『VIKING』へ来ず、『えんぴつ』へ行っきょったんやろなあ」と問いかけた。もちろん私にも解らないし、友人の介在や時の弾みやということだったろうが、「えんぴつ」は結果から見ると開高健にとって、戦後的で居丈高な理屈論法のヤスリにかけながら、実感の思考構造をおもむろに凝結させてゆく、お誂《あつら》え向きの助走区間となったらしい。体質相似で且《か》つ会得《えとく》型の富士正晴が相手では、摩擦熱の生じる余地もなかったであろう。その間の雰囲気《ふんいき》が些《いささ》か譲歩的な筆致ながらも、開高健自身による合評会記(冨山房『言葉の落葉』I)のかたちで、書き残されているのは貴重至極である。

こうして目に見えぬ経路を辿《たど》りつつ、醸成された洞察型エッセイストの持ち味を、期せずして一挙に噴出させたのが、記念すべき『開高健インタヴュー』全四回(「日本読書新聞」昭和33年8月18日~9月8日)であった。「〝円熟〟を考えない金子光晴老」を、一筆書きに描けば次の如《ごと》くに写し出される。「しかし、光晴老の肉体で注目すべきは、その首から下である。この部分は完全にそれより上に叛逆《はんぎゃく》していた。お猿をかん詰にしたような、その素枯れた、シワだらけの顔には、意外にわかわかしい胴と手足がつながっているのだ。皮膚はみずみずしくピンと張って、老斑《ろうはん》やシワなどは毛すじほどもなく、硬太りながらあぶらものって、きれいな血のいろを透かしているところは、へんになまめかしく、浴衣《ゆかた》の袖《そで》や裾《すそ》からチラチラすると一種フェティッシュなエロティシズムのようなものさえ感じられるのである。その対照の妙は、あたかも中古《ちゅうぶる》のガン首に新品のキセルをつけたようなおもむきである。早熟早老な日本インテリのなかでこの人がいつまでたっても〝円熟〟を考えることなく下界の認識地獄でワルプルギスの夜をくりかえし、いびつで、豊饒《ほうじょう》で、はじしらずな、悪態八百の作品を書きつづける、その、よってきたるゆえんは、やはりこのあたりなのであろうかと、年がいもなくかいがいしいラウ（羅宇）に改めて敬意を表した次第である」――井伏鱒二《ますじ》の風貌《ふうぼう》姿勢シリーズに深く学びながら、更に肉迫して体臭把握《はあく》に焦点を定め、人間像の新鮮な味覚描写が出現したのである。

　開高健の突っ込み視座は、対象の複数を横に見渡しての、平均的特徴を割り出そうとは、いつも決して考えない。寄せ集めて強引に一括する、社会評論の投網とは無縁である。風俗を、情勢を、事件を、沈滞を、いかなる局面を捉えても、それを作り出しているひとりひとりの人間を通じてしか、踏み込む道はないと観じているようだ。本書の「君は屋根へのぼって鍋《なべ》を叩《たた》かねばならない」の章を見よう。一九五〇年代某年の北京《ペキン》。「その年、スズメは害鳥だから、シラミや南京虫《ナンキンムシ》とおなじように抹殺《まっさつ》しなければならない、ということになった」。誰も知る、滑稽《こっけい》にして悲惨な、「アジアの農業国における全体主義の本質が、まざまざとその異様な顔をのぞかせてもいるエピソード」である。今となってから、過ぎ去った愚昧《ぐまい》を嘲笑《あざわら》うのは至って容易であろう。更にまた、便利重宝な発展過程論をふりまわして、やむをえなかった試行錯誤と強弁しながら、反省批判済みと居直る定型も珍しくない。しかし、このとき開高健は、ひとりの北京市民の立ち場に身を置き、事態の渦中に処する道を考える。

「もし君がそのとき北京市民であったとしたら、どうするだろうか。君は毛沢東の論文を日夜学習させられ、党は絶対に過《あやま》ちを犯さないのだと教えこまれ、党の方針と決定に絶対に反対してはならぬと知らされているので、たとえスズメは害鳥でもあるが益鳥でもあるのだから、それを集団虐殺《ぎゃくさつ》して〝清掃〟したらどえらい被害が生ずるぞと承知していても、鍋を片手に、未明に屋根へのぼらなければならないのである。もしそうしないで家にひきこもって寝てたら、たちまち隣近所の同志たちに吊《つる》しあげられるか、人民警察に密告されるかである」。有名な〝雀退治〟事件の「君」にとっての意味は、まさにかくの如く以外ではあり得ないのだ。

この否定し難い苦い事実を、開高健はひとりの個人の立場で考え、ひとりの個人である読者に淡々と語りかける。開高健の全エッセイは、筆者と読者が一対一で出会う場所においてのみ、やおら静かに語り出される。不特定の読者を勘定に入れて、多少にかかわらず集団としての反応を期待するのが、正邪の軍配をふりまわす論説だとすれば、開高健の終始かわらぬ語り口は、論説の発想とは対極を行く。言わねばならぬ核と髄を、絶妙の話術で説いて倦《う》まないが、その説得力を支える根幹は、孤独なひとりの読者に対する、思惑なき無私の誠実である。百才あって一誠を欠く、当て込みのルポルタージュが氾濫《はんらん》するなか、開高健のノンフィクションが、時日の経過に反比例して輝きを増しつつあるのは、技巧を凝らした文体の底に秘められた、読者への畏《おそ》れを知って語りかける、敬虔《けいけん》の緊張に拠《よ》るのではあるまいか。

「戦争についてのどうでもいいような一言」の最後に言う如く、「右の眼で一方の抑圧を見て見ぬふりをし、左の眼でもう一方の抑圧を見ないのに見たふりをして〝正義〟を叫ぶ人があまりに多い」当今、開高健が現象の奥に見据えるのは、「偽善と感じない偽善に身をゆだねてはばからない」、粧《よそお》われたる現代の頽廃《たいはい》である。

「サンデー毎日」昭和五十年一月五日号から五十二年一月二日号まで、百三回にわたって連載された見開き二頁《ページ》エッセイ『開口閉口』は、エッセイストとしての円熟期に達した開高健が、もっとも自由なかたちで不羈《ふき》奔放に主題を広く求め、飛躍と変転と飄逸《ひょういつ》と直截《ちょくせつ》、話術の妙を尽しながら、色褪《いろあ》せぬ不易の時代観察を貫き通し、泡沫《ほうまつ》の如き世相随筆と何処《どこ》が何故《なにゆえ》に異なるかを、読者の自問自答に残した気配も感じられる。プラハの心憎い一女性を評した一句、「〝ソフィスティケーション〟と呼ばれる心の反射はただ洒脱《しゃだつ》だけに神経の切尖《きっさき》を磨いておくのではなく、同時に本然の謙虚さや素朴さもそっとどこかに匂《にお》わせて相手を微笑のうちに信頼させる技でもあるらしいなと、痛感させられたことである」、これこそまさに開高健の深く自戒とするところであったろう。

（昭和五十四年十一月、文芸評論家）

この作品は昭和五十一年九月、五十二年六月二分冊として
毎日新聞社より刊行されたものから編集した。

表記について

新潮文庫の文字表記については、原文を尊重するという見地に立ち、次のように方針を定めました。

一、旧仮名づかいで書かれた口語文の作品は、新仮名づかいに改める。
二、文語文の作品は旧仮名づかいのままとする。
三、旧字体で書かれているものは、原則として新字体に改める。
四、難読と思われる語には振仮名をつける。

なお本作品集中には、今日の観点からみると差別的表現ととられかねない箇所が散見しますが、著者自身に差別的意図はなく、作品自体のもつ文学性ならびに芸術性、また著者がすでに故人であるという事情に鑑み、原文どおりとしました。

（新潮文庫編集部）

開高健著
パニック・裸の王様
芥川賞受賞
大発生したネズミの大群に翻弄される人間社会の恐慌「パニック」、現代社会で圧殺されかかっている生命の救出を描く「裸の王様」等。

開高健著
日本三文オペラ
大阪旧陸軍工廠跡に放置された莫大な鉄材に目をつけた泥棒集団「アパッチ族」の勇猛果敢な大攻撃！　雄大なスケールで描く快作。

開高健著
フィッシュ・オン
アラスカでのキング・サーモンとの壮烈な闘いをふりだしに、世界各地の海と川と湖に糸を垂れる世界釣り歩き。カラー写真多数収録。

開高健著
地球はグラスのふちを回る
酒・食・釣・旅。——無類に豊饒で、限りなく奥深い〈快楽〉の世界。長年にわたる飽くなき探求から生まれた極上のエッセイ29編。

開高健著
輝ける闇
毎日出版文化賞受賞
ヴェトナムの戦いを肌で感じた著者が、戦争の絶望と醜さ、孤独・不安・焦燥・徒労・死といった生の異相を果敢に凝視した問題作。

開高健著
夏の闇
信ずべき自己を見失い、ひたすら快楽と絶望の淵にあえぐ現代人の出口なき日々——人間の《魂の地獄と救済》を描きだす純文学大作。

開高健
吉行淳之介著
対談 美酒について
—人はなぜ酒を語るか—
酒を論ずればバッカスも顔色なしという二人が酒の入り口から出口までを縦横に語りつくした長編対談。芳醇な香り溢れる極上の一巻。

山口瞳著
礼儀作法入門
礼儀作法の第一は、「まず、健康であること」。作家・山口瞳が、世の社会人初心者に遺した「気持ちよく人とつきあうため」の副読本。

山口瞳
開高健著
やってみなはれ
みとくんなはれ
創業者の口癖は「やってみなはれ」。ベンチャー精神溢れるサントリーの歴史を、同社宣伝部出身の作家コンビが綴った「幻の社史」。

吉行淳之介著
原色の街・驟雨
芥川賞受賞
心の底まで娼婦になりきれない娼婦と、良家に育ちながら娼婦的な女——女の肉体と精神をみごとに捉えた「原色の街」等初期作品5編。

吉行淳之介著
夕暮まで
野間文芸賞受賞
自分の人生と〝処女〟の扱いに戸惑う22歳の杉子に対して、中年男の佐々の怖れと好奇心が揺れる。二人の奇妙な肉体関係を描き出す。

柳田邦男著
言葉の力、生きる力
たまたま出会ったひとつの言葉が、魂を揺さぶり、絶望を希望に変えることがある——日本語が持つ豊饒さを呼び覚ますエッセイ集。

白洲正子著

日本のたくみ

歴史と伝統に培われ、真に美しいものを目指して打ち込む人々。扇、染織、陶器から現代彫刻まで、様々な日本のたくみを紹介する。

白洲正子著

西　行

ねがはくは花の下にて春死なん……平安末期の動乱の世を生きた歌聖・西行。ゆかりの地を訪ねつつ、その謎に満ちた生涯の真実に迫る。

白洲正子著

白洲正子自伝

この人はいわば、魂の薩摩隼人。美を体現した名人たちとの真剣勝負に生き、ものの裸形だけを見すえた人。韋駄天お正、かく語りき。

白洲正子著

私の百人一首

「目利き」のガイドで味わう百人一首の歌の心。その味わいと歴史を知って、愛蔵の元禄時代のかるたを愛でつつ、風雅を楽しむ。

白洲正子著

ほんもの
―白洲次郎のことなど―

おしゃれ、お能、骨董への思い。そして、白洲次郎、小林秀雄、吉田健一ら猛者と過ごした日々。白洲正子史上もっとも危険な随筆集！

牧山桂子著

次郎と正子
―娘が語る素顔の白洲家―

幼い頃は、ものを書く母親より、おにぎりを作ってくれるお母さんが欲しいと思っていた――。風変わりな両親との懐かしい日々。

池波正太郎著

食卓の情景

鮨をにぎるあるじの眼の輝き、どんどん焼屋に弟子入りしようとした少年時代の想い出など、食べ物に託して人生観を語るエッセイ。

池波正太郎著

散歩のとき何か食べたくなって

映画の試写を観終えて銀座の〔資生堂〕に寄り、はじめて洋食を口にした四十年前を憶い出す。今、失われつつある店の味を克明に書留める。

池波正太郎著

日曜日の万年筆

時代小説の名作を生み続けた著者が、さりげない話題の中に自己を語り、人の世を語る。手練の切れ味をみせる〝とっておきの51話〟。

池波正太郎著

男の作法

これだけ知っていれば、どこに出ても恥ずかしくない！ てんぷらの食べ方からネクタイの選び方まで、〝男をみがく〟ための常識百科。

池波正太郎著

むかしの味

人生の折々に出会った〔忘れられない味〕。それを今も伝える店を改めて全国に訪ね、初めて食べた時の感動を語り、心づかいを讃える。

池波正太郎著

池波正太郎の銀座日記〔全〕

週に何度も出かけた街・銀座。そこで出会った味と映画と人びとを芯に、ごく簡潔な記述で、作家の日常と死生観を浮彫りにする。

内田百閒著
百鬼園随筆
昭和の随筆ブームの先駆けとなった内田百閒の代表作。軽妙洒脱な味わいを持つ古典的名著が、読やすい新字新かな遣いで登場！

内田百閒著
第一阿房列車
「なんにも用事がないけれど、汽車に乗って大阪へ行って来ようと思う」。借金をして一等車に乗った百閒先生と弟子の珍道中。

内田百閒著
第二阿房列車
百閒先生の用のない旅は続く。弟子の「ヒマラヤ山系」を伴い日本全国を汽車で巡るシリーズ第二弾。付録・鉄道唱歌第一、第二集。

内田百閒著
第三阿房列車
百閒先生の旅は佳境に入った。長崎、房総、四国、松江、興津に不知火と巡り、走行距離は総計1万キロ。名作随筆「阿房列車」完結篇。

伊丹十三著
ヨーロッパ退屈日記
この人が「随筆」を「エッセイ」に変えた。本書を読まずしてエッセイを語るなかれ。一九六五年、衝撃のデビュー作、待望の復刊！

伊丹十三著
女たちよ！
真っ当な大人になるにはどうしたらいいの？マッチの点け方から恋愛術まで、正しく、美しく、実用的な答えは、この名著のなかに。

阿刀田 高著　ギリシア神話を知っていますか

この一冊で、あなたはギリシア神話通になれる！ 多種多様な物語の中から著名なエピソードを解説した、楽しくユニークな教養書。

阿刀田 高著　旧約聖書を知っていますか

預言書を競馬になぞらえ、全体像をするめにたとえ――「旧約聖書」のエッセンスのみを抽出した阿刀田式古典ダイジェスト決定版。

阿刀田 高著　コーランを知っていますか

遺産相続から女性の扱いまで、驚くほど具体的にイスラム社会を規定するコーランも、アトーダ流に噛み砕けばすらすら頭に入ります。

阿刀田 高著　新約聖書を知っていますか

マリアの処女懐胎、キリストの復活、数々の奇蹟……。永遠のベストセラーの謎にミステリーの名手が迫る、初級者のための聖書入門。

阿刀田 高著　源氏物語を知っていますか

原稿用紙二千四百枚以上、古典の中の古典。あの超大河小説『源氏物語』が読まずにわかる！ 国民必読の「知っていますか」シリーズ。

阿刀田 高著　漱石を知っていますか

日本の文豪・夏目漱石の作品は難点ばかり!? 代表的13作品の創作技法から完成度までを華麗に解説。読めばスゴさがわかる超入門書。

田辺聖子著

朝ごはんぬき？

三十一歳、独身ＯＬ。年下の男に失恋して退職、人気女性作家の秘書に。そこでアラサー女子が巻き込まれるユニークな人間模様。

田辺聖子著

孤独な夜のココア

心の奥にそっとしまわれた甘苦い恋の記憶を、柔らかに描いた12篇。時を超えて読み継がれる、恋のエッセンスが詰まった珠玉の作品集。

田辺聖子著

新源氏物語（上・中・下）

平安の宮廷で華麗に繰り広げられた光源氏の愛と葛藤の物語を、新鮮な感覚で「現代」のよみものとして、甦らせた大ロマン長編。

田辺聖子著

田辺聖子の古典まんだら（上・下）

古典ほど面白いものはない！『古事記』『万葉集』から平安文学、江戸文学……。古典をこよなく愛する著者が、その魅力を語り尽す。

田辺聖子著

姥ざかり

娘ざかり、女ざかりの後には、輝く季節が待っている——姥よ、今こそ遠慮なく生きよう、76歳〈姥ざかり〉歌子サンの連作短編集。

田辺聖子著

姥勝手

老いてこそ勝手に生きよう。今こそヒト様に気がねなく。くやしかったら八十年生きてみい。元気いっぱい歌子サンのシリーズ最終巻。

開《かい》口《こう》閉《へい》口《こう》

新潮文庫　か - 5 - 6

昭和五十四年十二月二十五日　発　行
平成十七年八月二十五日　三十二刷改版
令和　五　年　八　月三十日　四　十　刷

著者　開《かい》高《こう》健《たけし》

発行者　佐藤隆信

発行所　株式会社　新潮社

郵便番号　一六二―八七一一
東京都新宿区矢来町七一
電話　編集部(〇三)三二六六―五四四〇
　　　読者係(〇三)三二六六―五一一一
https://www.shinchosha.co.jp

価格はカバーに表示してあります。

乱丁・落丁本は、ご面倒ですが小社読者係宛ご送付ください。送料小社負担にてお取替えいたします。

印刷・株式会社光邦　製本・株式会社植木製本所

ISBN978-4-10-112806-1 C0195